Sudie

Sara Flanigan

Sudie

Traduit de l'américain par Laurence Lenglet

Médium poche
11, rue de Sèvres, Paris 6e

Titre original: «Sudie» (St-Martin's Press, New York)
Loi n° 49. 956 du 16 juillet 1949 sur les publications destinées à la jeunesse: mars 1993
Dépôt légal: janvier 1994
Imprimé en France par la Société Nouvelle Firmin-Didot au Mesnil-sur-l'Estrée (25729)

Pour Mike, Julie, Heidi,
Richard et Heather

Remerciements

Les amis sont l'un des plus grands bienfaits de la vie. Ma gratitude revient à ma chère amie de toujours, Jeannette McClung, pour ses rires, ses larmes et ses encouragements à la lecture du début du manuscrit de *Sudie,* et pour sa patience lors de la frappe de ce manuscrit. À Marge Lane, ma merveilleuse et très spéciale amie de New York qui, après l'avoir lu, s'est écriée : « Tu l'as fait ! Je crois que je vais piquer un cent mètres dans la cinquante-quatrième rue en criant : *Elle l'a fait !* » et qui, des années durant, m'a poussée à aller de l'avant grâce à sa confiance et à son amour. À mes précieux amis de Los Angeles, Dick et Kathy Freed, dont l'amour et le soutien sont, depuis toujours, inestimables. À Irène Jurczyk, mon amie et agent d'Atlanta (et écrivain elle-même), dont la sensibilité et l'amour des mots ont permis la publication de ce livre. À mes enfants chéris, qui sont aussi mes amis, parce qu'ils ont cru jusqu'au bout que maman pouvait y arriver.

À vous tous je dis merci et je vous aime. Mais plus encore, je remercie Dieu qui, au départ, m'a gratifiée de ce don pour l'écriture, puis d'amis tels que vous.

Première partie

Le château dans les vignes sauvages et autres secrets

La mère de Sudie, elle lui a bien dit qu'il ne fallait pas s'approcher de la voie ferrée. Même qu'elle lui a dit de surveiller son petit frère Billy, pour qu'il n'y aille pas non plus. Sa mère, elle lui a dit que si elle et Billy allaient sur les rails, eh ben un de ces jours un train allait débouler du virage, il leur passerait sur le corps, et on retrouverait tous leurs membres éparpillés d'ici à Middelton, à part si le train arrivait dans l'autre sens, parce qu'alors là il faudrait aller récupérer les morceaux du côté d'Athens. Moi aussi, j'ai essayé d'empêcher Sudie d'aller sur la voie ferrée, sauf qu'elle n'écoute jamais ce que je dis. Je lui ai même raconté qu'une fois, moi et papa, on a vu deux rôdeurs qui se baladaient sur les rails et que papa, il m'a dit que les rôdeurs, eh ben, ils attrapaient les petites filles, ils les jetaient dans un wagon et comme ça, plus personne ne les revoyait jamais dans cette vie. Sauf que ça n'a servi à rien de lui expliquer ça parce qu'elle a dit qu'elle le savait déjà.

Maman, elle me l'a dit aussi de ne jamais m'approcher des rails. Mais je n'ai pas pu lui obéir à cause de Sudie. Moi et Sudie, on est meilleures amies. On est meilleures amies depuis qu'on va à l'école, sauf à un moment où on a arrêté de se parler quand Ethel McMillen est devenue meilleure amie avec Sudie, tout ça parce que le frère d'Ethel

McMillen était fiancé avec elle, sauf qu'un jour ça a cassé, vu qu'il a commencé à reluquer Valérie Still à cause de ses cheveux blond blanc. Moi, je ne pouvais pas dire qu'il avait tort, et maman non plus. Maman, elle dit que Valérie Still ressemble à un ange de Noël avec sa peau aussi blanche que ses cheveux.

Sudie, elle a une bonne peau normale en hiver, mais alors en été, c'est une vraie négresse, surtout aux genoux et aux coudes. Une fois, je lui ai dit de se les frotter au savon noir et que peut-être comme ça ils redeviendraient tout propres. Elle a essayé quand elle est rentrée chez elle, mais ça n'a rien changé. En plus d'être une vraie négresse, ses cheveux bruns sont tout striés de mèches jaunes en été. Exactement comme Billy.

Sudie, elle ne ressemble pas tellement à sa mère. Moi je suis tout le portrait de maman. Je suis blonde, et maman aussi, exactement comme Veronica Lake. La mère de Sudie, elle a un vrai teint de porcelaine et des yeux bleus, mais son père, il a la peau plus foncée et des yeux marron.

Maman, elle dit que les Harrigan formaient un beau couple dans le temps. Mais plus maintenant. Ce qui les a usés, c'est d'élever leurs cinq gosses pendant la Grande Crise, vu qu'ils n'avaient pas de travail et tout. Après ça, quand Sudie et Billy sont nés, c'était comme recommencer une autre famille: la tuile, quoi. Mais heureusement, les filles aînées sont parties, et le grand frère de Sudie est dans la marine, maintenant. Maman, elle dit que M. Harrigan, il lui fait penser à un vieux gros taureau trop fatigué pour se battre mais qu'on continue d'agacer en lui agitant des drapeaux rouges sous le nez, et que Mme Harrigan, on dirait Mercy, la meilleure jument de M. Higgens, quand elle rentre toute fatiguée et toute trempée à l'écurie.

Tout ça pour dire que je n'ai jamais compris pourquoi

Sudie passait comme ça sa vie sur la voie ferrée. Bon, d'accord, je n'ai jamais vu quelqu'un d'autre marcher aussi loin en équilibre sur les rails, même quand ils étaient brûlants. Moi, je n'arrive même pas à garder le pied dessus une minute, pourtant je peux vous dire que j'ai les pieds endurcis, vu que je ne porte pas plus de chaussures qu'elle. À mon avis, elle doit avoir des dessous de pieds comme de la corne. Une fois, elle et Jane Coker, elles ont fait un pari pour voir laquelle des deux marcherait le plus longtemps sur les rails. Ni l'une ni l'autre n'avait d'argent, mais elles ont quand même parié une pièce de cinq cents, juste au cas où elles en auraient une un jour. Mais ça ne valait vraiment pas le coup de parier, si vous voulez mon avis, parce que Jane n'a même pas tenu dix pas. Sudie, par contre, elle est partie du dépôt avant de disparaître tout là-bas derrière le pont sans jamais s'arrêter. Elle sait même courir en équilibre sur les rails, et ça, je n'ai jamais vu personne en faire autant. Et c'est vraiment quelque chose de la voir courir comme ça sur les rails, avec ses petits bras qui ondulent et ses jambes toutes maigres qui galopent à toute allure.

Maman, elle peut vous expliquer pourquoi Sudie va tout le temps sur la voie ferrée. Il y a trois raisons. D'abord, c'est parce que les rails passent juste à côté de chez elle. Elle habite derrière la quincaillerie, dans cette vieille maison grise de quatre pièces avec un toit de tôle tout rouillé, juste en face de chez M. Wilson. Deuxièmement, c'est parce que dans cette ville de bouseux (je n'ai jamais compris pourquoi maman appelait les gens de Linlow comme ça, vu qu'il n'y a pas tant de vaches que ça, ici), il n'y a pas grand-chose à faire pour une gosse qui ne tient jamais en place comme Sudie. Et troisièmement, c'est parce que dans cette ville de bouseux, les sales gosses comme Sudie, ils ne cherchent rien qu'à faire des mauvais coups. Maman, elle trouve que Dieu ne s'est franchement pas foulé quand Il a créé Linlow. Tout ce qu'Il a fait, c'est de gonfler comme des ballons six vieilles boutiques dont personne ne voulait, de les laisser tomber, plof, dans la terre rouge à côté de cette voie ferrée, et de charger papa de raconter à tout le monde que c'était le paradis sur terre. Elle dit aussi que si quelqu'un demandait à Dieu où se trouvait Linlow, Il répondrait qu'Il a complètement oublié.

Je me doute bien que ce n'est pas Dieu en personne qui a créé Linlow, vu que c'est le grand-père de papa, Grady Raymond Clark, qui a construit la toute première maison ici. Juste à l'endroit où l'église méthodiste se trouve aujourd'hui. Cette maison, elle a brûlé il y a très, très longtemps, mais papa s'en souvient encore.

Après ça, il y a eu le père de papa, Nathan Clark, qui a construit notre maison juste à côté de l'école. Pendant très longtemps, les Clark ont possédé quasiment toutes les terres dans le coin, et puis un jour, le frère de papa, Albert Clark, a passé un marché malhonnête avec la famille (mais ça, personne n'a le droit d'en parler à la maison), du coup, mon grand-père a été obligé de vendre presque toutes ses terres. Maman raconte que, maintenant, Albert vit dans une belle maison à Atlanta, qu'il conduit une grosse voiture et qu'il s'habille comme un monsieur. Mais elle ne parle jamais de ça en face de papa.

À Linlow, seuls la grand-route, la rue principale et un trottoir sont pavés. Le trottoir est recouvert par un toit en tôle. Il y a quatre bancs sur ce trottoir. C'est là que les hommes s'assoient pour parler de la guerre, des récoltes et du temps en mâchant du tabac et en crachant par terre. Les femmes ne vont jamais sur les bancs. Elles s'assoient sur les vérandas devant les maisons et là, elles parlent entre elles de gosses, de lessive (elles font le concours du linge le plus blanc) et de recettes de cuisine. Si jamais un gosse passe par là, il a droit à des histoires horribles avec des trolls qui se cachent sous les ponts, avec des buissons qui s'enflamment dans les marécages au moment où quelqu'un qui vient de mourir arrive en enfer, avec Yankeetilde, l'affreuse sorcière qui habite dans le grenier de M. Smith et qui attrape les méchants garçons et les méchantes filles, ou alors avec des rôdeurs et des nègres (que personne ne voit parce que ce sont des fantômes) qui se promènent sur la voie ferrée et qui attrapent les méchants garçons et les méchantes filles pour les manger. Elles parlent du temps qu'il fait, aussi. Et puis elles prisent et elles crachent par terre.

Maman, elle dit que ça ne se fait pas, une femme qui s'assoit sur les bancs, mais je peux vous dire que j'y ai vu Sudie je ne sais pas combien de fois. Alors ça, ça me rend malade ! Je lui ai déjà dit que ça ne se faisait pas mais ça ne sert à rien. Je sais que sa mère a bien dû la mettre au courant des choses qui se font et de celles qui ne se font pas, n'empêche que quand elle mange à la maison, elle ne se sert jamais du couteau ni de la fourchette, seulement de la cuillère. En plus, elle mange comme un cochon, même quand je lui dis de faire attention. Heureusement que maman a l'habitude, maintenant. Maman, elle croit que c'est parce que Sudie ne mange sûrement pas à sa faim. J'ai demandé à Sudie si ses parents lui donnaient assez à manger, mais elle m'a répondu que j'étais complètement tarée. Billy, il se porte bien, lui. Je ne comprends pas, parce qu'ils doivent bien manger la même chose, tous les deux. En tout cas, je suis sûre qu'elle vole des trucs à manger dans les champs et dans les vergers du coin. N'empêche que je ne sais pas trop comment ils se nourrissent dans cette famille, vu que je n'ai jamais mangé chez eux. Sudie ne m'a jamais invitée.

Tout ça pour dire que papa trouve que Linlow, c'est le meilleur endroit pour élever des gosses parce que comme tout le monde connaît tout le monde, on peut laisser les gosses courir les rues sans se faire de mouron. Papa, il jure qu'il n'élèverait jamais des enfants dans une ville pleine de nègres. Et que s'il y avait le moindre nègre dans cette ville, il aurait tôt fait de nous enfermer à la maison. Un jour, avant la mort de grand-père Clark, lui et papa ont appris qu'une bande de nègres s'était installée dans une vieille bicoque près de Hog Mountain. Alors ils ont pris leurs fusils et ils ont sauté dans le chariot pour aller les déloger. Papa, il n'avait jamais rien vu de plus marrant, il disait, ces nègres qui galopaient sur la route comme s'ils avaient le feu quelque part. Ils n'avaient même pas eu le temps d'emporter leurs affaires, à part les habits qu'ils avaient sur le dos. C'est après ça que lui et grand-père sont retournés à Hog Mountain clouer des pancartes bien en hauteur où il était écrit : NÈGRE : SACHE QUE TU N'ES PAS LE BIENVENU SOUS LE SOLEIL DE LINLOW. Ce que je ne comprends pas, c'est que Hog Mountain, ça fait une trotte : c'est au moins à quinze kilomètres de Linlow.

*
* *

Moi, je n'ai jamais vu un nègre de près. Un jour que papa m'avait emmenée avec lui à Canter, il m'en a montré trois qui attendaient au dépôt, mais comme on était trop loin, je n'ai pas pu bien les voir. Mais ce que je peux vous dire, c'est que ça m'a suffi. Sudie et Billy, ils n'ont jamais vu de nègres, eux. Pas étonnant que Billy vous hurle dans les oreilles que ça ne lui fait pas peur. Je suis allée lui dire, moi, que s'il les avait vus, ces animaux-là, il ferait pas le malin comme ça. Je vous jure, ils étaient noirs comme de la suie !

En tout cas, papa, il est sûr de ne vouloir vivre nulle part ailleurs au monde qu'à Linlow, et il espère bien que cette ville ne va pas se mettre à grossir, comme des tas d'autres depuis le début de la guerre qui se remplissent d'étrangers et de yankees. Parce que les étrangers et les yankees, comme il dit papa, ça peut vous foutre en l'air une ville comme un rien, pire que les Japonais à Pearl Harbor. Il dit que cette guerre va faire du tort aux honnêtes gens, à force de partager leur ville avec des étrangers et des yankees. Moi, je n'ai jamais vu d'étrangers en chair et en os, mais je peux vous dire que j'ai rencontré une vraie yankee, sauf qu'on ne peut pas deviner que c'en est une tant qu'elle n'a pas ouvert la bouche. Mais alors, quand elle l'ouvre, ça s'entend que c'est une vraie yankee, si vous voyez ce que je veux dire.

Elle s'appelle Mme Allen, et elle enseigne au collège. Ses élèves l'appellent Mlle Marge et ils l'aiment bien. Ils s'en fichent qu'elle soit une vraie yankee. Heureusement, elle n'habite pas à Linlow. Elle a une chambre à Middelton. Mlle Marge est née dans le plus petit État d'Amérique, mais pas dans le plus yankee. Tout le monde sait bien que l'État le plus yankee d'Amérique, c'est New York. Elle vient du Rhode Island. C'est là qu'elle s'est mariée avec un garçon d'Atlanta, mais elle n'a jamais voulu enseigner là-bas. Elle, ce qu'elle voulait, c'était travailler dans une petite ville du Sud, pour voir comment c'était.

Comme il dit papa, Mlle Marge n'aurait jamais été engagée si déjà quatre profs n'étaient pas morts à la guerre, et si son mari n'avait pas été envoyé au front. Papa, il était sûr qu'elle ne tiendrait même pas l'année ici. Et peut-être même pas la semaine, à son avis. Mais elle est arrivée la semaine dernière, et jusqu'à maintenant elle tient. Maman, elle pense que Mlle Marge aurait dû rester dans le Rhode

Island si elle aime tant que ça les nègres. Qu'il n'y a pas de place dans cette ville pour les yankees qui ne savent pas remettre les nègres à leur place. Par contre, ça ne la dérangerait pas du tout, maman, si de bons vrais sudistes venaient s'installer ici.

Moi, je suis de l'avis de papa : je ne veux pas que d'autres gens viennent s'installer dans cette ville. Elle me plaît comme elle est, parce que Sudie et moi, on connaît les noms de tous les gens qui habitent ici et quasiment tout ce qu'il y a à savoir sur eux, c'est-à-dire pas grand-chose. Vous voyez, ça fait deux cent six personnes qui habitent à cinq minutes à pied, plus ceux qui habitent dans la campagne, là où les gosses prennent le car pour aller à l'école, plus le père de Frank Mills, même si ça fait presque deux ans qu'il est sur son lit de mort.

***

Papa, il ne supporte pas quand maman dit du mal de Linlow. Ce qui fait que quand elle en dit, c'est la grosse dispute, et comme après ils arrêtent de se parler pendant un bout de temps, maman vient dormir dans notre lit, avec moi et ma sœur. Même qu'une fois, elle a dormi avec nous trois nuits de suite, tout ça parce qu'elle s'était disputée avec papa à cause de Sudie. Maman voulait m'interdire de jouer avec Sudie parce qu'elle avait soi-disant une mauvaise influence sur moi. En entendant ça, je m'étais mise à sauter en l'air, à hurler, à pleurer et à frapper ma sœur qui n'avait rien fait.

Papa, ça ne le dérangeait pas que je joue avec Sudie. Comme il disait, ce n'était pas parce que Sudie n'était jamais chez elle qu'elle me faisait du tort. Et quand il a demandé à maman d'expliquer ce que Sudie faisait de mal, elle a répondu que premièrement, on ne lui avait jamais appris à se conduire dans le monde (j'ai voulu savoir ce qu'elle voulait dire par là, mais elle m'a répondu de la boucler) et que deuxièmement, elle était toujours sale. Comme elle dit maman, la pauvreté ce n'est peut-être pas un péché, mais la saleté, si. Après ça, papa lui a répondu que la saleté et la mauvaise influence, ça n'avait rien à voir, et qu'en plus de ça, il n'y avait quasiment pas d'autres enfants de mon âge qui habitaient aussi près de chez nous, sauf peut-être Nettie Davis qui brille comme un sou neuf tellement elle se lave ! J'ai remercié le Seigneur quand papa a gagné la bataille et qu'ils m'ont autorisée à rester copine avec Sudie à condition que je n'oublie jamais mon éducation chrétienne. Alors j'ai promis.

Ma sœur, elle n'aime pas trop Sudie non plus, parce qu'elle dit qu'en plus de se balader sur la voie ferrée, ce qui est déjà franchement bizarre, Sudie fait des trucs encore plus bizarres comme de passer tout son temps toute seule dans un Endroit Secret quelque part dans les bois. Moi j'ai dit que c'était impossible, vu que si elle avait eu un Endroit Secret, j'aurais été la première au courant. Mais ce n'était pas vraiment vrai. Peut-être que l'Endroit Secret dont ma sœur parlait n'existait plus, mais Sudie en a un nouveau qu'elle a promis de me montrer. Seulement, pour ça, je suis obligée de la boucler, parce que Sudie, elle a aussi juré d'arrêter d'être mon amie, de ne plus jamais me dessiner de poupées en papier et de me jeter une bouse de vache à la figure si j'avais le malheur d'aller cafter. Et je suis sûre qu'elle en serait capable, parce que la fois où je lui ai expliqué que le fils Carson était tout déformé parce qu'il était possédé par le diable et qu'il était bourré de péchés, elle m'a regardée tellement méchamment que j'ai déguerpi sans demander mon reste. Quand elle m'a rattrapée dans la cour de M. Turner, elle m'a tordu le bras et elle m'a traînée dans la grange. Même qu'elle a essayé de m'écraser la figure dans une grosse bouse de Miss Lottie. Miss Lottie, c'est la vache de M. Turner; il l'a appelée comme ça à cause de sa femme, Lottie Turner, qui a d'énormes lolos qui pendent. Tout le monde à Linlow appelle cette vache Miss Lottie, mais moi et Sudie, on l'appelle Lottielolo. Notre jeu préféré, c'est d'inventer des nouveaux noms, comme par exemple M. Higgens, qui est maigre et chauve, qu'on appelle Chmauve, et June Langly, qui est petite et grosse, et qu'on appelle Titgrosse.

* * *

Sudie, elle ne m'aurait jamais parlé de son Endroit Secret si je ne l'avais pas surprise un jour en train de voler des patates douces dans le champ de M. Higgens en revenant de l'école. Je suis arrivée par-derrière et j'ai vu que sa jupe était pleine à ras bord de patates douces. Elle a fait un de ces bonds quand elle m'a vue! Elle a lâché sa jupe et toutes ses patates sont tombées par terre. Elle restait plantée là comme une abrutie sans rien dire.

Je lui ai dit comme ça: «Qu'est-ce que tu fais, Sudie?»

Vite, elle a répondu: «Rien.»

«Comment ça se fait que tu voles toutes ces patates douces?»

«Parce que.»

«Parce que quoi?»

«Parce que rien!»

«Tu as faim?»

«Nan, j'ai pas faim.»

«C'est pour ta mère?»

«Nan, c'est pas pour ma mère!»

Je voyais bien qu'elle ne voulait rien me dire et ça m'énervait tellement que j'avais envie de hurler. Elle essaie tout le temps de me tenir à l'écart de ses trucs, cette fille. Alors j'ai fait: «Si tu me dis pas pourquoi, eh ben je vais te dénoncer.»

Elle a eu l'air d'avoir un peu peur à ce moment-là, et moi, j'aime bien ça, parce que ce n'est pas tous les jours que j'arrive à lui claquer le beignet.

«T'as pas intérêt!» elle a dit.

«Je te jure, je vais le dire.»

«T'as pas intérêt!»

À ce moment-là, je suis partie comme si j'allais vers la maison des Higgens.

Elle m'a laissée avancer un peu. Et puis elle a crié: «Si c'est comme ça, d'accord, crotte de bique! Viens, je vais te montrer où j'emmène ces patates.»

Alors là, ça m'a fait un choc.

«C'est vrai?»

«Ouais. Mais tu dois jurer de le dire à personne.»

«Oh, je le dirai pas. Je te le jure.»

«Alors, vas-y: Croix de bois, croix de fer...»

***

J'ai cru qu'on n'y arriverait jamais, à cet endroit où elle m'emmenait. On a traversé la pâture de M. Higgens, puis le champs de coton de M. Turner, avec toutes ces saletés de tiges qui griffent les jambes. Après, il a fallu faire tout le tour du bois de Bowen et là, on a atterri dans un endroit que je n'avais jamais vu avant. Moi qui croyais connaître Linlow comme ma poche! Comme j'étais morte de fatigue, je me suis laissée tomber dans l'herbe. Pendant ce temps-là, Sudie a disparu.

Je regardais autour de moi. De toute ma vie, je n'avais jamais vu autant de kudzu, et pourtant les vignes sauvages, je sais ce que c'est! Je crois bien que papa, il déteste encore plus le kudzu que le diable lui-même, parce que comme il dit, ce machin-là, ça vous envahit tout votre champ comme un rien. Ici, ça poussait partout, ça s'accrochait aux pins géants, et ça étouffait même les broussailles avec ses feuilles vert foncé, larges comme les mains de papa. C'était un peu sinistre, cet endroit. Ça me rappelait une photo, dans mon livre de géographie, qui montre un vieux château en ruine, tellement haut qu'on dirait que les tours pointues essaient de toucher le ciel. Mais c'était quand même joli, comme endroit, et très, très silencieux, en plus. Il n'y avait aucun bruit, à part un oiseau qui gazouillait. Fatiguée comme j'étais, c'était vraiment tranquille, d'être allongée là à écouter ce gazouillis. J'ai fermé les yeux un moment.

Tout à coup, j'ai vu Sudie debout juste au-dessus de moi. «Allez, on y va», elle a dit. Elle voulait me rendre cinglée, cette fille, ou quoi ? C'est vrai ! Non seulement elle m'avait fait courir jusqu'ici alors que le seul truc qu'il y avait à voir, c'était cette saleté de kudzu, mais en plus de ça, elle ne m'avait toujours pas dit pourquoi elle avait volé toutes ces patates douces.

«Écoute, je vais nulle part si tu me dis pas ce que tu as fait de tes patates!» j'ai dit en la regardant droit dans les yeux.

C'est là qu'elle a recommencé avec toutes ses menaces et toutes les horreurs qu'elle allait me faire si jamais j'allais cafter. Du coup, j'ai juré sur la tête de ma mère de la boucler. Elle m'a attrapé la main et on a recommencé à courir. On a fait le tour d'un énorme buisson de kudzu plus bas que les autres, et là on est arrivées devant un gros trou creusé dans le feuillage. Après ça, il a fallu se mettre à quatre pattes, vu que le trou n'était pas assez haut pour qu'on y entre debout, et je peux vous dire qu'on a rampé comme ça pas mal de temps. Je commençais à avoir des crampes d'estomac, parce que j'ai horriblement peur des serpents.

«Sudie, où est-ce qu'on va?»

«Dans un bel endroit secret, et magique aussi», qu'elle a dit.

«Oh, et puis zut! Écoute, Sudie Harrigan, c'est encore une de tes histoires à dormir debout, tout ça pour me traîner dans ce trou à serpents! J'ai jamais vu un endroit magique aussi laid, figure-toi. C'est vrai, qu'est-ce qu'il y a de beau, ici? Et puis d'abord, la magie, ça existe pas. Et si ça existe, c'est une invention du diable, c'est le pasteur qui l'a dit, et si tu préfères croire à la magie, eh ben, tu vas aller tout droit en enfer et...»

À ce moment-là, elle a plaqué sa main sur ma bouche, très fort.

«Bon, maintenant tu la boucles tout de suite, parce que toi, le seul truc que tu sais faire, c'est la bavasse, la bavasse et la bavasse! Alors tu la boucles!»

Je connais son caractère, du coup je me suis dit que je ferais mieux de ne pas en rajouter. Et je l'ai bouclée.

Comme elle dit maman, les Irlandais ont mauvais caractère. D'ailleurs, il paraît que le père de Sudie a un caractère de chien. Moi, j'ai plutôt bon caractère, même si des fois Sudie me tape tellement sur les nerfs que ça me démange de lui arracher ses longs cheveux filasse un à un.

Mais pour l'instant, il valait mieux continuer de ramper en la bouclant. Au bout d'un moment, elle a dit: «Ça y est, maintenant tu peux te lever.»

Je me suis mise debout.

«Alors, qu'est-ce t'en penses?» elle a demandé.

J'ai regardé de tous les côtés. D'abord, j'ai eu l'impression d'être dans une caverne tellement il faisait sombre. Et puis mes yeux se sont habitués. Petit à petit, j'ai vu apparaître des rais de lumière tremblante tout autour de moi. Des fois, au coucher du soleil, les nuages ont l'air d'avoir aspiré toute l'eau des rivières et des lacs. Eh ben là, ça faisait un peu la même lumière. Je restais plantée sur place comme une statue à regarder ces petits rais de lumière onduler comme les branches d'un saule tout autour de nous. La brise faisait bruisser les arbres au-dessus de nos têtes, les vignes craquaient et grinçaient, et leurs feuilles se frottaient les unes contre les autres comme si elles chuchotaient. J'en avais quasiment le souffle coupé, et pour vous dire la vérité, même si j'étais sûre de ne jamais raconter ça à personne à cause des histoires de diable et tout, c'était vraiment comme de la magie! Je restais plantée là la bouche toute grande ouverte, à regarder cet endroit. Sudie ne disait rien. Elle me regardait regarder.

Je n'en revenais pas de la taille de cet endroit. Ça devait être au moins aussi grand que ma chambre, sauf que là, c'était arrondi partout, sauf par terre. Il y avait trois grands trous, comme des portes, qui devaient conduire dans d'autres pièces. C'était exactement comme une maison, mais avec des murs arrondis. Jamais de ma vie je n'avais vu un truc aussi incroyable! Je savais que ce n'était qu'une masse de kudzu qui recouvrait deux ou trois arbres et des buissons, mais pourquoi est-ce que les murs étaient aussi parfaitement ronds?

C'est ce que j'ai demandé à Sudie quand, pour finir, j'ai repris mes esprits.

«C'est moi qui les ai taillés comme ça», elle a répondu, mais sans me regarder.

«Sale menteuse, va!» j'ai dit. «C'est pas toi qui l'as fait, t'es pas assez grande! Ta cachette, je te parie qu'elle est au moins aussi haute que la cabane à outils de papa!»

«Ben ouais, je suis montée sur une échelle.»

Elle mentait à travers ses dents crochues, et je le savais. Sudie, c'est la meilleure menteuse que j'aie entendue mentir, sans que personne, même sa mère, s'en rende compte. Mais moi, je peux vous dire que je n'étais pas si bête! Ce n'était sûrement pas à neuf ans qu'on pouvait construire un truc pareil tout seul. Alors je lui ai répété qu'elle n'était rien qu'une sale menteuse. Comme elle ne répondait pas, j'étais sûre qu'elle devait être en train de réfléchir à un autre mensonge. Mais finalement, non.

«Je peux pas t'expliquer», elle a dit. «Je pourrai jamais t'expliquer. Et si t'as le malheur d'aller bavasser, eh ben, je te jure que je trouverai pire à te faire qu'arrêter d'être ton amie et de te dessiner des poupées en papier et que de te foutre le nez dans une bouse de vache!»

Je savais qu'elle ne rigolait pas du tout, parce qu'elle avait les lèvres toutes serrées, que ses gros yeux noirs lançaient des éclairs et qu'en plus de ça elle dit toujours des gros mots quand elle est fâchée. Son frère Billy, il fait exactement pareil. Maman, elle dit que Billy, il connaît plus de gros mots que les frères de Jane Coker, Lem et Jesse, réunis, qui sont pourtant les plus grands pécheurs de Linlow, à part peut-être Alma May Tuttle, qui dit des trucs qui ne sont même pas dans le dictionnaire. Comme elle dit, maman, les pauvres connaissent plus de gros mots que les riches, et à mon avis, ça doit être vrai, parce qu'il n'y a pas plus pauvre comme Job que Sudie et ses parents.

Moi, j'essaie de ne pas contrarier Sudie quand elle se met à dire des gros mots. Je suis trop futée pour ça. Donc, j'ai rejuré sur la tête de ma mère, et comme ça elle s'est calmée.

On est restées plantées là un moment, puis elle a dit: «Mary Agnès?»

«Hein?»

«Tu veux voir les autres pièces?»

«Ouais, ouais.»

On est passées par le plus gros des trous et on s'est retrouvées dans une pièce parfaitement ronde, mais un peu plus basse et moins grande, où quelqu'un avait percé une espèce de fenêtre. Par terre, des branches de pin séchées faisaient comme un grand tapis marron. Et près du mur en kudzu, il y avait deux chaises construites en branches de pin, avec posés dessus des sacs à farine pliés en deux qui servaient de coussins. Contre le mur d'en face, il y avait quatre cageots de pommes avec deux planches posées en travers pour faire une table. À l'intérieur des cageots, il y avait des étagères avec des tas de trucs dessus: une vieille boîte à chaussures pleine de chiffons et de ficelles et deux pots de baume noir, celui que maman utilise pour les douleurs et les écorchures. Pour vous dire la vérité, j'étais pétrifiée sur place. On se serait presque cru dans une vraie maison. Pendant tout ce temps, je faisais travailler mes méninges pour essayer de comprendre tout ça. Si personne à part Sudie n'était jamais venu ici, qui pouvait avoir fabriqué ces chaises? Et qui pouvait avoir coupé toutes ces branches de pin et taillé les vignes sauvages en une paroi parfaitement ronde?

Je peux vous dire que ça chauffait pas mal, dans ma tête. Et puis, j'avais mal au ventre, parce que je commençais à avoir peur, moi, à force de réfléchir à tout ça. Et si c'était vraiment de la magie, après tout? Mais je voulais pas penser à ça parce que c'est un truc diabolique.

«Ça te plaît pas?» Sudie a demandé d'une voix qui m'a fait sursauter, absorbée comme j'étais dans mes pensées.

«J'ai jamais rien vu de plus joli», je lui ai dit. Et je le pensais vraiment, en plus. Je lui ai raconté que c'était comme dans un livre de contes, que ça n'avait pas l'air réel.

Elle m'a fait un énorme sourire, à ce moment-là, en montrant ses dents tordues. Un jour, Mlle Dora, notre institutrice, lui a dit qu'elle avait un sourire adorable et des dents vraiment blanches. Moi, je n'ai jamais trouvé son sourire adorable, vu ses deux dents tordues, et je savais que Sudie ne le pensait pas non plus, parce que quand elle rigolait, elle mettait toujours la main devant sa bouche.

La pièce suivante avait presque la même taille que la première, sauf qu'elle était plus basse. Parfois ma tête touchait une feuille au plafond. Il n'y avait pas de meubles, mais il y avait trois seaux pleins d'eau, et trois autres seaux, dont un qui contenait les fameuses patates douces. Le deuxième était rempli de grains de maïs et le troisième, de noix, de pacanes et de glands. J'ai failli lui demander à quoi ça lui servait tout ça, mais j'ai pensé qu'elle me le dirait elle-même si elle avait envie.

Je n'ai pas eu besoin de demander pour finir, parce que j'ai eu la réponse dans la pièce suivante, qui était pleine de cages. Il devait y en avoir neuf ou dix faites avec des branches de pin, du verre et du grillage comme pour les poulets.

Dans ces cages, il y avait trois écureuils tout faiblards, un opossum qui avait une mauvaise blessure à l'oreille, un tamia qui n'arrivait presque pas à ouvrir les yeux, un horrible serpent marron tout pourri (pourvu qu'il soit mort, je me disais, mais en fait il était vivant), cet oiseau que j'avais entendu gazouiller, qui était le plus joli oiseau rouge que j'aie jamais vu, même s'il avait les plumes de la queue toutes roussies, et un lapin à trois pattes. Je passais d'une cage à l'autre pour regarder, mais j'étais incapable de parler. Ça m'arrive des fois de ne même plus savoir si j'ai envie de rigoler ou de pleurer. Eh ben, là j'étais un peu dans le même état.

Moi, j'adore les animaux. À la maison, on a deux chiens et trois chats, et Sudie joue avec tout le temps, parce qu'il n'y a plus d'animaux chez elle, tout ça à cause d'une histoire de chien enragé qui rôdait soi-disant dans Linlow. Un jour, le père de Sudie, il a abattu leur chienne (Penny, elle s'appelait, à cause de son pelage cuivré), tout ça parce qu'elle avait un peu mordouillé la jambe de Sudie, qui en plus n'avait même pas eu mal. C'est après ça que son père n'a plus voulu d'animaux chez eux. Il a dit à la mère de Sudie que vu qu'il n'était quasiment jamais là et qu'il se donnait bien assez de mal comme ça pour payer la maison, il n'avait pas envie en plus de se faire du mouron à cause d'un chien enragé qui risquait de mordre Sudie et Billy.

Je n'avais jamais vu autant d'animaux sauvages, même dans un zoo. Il faut dire que je ne suis jamais allée dans un zoo. Je restais accroupie devant les cages sans pouvoir détacher mon regard tellement ils étaient mignons (même s'ils étaient un peu mal en point), sauf bien sûr le serpent, qui était dégoûtant et que je ne pouvais même pas regarder.

Pendant ce temps-là, Sudie avait sorti l'opossum de sa cage et elle lui nettoyait l'oreille avec un chiffon blanc. Après ça, elle a pris une boîte de baume noir et elle en a mis sur l'oreille de l'opossum, qui est resté sage comme une image. Alors ça, c'était quelque chose, parce que maîtriser un opossum, ce n'est pas une mince affaire, normalement. Moi, j'étais toujours accroupie là comme une andouille à regarder Sudie qui sortait un à un ses animaux de leurs cages pour les nettoyer et mettre du baume noir sur leurs blessures. Les animaux, ils ne bronchaient même pas, et je peux vous dire que moi non plus. Maman, elle dit tout le temps qu'elle serait bien contente de me voir rien qu'une fois muette comme une carpe. Pour ça, elle aurait dû me voir cette fois-là !

Sudie a sorti le lapin en dernier, et elle s'est mise à lui faire des bisous sur la bouche, à caresser son pelage marron et à lui chatouiller les oreilles. Le lapin a sauté sur son épaule (sa patte en moins n'avait pas l'air de le gêner du tout) et il a enfoui la tête sous ses cheveux.

Moi, à ce moment-là, je n'en pouvais plus. Je me posais trop de questions. Je lui ai d'abord demandé depuis combien de temps elle avait cet Endroit Secret, mais elle m'a répondu que ce n'était pas mes oignons. Alors je lui ai dit:

« Bon, d'accord. Si tu ne peux pas me dire ça, tu peux au moins me dire qui est-ce qui l'a construit. Quand même, Sudie ! »

« Je te répète que c'est pas tes oignons. »

« Mais Sudie, c'est pas juste... Ça va pas te tuer de me le dire ! Je t'ai juré de la boucler. Je peux recommencer si tu veux. Tiens: Croix de bois, croix de fer, si je mens, je vais en enfer ! »

Elle m'a regardée droit dans les yeux, comme si elle me mettait au défi de ne pas croire ce qui allait venir. « C'est papa qui l'a construit », elle a dit à toute vitesse.

Alors ça, pour un beau mensonge, c'était un beau mensonge ! Elle savait bien que je le savais. Je me suis souvenue de la fois où Billy avait supplié M. Harrigan de lui construire une voiture à pédales avec des roues qu'il avait trouvées, eh ben, le seul truc que son père avait trouvé à lui dire, c'est que c'était stupide, vu qu'il n'avait même pas d'essieux. En plus de ça, M. Harrigan, il travaille à l'usine de chaussures de Buford. Il y a des petites maisons pour les ouvriers. Il habite là avec un autre homme, et il ne rentre chez lui que lorsqu'il trouve quelqu'un pour le ramener, et quand il est chez lui, ce n'est rien de dire qu'il ne regarde jamais Sudie et Billy.

Alors j'ai dit: «Crotte, Sudie. Je sais bien que c'est pas vrai.»

Elle a serré le lapin contre son cou.

«Eh ben moi, je te dis que c'est vrai», elle a dit.

«Non, c'est pas vrai!»

«Si, c'est vrai!»

«Sudie Harrigan», j'ai dit, «ton père, il a pas construit cet endroit et tu le sais. C'est M. Wilson qui l'a construit?»

«Nan, c'est pas lui.»

«Ben alors», j'ai fait, «je crois que je vais devoir aller demander à Billy ou à ta maman.»

À ce moment-là, Sudie a posé le lapin par terre et elle s'est levée.

Elle m'a attrapée par le bras et elle m'a dit d'une voix très calme: «Tu vas aller nulle part, Mary Agnès. Tu as promis. De toute manière, c'est un secret que je pourrai jamais dire à personne.» Alors ses yeux se sont remplis de larmes et elle a ajouté d'une voix tremblante: «Tu sais pas tenir les promesses, ou quoi? Même pas une seule promesse?»

Moi, je me sentais vraiment mal, maintenant. Je suis restée un moment sans bouger, et puis j'ai dit: «D'accord, je te jure que je vais tenir celle-là.»

«Et si tu mens, tu vas en enfer?»

«Ouais.»

«Vas-y, jure, alors!»

«Croix de bois, croix de fer, si je mens, je vais en enfer.»

Après ça, elle m'a présenté tous ses animaux, mais je ne me souviens plus de leurs noms, sauf de celui du lapin, qui s'appelle Veinard, et du serpent pourri, qui s'appelle Boulette, ce qui m'a tout de suite donné envie de vomir, bien qu'après coup je me suis dit que ça faisait plutôt gros balourd. Elle m'a dit qu'elle gardait seulement les animaux en attendant qu'ils soient guéris, mais qu'après elle les relâcherait tous, sauf Veinard, qui était spécial.

***

On est restées dans l'Endroit Secret pratiquement jusqu'à la tombée de la nuit. Je crois bien que je n'ai jamais autant parlé avec Sudie que cette fois-là. On n'a pas arrêté de discuter de trucs plutôt secrets, ce qui était sûrement la meilleure chose à faire dans un Endroit Secret. Toute cette discussion a commencé quand Sudie m'a demandé si j'étais sûre d'être rachetée. Moi, je trouvais sa question complètement débile, mais j'ai répondu quand même.

«Évidemment que j'en suis sûre», j'ai dit. «Pourquoi tu me demandes ça, d'abord?»

«Comment tu le sais?» elle a demandé.

«Je le sais, c'est tout.»

«Ça fait quoi, comme impression?» elle a demandé, sans arrêter d'embrasser ce lapin.

«Ça fait rien.»

«Mais si ça fait rien, comment est-ce que tu peux savoir que tu es rachetée?»

«Mais zut, j'en sais rien, moi! Toi aussi, tu as été rachetée. Alors, tout va bien, non?»

«Non, moi, je suis pas rachetée.»

Ce n'était pas croyable d'entendre un truc pareil. J'étais là quand elle avait été rachetée à cette réunion pour le renouveau de la foi! Même que ce jour-là, Emily Smith avait été baptisée, et dans le même ruisseau en plus. Alors je lui ai dit: «Toi aussi, tu es rachetée! Je t'ai vue! Alors, comment tu peux croire le contraire?»

«Je peux pas t'expliquer», elle a répondu. «Je sais juste que je vais pas être rachetée, c'est tout.»

«Comment ça se fait que tu peux pas m'expliquer?»

«Parce que c'est trop grave comme péché.»

«Qu'est-ce qui est trop grave, comme péché?» (Ça commençait à devenir assez intéressant.)

«Si je te le dis, pauvre tarte, tu vas le savoir, après.»

«Eh ben, comment ça se fait que je peux pas le savoir? Je sais presque tout le reste, déjà. Je sais pour ton Endroit Secret, même que je vais le dire à personne.»

«Ça, c'est différent.»

«Je te signale que c'est toi qui as parlé de ça en premier, alors pourquoi tu veux rien me dire? Tu fais ça exprès pour me rendre dingue, ou quoi? Écoute, je le dirai à personne: Croix de bois, croix de fer!»

Elle m'a fusillée du regard.

«Si tu mens, tu vas en enfer?» elle a fait.

«Mais je te jure!» j'ai dit.

«Bon», elle a commencé en regardant du côté des cages pour ne pas me voir: «Je vais pas être rachetée parce que... parce que c'est comme ça.»

«Parce que c'est comme ça quoi? Pourquoi est-ce que tu vas pas être rachetée?»

À ce moment-là, elle a dit, très vite: «Je me suis servie de mon... de mon Truc pour avoir des sous, et ça c'est trop grave, comme péché!»

«Tu t'es servie de quel truc?»

«De mon *Truc,* pauvre bête!»

Je ne voyais pas du tout de quel genre de truc elle voulait parler. Pour moi, il n'y avait qu'un seul truc qu'elle avait pu vendre, c'étaient ses poupées en papier de Rhett Butler, de Scarlett O'Hara et de Bonnie Blue qu'elle avait dessinées (avec les habits, les meubles et les animaux qui vont avec). Mais brusquement, je me suis souvenue que cette fois-là, Billy les avait toutes déchirées.

«Tu veux dire tes poupées en papier?» j'ai demandé.

«Nan, je veux pas dire mes poupées en papier! Je veux dire mon Truc, comme toi t'as un Truc!» Elle hurlait presque, maintenant. «Je veux dire mon Truc entre mes jambes!»

À ce moment-là, j'ai failli tourner de l'œil, mais je me suis ressaisie au dernier moment.

«Tu veux dire», j'ai commencé, sauf que maintenant je ne pouvais plus du tout la regarder, «tu veux dire ce Truc-*là*?»

«Ouais.»

«Seigneur Jésus, Sudie, comment est-ce que tu as fait pour gagner des sous avec ce Truc-*là*?»

«C'est Bob Rice qui me les a donnés», elle a dit, tellement vite que j'ai failli ne pas comprendre.

«M. Rice! Tu veux dire qu'il t'a donné des sous juste pour voir ton Truc? Je peux pas te croire!»

Elle n'a rien dit pendant une minute. Elle a tourné la tête vers le mur pour ne pas me regarder, puis elle a dit: «Non, c'est pas ça. Lui... eh ben... il a pas vu *mon* Truc; c'est moi qui ai vu *son* Truc. Même qu'il m'a donné cinq cents pour le remuer.»

«Cinq cents? Juste pour remuer son Truc? C'est dur à remuer?»

Elle a rangé Veinard dans sa cage, et elle s'est mise debout devant moi.

«T'es bien la fille la plus demeurée que j'aie jamais vue! Tu sais pas que remuer les Trucs, c'est un péché, ou quoi?»

«Ben...»

«Les Trucs, c'est un péché! Peut-être même le plus grave après tuer. Tu sais pas ça? T'as jamais entendu ce que ta mère, elle dit, ou quoi?»

«Mais, maman, elle a jamais parlé de remuer les Trucs.

Une fois j'ai vu le fils du pasteur qui remuait le sien, mais les fils de pasteur, ils font pas de péchés», j'ai expliqué.

«Ça, c'est différent. Très différent.»

«Moi, je vois pas la différence... un Truc, c'est un Truc.»

«Le fils du pasteur, il avait que quatre ans. Il savait pas ce qu'il faisait. Bob Rice, il est vieux.»

«Et quel âge il a, tu crois?» j'ai demandé.

«Oh! Pour l'amour de Jésus! Qu'est-ce que ça change, l'âge qu'il a! Il est aussi vieux que papa, je crois bien, peut-être même plus vieux. En tout cas, lui, il remue pas son Truc. C'est moi qui le fais.»

Toute cette discussion, ça commençait à me faire tourner la tête. Je ne savais plus quoi dire, alors j'ai demandé: «J'ai jamais vu un Truc d'homme. À quoi ça ressemble?»

Encore une fois, Sudie a eu l'air exaspéré. Elle s'est mise à marcher en long et en large devant les cages en me regardant d'un air mauvais.

«Ben, j'en ai *jamais* vu un, moi!» j'ai répété.

Elle s'est arrêtée de marcher pour s'asseoir sur le tapis de branches de pin.

«Un Truc d'homme», elle a commencé (et je voyais bien qu'elle faisait tout pour ne pas s'énerver), «eh ben, c'est exactement pareil qu'un Truc de garçon, sauf que c'est plus gros, plus laid et plus bleu.»

«Plus bleu! Tu veux dire que les Trucs d'homme, c'est *bleu*?»

«Pas bleu partout, il y a des rayures bleues, c'est tout.»

«Des rayures bleues de quoi?» (Je n'avais jamais rien entendu d'aussi intéressant.)

«Des rayures bleues de rayures, c'est tout», elle a dit.

«Des rayures, c'est tout? Qu'est-ce que tu veux dire, *des rayures, c'est tout*?»

«Des rayures! Des rayures! T'as jamais vu des rayures, ou quoi?»

La seule chose que j'arrivais à imaginer, c'était des longues rangées de coton ou de maïs. Mais des rayures sur un Truc, je ne voyais pas du tout.

«Elles sont droites ou alors tordues, ces rayures?» j'ai demandé.

«Écoute, Mary Agnès», elle a dit en ramassant une brindille de pin pour la jeter contre le mur en vigne sauvage. «J'ai plus envie de parler de ça. Et puis, comment est-ce que je peux le savoir, moi, si elles sont droites ou bien tordues, ces rayures?»

«Ben, tu les as vues, non?»

«Laisse tomber, tu entends. C'est pas grave.»

Après, on est restées assises un moment à réfléchir. J'avais encore des tas d'autres questions à poser, mais je me suis dit que je ferais mieux de parler d'autre chose que des rayures. Alors j'ai dit: «Euh, Sudie?»

«Quoi?»

«C'est grand comment, un Truc d'homme?»

Elle a soupiré très fort, comme maman des fois, quand je n'arrête pas de lui poser des questions, et puis elle a eu l'air de réfléchir à une réponse.

«Ben, c'est à peu près grand comme ça», elle a dit en me montrant avec les doigts, «et des fois, c'est plus petit. Mais ça, c'est quand ça tombe malade.»

«Malade! Ça tombe malade? À cause de quoi, ça tombe malade?» (Oh, si seulement je pouvais raconter tout ça à Nettie Davis. Elle mourrait sur place!)

«Ben, d'un œdème, je crois bien.»

«Seigneur Jésus», j'ai dit, «un œdème, c'est vraiment grave! Mon grand-père, il est mort de ça, et le père de M. Higgens aussi.»

«Ouais… eh ben, je peux te dire que Bob Rice, il est jamais mort de ça, parce que ça lui arrive tout le temps. D'abord, il y a du pus qui sort, et après ça tombe tout faiblard.»

«Ark! C'est pas vrai…»

«Si, je te jure… de toute manière, c'est un grave péché, c'est tout ce que je sais», elle a dit.

«Bon, écoute», j'ai dit, «tout ce que t'as à faire, c'est demander pardon à Dieu, et si c'est un péché, Il te pardonnera, et si c'est pas un péché, alors ça change rien, tu vois?»

Elle m'a regardée d'un air dégoûté.

Elle a dit: «Toi, vraiment, tu sais rien de rien! Le grave péché, c'est *mon* Truc, pas le sien. Tu sais peut-être pas que les saletés de Trucs qu'on a là en bas, c'est fait exprès pour rendre les hommes complètement fous, comme s'ils avaient une crise de nerfs ou quelque chose? Maman, elle dit qu'ils peuvent pas se retenir, et que c'est à nous de résister, parce que notre Truc, c'est un affreux péché. Ça cause des tentations, et c'est pas la faute des hommes, c'est notre faute, parce que notre Truc, c'est une malédiction.»

(J'arrivais pas à croire ce qu'elle disait. Pourtant tout le monde sait bien que sa mère est une bonne chrétienne. Mais si c'était si vrai que ça, pourquoi Sudie disait des choses pareilles? Du coup, quand je suis rentrée à la maison, la première chose que j'ai faite, c'est de baisser ma culotte pour regarder mon Truc. Ben, pour dire la vérité, ça n'avait pas l'air dangereux du tout. Juste des bourrelets de peau, comme le reste de ma peau. Il n'y avait pas de bosses ou de cornes qui avaient poussé dessus depuis la dernière fois que j'avais regardé. Si vous voulez mon avis, les Trucs de garçons, c'est beaucoup plus dangereux que les Trucs de filles. D'ailleurs, ça se dresse exactement comme des cornes.)

«T'es sûre que t'as bien compris ce qu'elle t'a dit, ta mère ?»

«Évidemment que j'en suis sûre. Elle me l'a dit au moins des centaines de fois.»

«Peut-être qu'elle a lu quelque chose dans la Bible et qu'elle a mal compris. Comme elle dit maman, il y a des passages de la Bible qui sont durs à comprendre quand on n'est pas pasteur.»

Sudie a eu l'air de réfléchir très fort à ce que je venais de dire.

«Comme elle dit maman», j'ai continué, «tous les péchés peuvent être pardonnés, sauf un, mais je me souviens plus lequel... mais je suis sûre qu'elle me l'a dit. Je suis sûre que ça n'a rien à voir avec les Trucs, de toute façon.»

Elle s'est levée pour arracher une feuille. Elle l'a regardée pendant une minute, et puis elle l'a jetée par terre avant de se mettre à la piétiner.

«Moi, en tout cas», elle a dit, «j'aurais juste bien voulu ne jamais avoir un Truc comme ça, premièrement parce que j'ai jamais demandé à l'avoir, deuxièmement parce que ça sert à rien du tout sauf à pisser, et troisièmement parce que c'est pas pratique du tout de pisser comme ça !»

Je trouvais qu'elle avait raison là-dessus, sauf que des fois, moi, j'aime bien chatouiller mon Truc, juste parce que c'est agréable, mais ça, je ne le lui ai pas dit parce que... parce que, bon.

J'avais envie de dire quelque chose que je trouvais vraiment intéressant, mais elle a voulu qu'on arrête de parler de tout ça. Ce qui fait qu'on s'est assises calmement et on a commencé à parler un peu de Russell Hamilton, qui n'est certainement pas quelqu'un dont on parle devant tout le monde. C'est pour ça que l'Endroit Secret, c'était vraiment parfait pour parler de lui.

Vous voyez, Russell, il est fou. Pas parce qu'il fait des tas de bêtises. Juste fou. Si on s'est mises à parler de lui, c'est sûrement parce qu'on avait pas mal parlé de Trucs. Parce que justement, Russell, il est fou à cause de son Truc. Ça, tout le monde le sait. Il est connu pour ça. Il passe son temps à se balader sur la route avec la main dans sa salopette à tripoter son Truc. Tout le monde le voit. Sudie, ça lui a toujours fait peur. Pas à cause de Russell, vu qu'il est déjà fou, mais à cause de Billy, parce que lui aussi, il joue tout le temps avec son Truc. Russell, c'est le seul garçon que je connais qui soit devenu fou à force de tripoter son Truc, même s'il n'a pas attrapé de poils dans la main et qu'il n'est pas devenu sourd pour autant. Moi, j'ai dit à Sudie de pas trop s'en faire, parce que mon frère, il tripote son Truc aussi et que moi, je m'en fiche complètement.

L'important, je lui ai expliqué, c'était pas de jouer avec son Truc ou pas. Ce qui était dangereux, c'était de penser à des choses horribles en le faisant. Parce que c'est ça qui peut rendre fou. Mais Sudie, elle trouvait que ce n'était pas vrai. Alors je lui ai dit: «Écoute, Sudie, je te parie que tous les gens qu'on connaît, eh ben ils tripotent leur Truc de temps en temps.» (Tout ça sans lui dire que moi, je le faisais.) «C'est forcé, vu que ton Truc, il est là, et qu'en plus il faut bien le laver.»

«Sois pas stupide», elle a fait. «Je vois pas le rapport entre laver et tripoter.»

«Peut-être bien», j'ai répondu, «n'empêche que j'ai déjà vu ma sœur laver le sien vraiment longtemps. Ça pouvait quand même pas être aussi sale que ça! Et puis, regarde Bob Rice. Tu remues son Truc, et c'est pas pour ça qu'il est fou. Il est instituteur!»

«T'es chiante, Mary Agnès!» elle a dit, l'air furieux. «Pourquoi est-ce que tu reparles de Bob Rice?»

«C'est toi qui as parlé de lui en premier.»

«C'est pas vrai. Moi, j'avais fini de parler de lui.»

«Bon, d'accord, je savais pas que t'avais fini. Après tout, c'est à toi que ça fait peur! C'est toi qui remues son Truc, pas moi!»

«J'ai pas dit que je remuais son Truc *maintenant*. J'ai dit *avant*. Maintenant, c'est la petite sœur d'Ethel McMillen qui le fait.»

Quand j'ai entendu ça, j'ai cru que, cette fois, j'allais vraiment tourner de l'œil. «Clara May?» j'ai hurlé.

«Ouais», elle a dit.

«Mais c'est pas possible! Clara May McMillen, c'est juste une gosse. Je parie qu'elle a même pas sept ans.»

«Non. Elle a cinq ans.»

Je n'en croyais pas mes oreilles. J'essayais d'imaginer Clara May en train de remuer le Truc de Bob Rice, mais je n'y arrivais même pas. Alors j'ai fait comme ça (juste pour être gentille, je vous jure): «Bah, à cinq ans on doit même pas savoir remuer un Truc. Je suis sûre que tu fais ça beaucoup mieux qu'elle.»

Alors ça, ça ne devait vraiment pas être la chose à dire! Parce qu'à ce moment-là Sudie s'est levée d'un bond et pendant une minute, j'ai cru qu'elle allait me sauter sur la tête. Mais elle n'a pas bougé. Elle s'est retenue de toutes ses forces pour ne pas exploser de rage, puis elle a dit: «Aïe, aïe, aïe, oh, misère!»

Après ça, je peux vous dire que je l'ai bouclée. Mais, un petit peu plus tard, pour essayer d'arranger les choses, je lui ai promis qu'on irait regarder les Dix Commandements dans la Bible, pour voir si les Trucs, c'était vraiment un péché ou pas.

Après ça, Sudie m'a laissée jouer avec tous les animaux sauf l'oiseau rouge, qui était énervé à cause de je ne sais quoi, et le serpent, que de toute façon je n'aurais jamais touché pour tout l'or du monde. On a encore parlé d'autres gens qu'on connaissait. Sudie en connaissait un tas qui n'étaient pas rachetés. Comme ces deux femmes qui clamaient qu'elles l'étaient, et qui chantaient tout le temps aux enterrements. J'étais horrifiée, pour dire la vérité. Sudie m'a même raconté qu'une fois, elle est allée dire à sa mère qu'elle était sûre que Lilian Graham, une femme qu'on connaît, n'était pas rachetée. Sa mère était en train de mélanger le linge dans la lessiveuse quand Sudie s'est approchée d'elle et lui a fait comme ça: «Maman, Lilian Graham, eh ben, elle est pas rachetée.»

«Je t'interdis de raconter ce genre de choses sur les gens, Sudie Harrigan!» elle lui a répondu. «Seul Jésus sait si une personne est rachetée ou pas. Ce que tu dis de Lilian Graham est faux. Je le sais puisque j'étais là quand elle a été rachetée. Maintenant, tu arrêtes de faire la méchante langue.»

«Elle est pas plus sauvée que moi», Sudie a continué. «Je l'ai vue l'autre jour, derrière l'entrepôt. Elle était en train d'embrasser le mari de Mme Lawson.»

Sa mère était pas mal choquée d'entendre un truc pareil. Mais pas moi. Parce que Lilian Graham, elle lit les lignes de la main, ce qui ressemble à de la magie, qui est une invention du diable. En plus de ça, une fois, j'ai entendu maman raconter à Mme Greason que Lilian Graham prenait de la drogue. C'est comme de l'alcool mais en pilules. Maman, elle disait que le docteur Stubbs, il s'était creusé la tête pour savoir où elle trouvait ces fichues pilules, puisque ce n'était pas lui qui les lui donnait. Il avait même fouillé la maison de Lilian Graham pour savoir au moins quel genre de pilules elle prenait, mais il n'avait rien trouvé. Après ça, le pasteur Miller est allé la voir pour essayer de sauver son âme. Il pensait qu'en la rachetant, elle arrêterait peut-être de prendre ces pilules. Mais il l'a rachetée sept fois et ça n'a rien changé.

*
* *

La semaine d'après, on a fermé l'école pour la cueillette du coton, qui est le truc que je déteste le plus au monde. D'habitude, ça nous faisait une semaine de vacances en plus, et j'avais participé à la cueillette pour la première fois l'année dernière. Sudie et moi, on avait travaillé sur la même rangée. C'était payé cinquante cents le quintal, mais à part les adultes, personne n'était capable de cueillir cinquante kilos de coton en une journée. Sudie m'avait raconté que son père pouvait en cueillir cent kilos par jour, mais moi, je ne la croyais pas. L'année dernière, après la pesée, j'avais gagné sept cents seulement le premier jour. Mais ça, c'était parce que je détestais ce travail et que les cabinets étaient trop loin du champ. Sudie avait gagné dix-huit cents, tout ça parce qu'elle a une vessie plus résistante que la mienne. Avec l'argent, elle s'était acheté un album de coloriage et une boîte de crayons, avec seize couleurs différentes en comptant le blanc. Billy avait gagné vingt-huit cents. Mais ça, c'était parce qu'il avait mis des pierres dans son sac, ce qui fait que quand on les a retirées, il n'a eu que neuf cents.

Cette année encore, Sudie et moi, on voulait à tout prix se retrouver ensemble. On pouvait choisir entre deux champs : celui des Bradley ou celui des Wilson. Dès qu'on a su que Billy avait choisi celui des Wilson, on a pris celui des Bradley, même si les cabinets des Wilson étaient plus près du champ que ceux des Bradley, qui en plus sont pleins d'araignées noires gigantesques, ce qui fait qu'on ne peut pas s'asseoir sur le siège. C'est vrai, parce qu'une fois, l'oncle de M. Bradley s'est fait piquer à la fesse. Il n'est pas mort, heureusement. Je me souviens que papa était tellement plié de rire quand on lui a raconté cette histoire que maman a dû lui ficher des coups de louche sur la tête histoire de le calmer.

Quand on n'a jamais cueilli de coton, on ne peut pas savoir ce que c'est que d'avoir chaud. Et puis, il y a les tiges qui vous griffent les jambes et on a le dos rompu à force d'être penché en avant. Moi, j'avais l'impression que j'allais fondre sur place tellement il faisait chaud. Sudie et moi, on avait déjà vidé quatre fois notre sac. On avait fait neuf longues rangées, qui allaient de la pâture jusqu'au bois. Bien sûr, je mourais d'envie de faire pipi, vu qu'on avait fait tout ça sans s'arrêter.

À un moment, la bretelle du sac de Sudie a lâché. Il faut dire qu'elle est nulle en couture, cette fille. Alors je l'ai suppliée de venir avec moi dans les bois, comme ça on pourrait réparer son sac et faire pipi. Je voulais aussi en profiter pour aller me rafraîchir au ruisseau et me reposer cinq minutes.

Waou, le bonheur que c'était de plonger les jambes dans l'eau ! Elle était fraîche comme de l'eau tirée du puits. Mais Sudie n'est pas restée longtemps vu qu'elle avait son sac à réparer. Moi, j'ai continué à remonter le cours du ruisseau, et à la fin, j'ai perdu Sudie de vue. Je m'en fichais parce que j'étais tout sauf pressée de retourner travailler. En plus de ça, j'avais encore envie de faire pipi, ce qui fait que je suis restée accroupie un bon moment sur un rocher, parce que moi, quand j'entends le bruit de l'eau, je n'arrête plus.

Je croyais que Sudie allait m'appeler quand elle aurait fini de réparer son sac. Mais comme elle ne m'appelait toujours pas, j'ai continué à remonter le ruisseau pour finalement m'allonger sur la mousse. On a quand même bien le droit de se reposer cinq minutes quand on a fait neuf rangées ! Au bout d'un petit moment, je me suis levée et j'ai commencé à rebrousser chemin, toujours en marchant au milieu du ruisseau. N'empêche que c'était une riche idée que j'avais eue là, je me rends compte, parce que si j'avais été sur la rive, je n'aurais jamais vu ce que j'ai vu cette fois-là.

À un moment donné, à l'endroit où le ruisseau fait un virage et passe au-dessus d'un barrage de castor, je m'étais accroupie pour boire quand j'ai entendu au loin un porc qui s'égosillait. Je savais que M. Bradley n'avait pas d'élevage de porcs. (Il n'a que deux vieux verrats noirs et blancs. Dont un qui a des taches marron en plus.) Pensant que ça devait être un cochon sauvage, je me suis mise à courir à toute vitesse pour aller prévenir Sudie. Quand je suis arrivée à l'endroit où je l'avais laissée, elle n'était plus là. Comme elle était introuvable, je suis revenue vers le champ, mais sans me presser. Quand je suis arrivée à l'orée du bois, j'ai regardé d'un côté puis de l'autre. Et là, j'ai eu le choc de ma vie.

Un peu plus loin, à la jonction des terres des Bradley et des Brannon, Sudie tendait un petit cochon blanc à un *nègre* ! Que Dieu m'en soit témoin, que l'éclair me foudroie, mais je jure sur la Bible et sur la tête de ma mère que j'ai vu comme je vous vois Sudie en train de donner un petit cochon blanc qui gigotait à un nègre ! À un grand nègre noir ! Que le Seigneur nous vienne en aide !

J'ai déjà vu Sudie faire des tas de folies, mais jamais de la vie je n'aurais pu imaginer qu'elle pouvait aller jusque-là ! J'ai bien cru que j'allais tomber raide dans les pommes. J'avais le cœur qui bondissait comme un poulet décapité, je ne voyais plus rien et j'avais la tête qui tournait. Pour dire la vérité, je n'ai pas pu faire autrement que de m'effondrer exactement à l'endroit où j'étais, en plein sur la terre rouge et dure de ce champ de coton.

Déjà que j'étais complètement retournée à cause de l'Endroit Secret, mais alors là ! C'était le summum ! Il ne restait qu'une seule chose à faire : prier. Pourtant, ce n'est pas un truc que je fais souvent. Ça m'arrive une fois de temps en temps, quand j'ai peur avant de me coucher. J'ai dit : « Seigneur, est-ce que Tu vois Sudie juste à côté de ce nègre, en train de lui donner ce cochon blanc ? Je la vois aussi, Seigneur, et pour dire la vérité, je ne peux pas m'empêcher d'être choquée. Sudie était ma meilleure amie, Seigneur, et jamais je n'aurais cru qu'elle irait faire un truc pareil... Je le jure, même si je sais qu'elle est bizarre, vu que ma mère et ma sœur me l'ont répété des centaines de fois. Seigneur, Tu sais que Sudie sait que les nègres tuent les enfants pour les manger, que ces animaux-là ont été privés pour toujours de Ta miséricorde, même si je me souviens plus pourquoi, et que les gens comme il faut n'ont pas le droit de les approcher. Moi, je sais que c'est la vérité, vu qu'il y a pas un seul nègre dans cette ville – et que cette ville est pleine de gens comme il faut, à part quelques pécheurs comme Lem Coker, son frère Jesse et toute leur clique. Mais ça, personne n'y peut rien. Seigneur, je sais que Sudie va mentir à travers ses dents crochues quand je vais lui demander d'où sortait ce nègre et ce qu'elle fabriquait aussi près de lui, alors qu'elle sait bien qu'elle n'a pas le droit de lui donner ce cochon sauvage... mais peut-être que je ne lui demanderai rien, parce que je ne sais pas si j'ai encore envie d'adresser la parole à une pécheresse pareille. »

J'ai prié comme ça un bon moment. De temps en temps,

j'ouvrais les yeux pour voir ce que Sudie faisait. Elle n'en finissait plus de parler à ce nègre, et à la fin j'ai bien cru que mon cœur allait lâcher à force d'attendre. Quand je l'ai vue repartir, j'ai filé à toute vitesse vers notre rangée de coton. Quand elle est arrivée, je n'ai pas ouvert la bouche. Je me disais: d'accord, Sudie Harrigan, on va voir quel mensonge tu nous as fabriqué, cette fois. Je préférais aller tout droit rôtir en enfer plutôt que de poser des questions à une engeance pareille! Autant la laisser parler la première.

Je n'en pouvais plus! Elle ne disait rien. Elle continuait de cueillir son coton comme si de rien n'était. Elle ne regardait même pas de mon côté. Elle cueillait tellement vite que j'étais forcée de laisser une boule sur deux pour garder le rythme. Ce qui fait qu'on a fait la moitié de la rangée en moins de deux. J'étais tellement énervée que j'avais l'impression que mon ventre allait exploser grand ouvert!

Pour finir, j'ai dit: «Si tu m'expliques pas ce que tu fabriquais avec ce nègre, je vais raconter à toute la ville que tu as un Endroit Secret et que tu connais un nègre à qui tu donnes des cochons!»

Elle s'est arrêtée de cueillir.

Elle est restée figée sur place, et le plus lentement du monde, elle a enlevé le sac de son épaule et elle l'a posé par terre.

Alors, seulement, elle s'est retournée de mon côté. Ses joues couvertes de poussière rouge étaient striées de larmes, et ses yeux noirs me regardaient tellement méchamment que j'ai bien cru qu'ils allaient me faire un trou dans le corps. Ça m'a tellement fichu la trouille que j'ai déguerpi à toute vitesse. Sauf que ça n'a servi à rien. D'abord parce que Sudie court plus vite qu'un lièvre, et qu'en plus j'avais toujours mon sac de coton qui me battait dans les jambes.

Quand elle m'a rattrapée, on n'était pas loin du grand frère d'Emily Smith, Rayford. Elle a dû se jeter carrément dans les airs, parce que j'ai eu soudain l'impression qu'on me sautait à pieds joints sur la tête. Je me suis écrasée par terre tellement violemment que s'il n'y avait pas eu mon sac pour amortir, j'aurais été aplatie comme une crêpe. En m'entendant hurler à la mort, Rayford s'est précipité vers nous, mais Sudie s'acharnait déjà à me réduire en chair à pâté en abattant ses petits poings osseux sur mon visage et mes épaules. Tout ce que j'ai pu faire, c'est de lui mordre le bras et la poitrine, à l'endroit où elle est en train d'attraper des nénés, et de lui arracher une grosse touffe de cheveux filasse. On pleurait et on hurlait toutes les deux comme des malades, et à la fin, quand Rayford nous a séparées, on saignait de partout, à cause de la bagarre mais aussi des égratignures qu'on s'était faites en travaillant. Et quand elle s'est relevée, elle a raconté à Rayford un mensonge que le diable lui-même n'aurait même pas été capable d'imaginer.

Et lui, il l'a crue ! Vous imaginez ? Il l'a crue ! Pourtant, je peux vous dire que Rayford Smith, il est assez vieux pour savoir qu'il ne faut croire personne, surtout pas une sale petite menteuse comme Sudie. Et Rayford, qui a quinze ans, qui a déjà été racheté trois fois et qui ne dit jamais un seul gros mot, eh ben, il l'a crue ! Même ma sœur, qui n'a été rachetée que deux fois alors qu'elle n'aura que quatorze ans le six octobre (même que le père du pasteur est né le même jour), ne l'aurait jamais crue une seule seconde.

J'aurais dû m'en douter ! Parce que Sudie, elle a le chic pour duper les gens. Quand Sudie ment, ses yeux méchants deviennent soudain larmoyants comme ceux d'une vache et elle se met à battre des cils, très vite, et à prendre cette voix gnangnan, dégoulinante comme du sucre de canne. À chaque fois, ça me donne envie de vomir! Alors là, bien sûr, elle a refait le même coup. Et voilà qu'elle se met à raconter à Rayford qu'elle était là bien tranquillement en train de réparer son sac quand un petit cochon blanc affolé est passé à côté d'elle en courant. Elle s'est lancée à ses trousses, et quand elle est arrivée à l'orée du bois, elle a aperçu cet homme, un étranger, qui poursuivait aussi ce cochon. Elle l'a attrapé avant lui, et comme l'homme lui a dit que ce cochon était à lui, vu qu'il s'était échappé de son camion sur la route, elle le lui a rendu. Et puis voilà.

Rayford, qui restait planté là avec son air de demeuré, a fini par demander: «Pourquoi est-ce que vous vous battez, alors?»

C'est à ce moment-là que j'ai hurlé: «Cet homme, c'était pas un étranger. C'était un nègre!»

Sudie s'est mise à battre des cils et à prendre un air offusqué: «Un nègre!» elle s'est écriée. «Ça alors! J'aurais jamais cru qu'une bonne chrétienne comme Mary Agnès était capable de raconter des mensonges aussi énormes! Cet homme, c'était pas un nègre! C'était un étranger, c'est tout.» (Deux battements de cils.) «Il a dit qu'il venait du comté de Jackson et qu'il ramenait chez lui une litière de porcelets quand l'un d'eux avait sauté du camion, voilà tout. Et quand je suis revenue au champ, elle m'a accusée d'avoir donné un cochon qui appartenait à M. Bradley, alors que tout le monde sait bien que M. Bradley n'a que deux vieux verrats. Quand je lui ai dit ça, elle s'est mise à me taper dessus. Alors je lui ai rendu. C'est tout ce qu'il y a à savoir.»

«Mais c'était un nègre!» j'ai répété. «Je l'ai vu comme je vous vois!»

«Tu étais où quand tu l'as vu?» Rayford a demandé.

J'ai désigné l'orée du bois. «Pile à cet endroit-là», j'ai dit.

«Ça fait un peu loin. Tu as dû mal voir. Ça fait des années qu'on n'a pas vu de nègres dans les parages, à part les vagabonds qui traversent la région dans les trains de marchandises et qui savent bien qu'ils ont pas intérêt à s'arrêter chez nous.»

J'avais l'impression que j'allais crever d'énervement. J'étais tellement en rage que j'ai oublié de dire à Rayford pour l'Endroit Secret. J'ai failli en oublier que j'étais une bonne chrétienne. J'ai continué à discuter pendant un moment, mais il n'y avait rien à faire. Ce qui fait qu'à la fin, Rayford nous a dit d'aller nettoyer nos égratignures au puits et de retourner au travail.

En tout cas, j'étais sûre d'une chose, c'est que si Rayford croyait que j'allais retourner travailler avec une menteuse pareille, il pouvait toujours se mettre le doigt dans l'œil jusqu'au coude! J'ai pris mon sac, j'ai traversé le champ en courant, et en arrivant à la grange, je l'ai jeté à l'endroit où M. Bradley transvasait les boules de coton dans les paniers. J'ai dit à M. Bradley qu'il ne fallait plus compter sur moi pour travailler avec une menteuse pareille qui donnait des cochons à des nègres et qui avait un Endroit Secret dont elle n'avait parlé à personne!

C'était déjà assez horrible comme ça que Rayford ne me croie pas! Eh ben là, M. Bradley a continué à tasser son coton dans les paniers sans même avoir l'air d'entendre ce que je disais. J'avais envie de hurler. Alors j'ai foncé sur Mme Bradley, qui était en train de dépendre sa lessive, et je lui ai raconté mon truc. Et vous savez ce qu'elle a dit?

Eh ben, que Sudie et moi, on avait trop entendu d'histoires de nègres et elle m'a juré que si Sudie en avait vu un, elle aurait déguerpi tellement vite qu'elle serait déjà à Middelton à l'heure qu'il est. D'ailleurs, elle était sûre que Sudie et moi, on ne savait même pas à quoi ressemblait un nègre, ce à quoi je lui ai répondu que j'en avais déjà vu trois, moi, le jour où papa m'avait emmenée avec lui à Canter, alors que Sudie, elle n'en était qu'à son premier et que c'était aujourd'hui qu'elle l'avait vu.

Jamais personne n'aurait pu supporter ce que j'ai dû supporter ce jour-là. Je suis allée raconter à quatorze personnes que j'avais vu Sudie en train de donner un cochon à un vrai nègre, et personne, vous m'entendez, personne ne m'a crue. Même pas ma mère ou ma sœur, qui savent bien, vous pouvez me croire, ce que Sudie est capable de faire. J'ai même dit à ma sœur que Sudie avait vraiment un Endroit Secret et que je l'avais vu. «Et alors?» elle a répondu. «Ben alors, c'est la preuve!» j'ai fait. En tout cas, je n'irai plus jamais rien raconter à ces gens de toute ma vie. Ils n'auront qu'à se débrouiller tout seuls!

Après ça, tout ce qui me restait à faire, c'était de prier Dieu pour qu'Il la punisse comme elle le méritait, ce qu'Il a fait quasiment tout de suite. Deux semaines après, Nettie Davis m'a raconté que la mère de Sudie avait trouvé une place à l'usine de caleçons de Canter et que Sudie était obligée de surveiller Billy. On ne pouvait pas trouver pire, comme punition!

En tout cas, s'il y a bien une chose dont j'étais sûre et certaine, c'est que je ne regrettais pas du tout Sudie. À l'école, je n'ai eu aucun mal à ne plus la regarder, même s'il n'y avait que trois tables entre elle et moi. Et j'avais bien l'intention de ne plus jamais lui adresser la parole.

Deuxième partie

Billy met le feu aux genêts et autres quasi-désastres

Le mois d'octobre a passé très vite, et les feuilles ont changé de couleur. Maintenant, je n'avais plus à écouter les idioties de Sudie: «Oh, regarde cet arbre!» ou «Oh, regarde ces feuilles: elles sont de la même couleur que le coucher de soleil au-dessus de la grange de M. Wilson!» «Oh, ci», «Oh, ça», sans arrêt. Et je n'avais plus à me mettre à quatre pattes pour qu'elle puisse grimper sur mon dos pour cueillir ses stupides feuilles. Même si j'aimais bien quand elle les tressait ensemble (pour ça, il faut les cueillir exactement au bon moment, pour que les tiges ne soient pas trop sèches) et qu'elle nous faisait des chapeaux et des couronnes. Maintenant, je n'avais plus à courir dans tout Linlow avec des brassées de branches d'arbre, tout ça parce que Madame avait besoin de toutes les couleurs de feuilles possibles pour remplir la coupe qu'on voulait apporter à l'institutrice!

De toute façon, j'avais décidé de devenir meilleure amie avec Nettie Davis. C'était bien, parce qu'elle, au moins, elle habitait vraiment près de chez moi et qu'elle ne me faisait pas galoper sans arrêt dans tout Linlow. Elle, au moins, elle était toujours chez elle quand je passais la voir.

Pas de grands événements non plus en novembre-décembre, à part Noël. C'était bien, parce que j'ai eu une poupée qui fait pipi et d'autres trucs. Nettie a eu aussi une poupée qui fait pipi, sauf qu'il y avait quelque chose qui clochait avec la sienne: quand on lui donnait à boire, l'eau ne ressortait pas comme si elle faisait pipi mais restait dans son ventre, ce qui fait qu'il fallait la tordre de toutes ses forces pour faire partir l'eau. Sauf qu'à chaque fois elle ressortait par les articulations des bras et des jambes, et seulement une ou deux gouttes passaient au bon endroit.

Après Noël, j'ai remarqué que le ventre de maman commençait à grossir pas mal, ce qui fait que je lui ai dit qu'elle allait avoir un bébé, sauf que je ne lui ai rien appris du tout, vu qu'elle le savait déjà. Alors j'ai été le dire à ma sœur, mais elle était déjà au courant aussi. C'est quand même horripilant ce genre de truc, parce que c'est bien la preuve que personne ne me dit jamais rien, dans cette maison.

Quand on était meilleures amies, Sudie et moi, on parlait souvent des bébés. On sait tout là-dessus. Les bébés poussent dans l'estomac de la maman et quand c'est assez mûr, pof, ça tombe. Sudie, elle m'a expliqué que quand ça tombe, ça fait à peu près le même craquement qu'une arbouse quand on l'écrase avec le pied pour l'ouvrir, sauf que bien sûr elle ne l'a jamais entendu pour de vrai. Après ça, le docteur Stubbs recoud l'estomac de la maman, et hop, c'est terminé. Sudie m'a aussi expliqué que les gens faisaient des bébés de la même façon que les vaches font des veaux et que les chiens font des chiots, c'est-à-dire en frottant leurs Trucs l'un contre l'autre jusqu'à ce que ça prenne, comme quand on frotte très fort des silex et que ça fait des étincelles. Mais bon, il n'y a que Dieu qui sache comment ça fonctionne exactement, ce genre d'affaires, pas les gens. Et comme, en plus, on n'a pas le droit de douter de ce que Dieu dit... Moi, je n'ai jamais osé, mais Sudie, elle ne s'est pas gênée.

J'ai quand même raconté à Nettie comment on faisait les bébés, parce que cette andouillle, elle croyait qu'une maman tombait enceinte en mettant de la poudre sur son Truc, tout ça parce qu'une fois elle avait vu sa grande sœur mettre du talc sur le sien et qu'après ça son ventre s'était mis à grossir. Quelle demeurée, celle-là! Elle a eu de la chance que je lui explique avant qu'elle se paie la honte devant quelqu'un d'autre.

*
* *

Il y a eu la fin de décembre et puis janvier. Là, on s'est vraiment ennuyé. Faut dire qu'il n'a pas neigé une seule fois. Remarquez, on n'a jamais beaucoup de neige à Linlow, sauf peut-être une fois par an, quand on a de la chance, et qu'elle est assez profonde pour qu'on puisse jouer dedans. En tout cas, de toute ma vie, je n'avais jamais vu un hiver aussi long. Mais en février, il s'est quand même passé deux trucs vraiment excitants. Heureusement, parce que je n'aurais pas pu tenir beaucoup plus longtemps comme ça.

Le premier truc, c'est que trois jours après la Saint-Valentin, la mère de Nettie lui a donné deux pennies et qu'on est allées s'acheter des bonbons chez M. Hogan. Il était tard, le soleil allait se coucher, ce qui fait qu'on a couru à toute vitesse pour arriver avant la fermeture. On voulait passer par la porte de derrière, parce que ça va plus vite que de faire le tour par devant. Derrière la boutique, il y a un gros tas d'ordures et de vieux cageots et aussi un vieux chariot. Donc, on zigzaguait entre les ordures et les cageots quand, bing! on tombe en plein sur Clara May McMillen en train de remuer le Truc de Bob Rice.

Nettie et moi, on était tellement horrifiées qu'on a fait demi-tour en trombe et qu'on s'est foncé dedans. La pagaille que c'était ! Nettie s'est caché les yeux et a commencé à gémir comme un chien malade ; Clara May a fondu en larmes et a essayé de se cacher derrière le chariot ; et Bob Rice est resté planté sur place, l'air complètement abruti, avec son Truc tout faiblard qui pendait entre ses jambes.

Alors là, c'était quelque chose ! Pour dire la vérité, une fois le premier choc passé, je n'ai pas pu m'empêcher de regarder fixement son Truc pour voir s'il y avait vraiment des rayures bleues. Eh bien voilà, qu'est-ce que je vous avais dit ? Des rayures bleues, mon œil ! Sudie m'avait encore une fois raconté des craques. Et si je n'avais pas décidé de ne plus lui parler, je serais allée lui dire tout de suite ma façon de penser.

Sur ce, Bob Rice a rangé son Truc dans son pantalon et s'est reboutonné, ce qui fait que je n'ai pas eu le temps de voir si Sudie m'avait aussi raconté des craques sur la taille des Trucs d'homme. Il a marmonné quelque chose que Nettie et moi on n'a pas compris, avant de sortir de sa poche une pièce de dix cents, une de cinq et deux pennies qu'il a tendus dans notre direction. Avec un sourire idiot, il nous a dit qu'à notre place il prendrait cet argent et qu'il irait s'acheter des tas de bonbons. J'ai regardé Nettie, qui pleurnichait toujours en se cachant les yeux, puis j'ai regardé vers le chariot, mais Clara May n'était plus là. Du coup, je lui ai arraché l'argent des mains, sauf la pièce de cinq qui était tombée par terre, après quoi j'ai attrapé Nettie, qui n'en finissait pas de pleurnicher, et on a couru sans s'arrêter jusque chez moi. Il était trop tard pour retourner à la boutique, ce qui fait qu'on y est allées le lendemain et là, on s'est acheté un Baby Ruth, deux sucettes, neuf cloches d'argent et trois chewing-gums. Hmmm, ce que c'était bon !

J'ai expliqué à Nettie qu'il n'y avait rien de mal à ce que Clara May remue le Truc de Bob Rice. Je lui ai dit que des fois, les hommes avaient leur Truc qui les chatouillait, ce qui était normal vu qu'ils l'avaient toujours dans les jambes. Ça leur prenait comme une envie de se gratter, et c'était pour ça que Bob Rice devait le remuer ou alors le faire remuer par quelqu'un. Et quand ce quelqu'un était d'accord, il lui donnait cinq cents à chaque fois, ce qui est beaucoup d'argent pour vraiment pas grand-chose. Mais je sais pas pourquoi, j'ai préféré ne pas lui dire que Sudie l'avait déjà fait.

Ça l'a fait drôlement rigoler, Nettie. Elle disait que ça lui ferait peur de remuer un Truc, même pour cinq cents, et même pour dix. Je lui ai répondu qu'elle était bête, qu'il n'y avait pas à avoir peur de remuer un pauvre vieux Truc, vu que quasiment tout le monde le faisait. En tout cas, ça prouve bien que Nettie, elle n'est vraiment pas dans le coup à côté de Sudie et moi !

*
* *

Juste après cette aventure, il y en a eu une autre encore plus incroyable, et peut-être la plus incroyable qu'on ait jamais connue, parce que cette fois, toute la ville s'est trouvée rassemblée en même temps au même endroit, ce qui n'arrive pas très souvent, sauf aux enterrements, ce qui n'est pas spécialement marrant.

J'imagine que, maintenant, vous avez tous compris que quand il y a de l'excitation dans l'air, c'est que Sudie va être en plein dedans. Et là, ce n'était rien de le dire.

Voilà comment ça s'est passé. Déjà, tout a commencé parce que Billy adore jouer avec les allumettes et qu'il est mauvais comme un serpent à sonnette. Donc, ce jour-là, Sudie et Billy rentrent de l'école comme tous les jours de leur vie. Et comme tous les jours, ils coupent par les champs, ceux qui sont derrière chez M. Smith. Dans le temps, c'étaient des champs de coton, mais comme ils sont à l'abandon depuis des années, ils ont été envahis par une forêt de genêts à balais plus hauts que moi. C'est un bon endroit pour jouer à cache-cache.

Papa, il dit qu'il y a à peu près quinze hectares de champs. Ils forment un grand carré presque parfait, dont trois côtés sont longés par des routes. Le quatrième s'arrête juste derrière la maison de M. Greason et celle de Sudie, c'est-à-dire tout près des boutiques.

Bref, ce jour-là, Sudie et Billy avaient dépassé depuis longtemps le bouquet de sycomores qui se trouve au milieu du champ quand Billy, qui marchait derrière Sudie, jette une allumette dans les genêts à balais. Lui, au début, il fait ça juste pour flanquer une frousse d'enfer à Sudie, et vous allez voir qu'il n'a pas raté son coup. Il se dit aussi qu'il va laisser brûler le truc juste une seconde et qu'après ça il n'aura qu'à l'étouffer en marchant dessus. Mais moi, je crois qu'il avait forcément une idée derrière la tête, parce que n'importe quel babache sait bien que quand on jette une allumette dans des genêts tout secs, ça ne se contente pas de brûler une minute... Ah ça non, madame! Quand on jette une allumette dans des genêts tout secs, ça prend feu, vrouf, comme de l'essence! Donc, cet idiot jette son allumette, et une seconde plus tard, il se met à hurler comme un malade et à frapper du pied sur les flammes. Sudie se précipite pour l'aider, mais c'est déjà trop tard: le feu se propage dans toutes les directions. Brusquement, Billy détale vers le bouquet de sycomores, et Sudie lui emboîte le pas en lui criant de courir vers la route.

C'est M. Turner, qui habite dans Mill Road, qui voit l'incendie le premier; et comme il se propage à toute vitesse vers la maison des Smith, M. Turner court les prévenir. Mais quand il arrive là-bas, M. Smith est sorti. Il trouve quand même Mme Smith et, ensemble, ils vont derrière la grange et allument un contre-feu pour stopper le premier avant qu'il n'atteigne la grange. Après ça, M. Turner vole au secours de M. Greason, mais quand il arrive, M. Greason, qui a compris ce qui se passait, a déjà allumé un deuxième contre-feu derrière chez lui. Voilà comment on se retrouve avec trois incendies ! Ça faisait une de ces fumées, je ne vous raconte pas. Et au milieu de cet enfer, il y avait Sudie et Billy.

Au bout de quelques minutes, toute la ville se retrouve là-bas. Tout le monde se trimbale avec des branches de pin, des balais, des pelles, bref, tous les ustensiles possibles et imaginables pour lutter contre le feu au cas où il traverserait la route. Moi, à ce moment-là, je suis en train de jouer dans la cour de l'école quand j'entends tout le monde se mettre à hurler qu'il y a le feu. En moins de deux, les vingt gosses de l'école, et moi dans le lot, se ruent ventre à terre à l'endroit d'où monte la fumée. Quand j'arrive chez les Smith et que je vois cet enfer de flammes, je me dis que si ça n'avait pas été aussi excitant, je serais tout de suite tombée dans les pommes. Tout le monde crie en même temps. Comment ça a commencé ? Est-ce que tout le monde est en sécurité ? Vous êtes bien sûrs qu'il n'y a personne dans le champ, hein ?

C'est à ce moment-là que je me souviens que Sudie et Billy traversent justement ce champ-là tous les jours ! Je fonce droit sur M. Etheridge et je lui explique qu'à cette heure-là, Sudie et Billy risquent d'y être. Après avoir dit « Oh, mon Dieu ! » il part en courant demander aux gens s'ils ont vu Sudie et Billy.

À peu près au même moment, du côté de Mill Road,

Philip Hudson entend Sudie appeler Billy. Sans prendre le temps de réfléchir, il se précipite dans les genêts, se dirigeant vers l'endroit où il croit avoir entendu les cris de Sudie. Mais à chaque fois qu'il arrive à l'endroit où Sudie est censée se trouver, elle est déjà repartie.

Plus loin sur la même route, M. Higgens voit soudain Billy émerger du champ en titubant et en crachant ses poumons. M. Higgens essaie de l'empoigner, mais Billy se débat et, toussant comme un malade et tendant le bras vers le champ, il se met à hurler: «Lâchez-moi! Il faut que je retourne la chercher! Il faut que je trouve ma sœur!»

C'est comme ça que M. Higgens s'est rendu compte que Sudie était toujours dans les champs. Après avoir appelé Jesse Coker à la rescousse pour tenir Billy, M. Higgens disparaît dans les flammes. Mais comme Jesse Coker n'a pas envie de s'occuper de Billy, il le passe à Mme Turner et à ce grand gaillard de Richard, qui doit faire au moins un mètre quatre-vingt-dix, alors qu'il n'a que dix-sept ans, ce qui fait qu'il n'a aucun mal à immobiliser l'énergumène. Jesse Coker s'engouffre alors dans les flammes à la suite de M. Higgens.

Là-dessus, cette folle de Lilian Graham, qui devait être complètement dans les vapes à cause de ces saletés de pilules qu'elle prend tout le temps, se met à courir droit vers le feu pour suivre Jesse Coker. Quand il voit qu'elle le suit, il commence à la traiter de tous les noms et à lui crier de rester sur la route. Mais, rien à faire, elle continue. Du coup, il revient en courant et, après avoir réussi à la traîner jusqu'à la route, il demande à Richard de la tenir aussi.

Là, ça commençait à devenir grave. Le champ était presque entièrement en flammes, et la fumée était tellement épaisse qu'on ne pouvait pratiquement plus voir ni respirer. Dans l'incendie, Jesse Coker essaie de courir plié en deux pour rester sous la fumée, et il court comme ça pendant à peu près deux cents mètres quand il trébuche sur un truc et tombe la tête la première dans les genêts. Sur le coup, ça lui flanque une frousse bleue parce qu'il croit que c'est sur Sudie qu'il est tombé. Mais c'était juste une branche d'arbre. Et c'est au moment où il se relève que Sudie déboule en titubant et manque de lui foncer dedans. Il a raconté plus tard que de toute sa vie il n'avait jamais été aussi content de voir quelqu'un. Même qu'il a failli pleurer et qu'il n'arrêtait plus de répéter: «Loué soit le Seigneur!» Après ça, il prend Sudie dans ses bras et se met à hurler à tue-tête qu'il l'a retrouvée. À ce moment-là, tout le monde se met à bondir de joie, à pousser des cris et à remercier Dieu avant de se précipiter vers Mill Road.

Il y avait une de ces foules, là-bas! Ils ont décidé d'emmener Billy et Sudie chez Mme Turner, du fait que les parents Harrigan n'étaient pas là et que le docteur Stubbs était en visite quelque part. Il n'est arrivé qu'une heure plus tard. Il est sorti en disant que ça allait, qu'ils n'étaient pas trop mal en point, à part qu'ils avaient respiré trop de fumée et qu'il viendrait les examiner régulièrement étant donné le risque de pneumonie.

En attendant le diagnostic du docteur Stubbs, j'étais assise sur les marches de la maison des Turner et je dois admettre que j'avais peur. C'est vrai, quoi, Sudie et moi, on avait été meilleures amies, et quand j'avais su qu'elle était coincée dans les flammes, j'avais prié comme jamais je n'avais prié de ma vie.

Quand le docteur Stubbs est ressorti, j'étais en larmes, et quand il m'a vue, il est venu s'asseoir sur les marches à côté de moi. Comme je ne voulais pas qu'il me voie, j'ai détourné un peu la tête, mais il avait bien remarqué que je pleurais. Il m'a prise par l'épaule: «Elle n'a rien, Mary Agnès», il a dit. Comme je ne répondais rien, il a continué: «Tu as dû avoir très peur.»

J'ai fait oui de la tête.

Au bout d'une minute, il a dit: «Tu veux entrer la voir?»

J'ai fait non de la tête et j'ai dit: «Non, je préfère pas. Pas tout de suite.»

«Pourtant, je crois que ça lui ferait plaisir de voir son amie», il a dit.

«Ben, euh... c'est que... elle et moi... on est un peu... enfin, vous voyez, quoi.»

Il m'a tapoté l'épaule. «Je comprends», il a fait. «Je sais que ça fait un petit bout de temps que vous ne vous voyez plus, toutes les deux. Ça ne serait pas très facile pour toi d'entrer lui parler dans ces conditions. En tout cas, elle a demandé de tes nouvelles.»

«Elle a demandé quoi?»

«De tes nouvelles.»

«Ah oui? Et qu'est-ce qu'elle voulait savoir?»

«Si tu étais là pendant l'incendie. Elle voulait savoir si tu allais bien.»

En entendant ça, je me suis remise à pleurer comme une madeleine et il a continué de me tapoter l'épaule. «Elle voulait savoir si *moi* j'allais bien?» j'ai dit enfin.

Quand j'ai réussi à me calmer, le docteur Stubbs a dit: «Mary Agnès, nous allons reconduire Sudie et Billy chez eux dans un petit moment. Essaie d'aller la voir. Je suis sûr que ça lui ferait du bien.»

«D'accord, docteur. Je vais réfléchir.»

Il s'est levé pour rentrer dans la maison. Et puis, il a dit: «Mary Agnès?»

«Oui?»

« Billy va bien, lui aussi. » Et il m'a fait un grand sourire.

Donc, j'ai réfléchi. D'un côté, je mourais d'envie d'aller la voir, mais en même temps j'étais morte de honte à cause de tous ces trucs que j'avais racontés, même si personne ne m'avait crue. Je suis restée un moment sur les marches, mais quand Sudie et Billy sont sortis, j'ai préféré me cacher dans la foule. Quand j'ai vu la tête de Sudie, j'ai pris ma décision. Elle avait l'air dans un de ces états ! J'ai failli me remettre à pleurer. Il fallait que j'aille la voir.

*
* *

Quand je suis arrivée chez Sudie, sa mère m'a dit qu'elle était dans sa chambre. À part la cuisine, je n'avais jamais vu les autres pièces de la maison. Dans la chambre, il y avait deux lits en fer avec des vieux couvre-lits en chenille blancs et une énorme armoire avec un miroir fendu en plein milieu. Les rideaux, c'étaient des anciens sacs de farine cousus ensemble qui ressemblaient à du carton tellement ils étaient amidonnés. Par terre, il y avait un lino bleu avec des grosses roses rouges qui était pas mal usé mais rudement propre.

Sudie était assise sur le bord d'un des deux lits. Elle avait toujours des tiges de genêts accrochées dans les cheveux, et ses yeux étaient tout enflés.

Quand je suis entrée, elle m'a dit salut, comme si de rien n'était. Alors j'ai dit salut aussi et je lui ai demandé comment ça allait. Après ça, on a parlé un peu de l'incendie.

« J'ai prié pour toi », j'ai dit comme ça, bêtement.

« C'est gentil », elle a dit.

Comme plus personne ne parlait, que ça commençait déjà à me grimper au cerveau et que je voulais dire ce que j'avais à dire avant de changer d'avis, j'ai fini par cracher le morceau : « Je suis désolée pour le nègre. »

Elle a eu un petit sourire mais elle n'a rien répondu.

«C'était vraiment un nègre, hein?»

Elle s'est mise à tripoter un bouton de sa robe.

«Ouais», elle a dit. «C'était vraiment un nègre.»

«Ben, en tout cas», j'ai continué, «personne ne m'a crue.»

«Je sais. J'en étais sûre.»

On est restées sans rien dire pendant un moment. Je voulais parler d'autre chose, mais je n'avais pas d'idées. Alors j'ai demandé: «Tu veux bien me dire pourquoi tu as donné le cochon à ce nègre?»

«Parce que c'était le sien», elle a répondu.

«Et tu étais pas morte de trouille?»

«Non.»

«À ta place, j'aurais été morte de peur.»

«Ben moi, non.»

Silence.

«Et ce cochon, il a vraiment sauté d'un camion?» j'ai demandé.

Silence. Elle n'arrêtait pas de tripoter cette espèce de bouton. Finalement, elle a dit: «Non, il y avait pas de camion.»

«J'en étais sûre.»

Silence. J'avais des tas de questions qui se bousculaient dans ma tête, mais je me suis dit que c'était plus malin de rester calme et de ne pas dire ce que je pensais vraiment. Ce qui fait qu'au bout d'un petit moment, j'ai demandé: «Je peux m'asseoir sur le lit?»

«Bien sûr, vas-y.»

J'ai fait le tour et je me suis assise au bord du lit à côté d'elle.

«Comment tu savais que c'était à lui, le cochon?»

«Je le savais, c'est tout.»

«C'était un vagabond?»

«Possible», elle a dit en se mettant à tousser.

Je l'ai laissée reprendre son souffle et puis j'ai demandé: «C'était pas la première fois que tu le voyais, hein?»

«Non, c'était pas la première fois.»

À ce moment-là, je n'ai pas pu me retenir: «Mais Sudie! Les nègres, c'est dangereux! Ils tuent des gens!»

«Pas lui.»

Ça me rendait folle, moi, de parler de nègres comme ça, calmement, comme si c'était normal. Mais j'essayais de me contrôler, parce que je savais qu'autrement elle se tairait.

«Combien de fois tu l'as vu?»

«Des tas de fois.»

«Où est-ce que tu le vois?»

Là, elle a arrêté de jouer avec son bouton et elle m'a regardée bien en face.

«Ça, je peux pas te le dire», elle a répondu.

«Mais je cafarderai pas!»

«Si! Je te connais!»

«Non, je te jure!»

«Écoute, Mary Agnès: *Tu* sais et *je* sais très bien que tu es une cafardeuse. Alors, bon...»

«Mais je peux jurer! Tiens: Croix de bois, croix de fer, si je mens, je vais en enfer!» Je commençais à avoir les boulettes, moi. Elle n'allait quand même pas arrêter de parler maintenant!

«Bon, je peux plus rien te dire. On arrête.»

«Enfin, Sudie», j'ai supplié. «Tu sais bien que personne m'a crue. *Personne!* Allez, j'ai juste une ou deux questions à poser. S'il te plaît! De toute façon, si je cafardais, personne me croirait, alors... Et toi, ça te rendrait pas cinglée si je te faisais un coup pareil?»

Comme elle ne répondait pas, j'ai répété: «Je te jure, personne me croira...»

«Je sais», elle a dit en soupirant.

«Alors, qu'est-ce que ça peut te faire si je te pose des questions, hein? Oh, je t'en supplie, Sudie. Sinon je te jure que je vais devenir folle!»

Elle devait commencer à avoir un peu pitié de moi, parce qu'elle a dit: «D'accord, vas-y. Pose-les, tes questions.»

Ça avait marché! J'étais tellement sur le cul que pendant une minute, je ne savais plus quoi demander.

«Alors, qu'est-ce que tu veux savoir?» elle a dit.

Quand j'ai repris mes esprits, j'ai demandé: «Et les nègres, ils ont des noms?»

Là, elle a eu un air vraiment dégoûté: «Ouais, ils ont des noms.»

«Des vrais noms? Comme n'importe qui?»

«Ouais.»

«Et lui, il a un nom?»

«Il s'appelle Simpson.»

«Simpson quoi?»

«Simpson tout court.»

«Et il habite où?»

Elle s'est tortillée sur le lit comme pour mieux s'installer avant de répondre: «Ça, c'est un secret.»

«Bon, d'accord», j'ai dit. «Alors, tu peux au moins me raconter ce qu'il fait.»

«Qu'est-ce que tu veux dire?» elle a demandé.

«Ben... s'il agit comme un homme normal, quoi.»

«C'est un homme normal.»

«Et il a quel âge?»

Elle a replié ses genoux sous son menton et a passé les bras autour de ses jambes.

«Ça, je sais pas», elle a dit, après avoir réfléchi un moment.

«Comment ça se fait que tu l'as déjà vu des tas de fois?»

«Parce que c'est mon ami.»

«Ton ami!» J'ai failli tomber dans les pommes quand elle a dit ça. Dieu nous garde... Son ami!

«Mais les nègres, c'est pas des amis!» j'ai dit.

«Ben, lui, si.»

«Mais Sudie, tes parents te tueraient s'ils savaient.»

«Ben ouais. Ils me tueraient si tu allais cafarder et s'ils te croyaient. Mais comme ils te croiraient jamais...»

Vous avez déjà entendu un truc pareil de toute votre vie? J'allais devenir folle, ce n'était pas possible autrement. Je n'avais même plus de questions à poser. Et puis d'abord, quel genre de questions on peut poser sur les nègres? Et puis, est-ce qu'on avait déjà vu ça, être amie avec un nègre? Je me disais que si ça se savait, il se ferait dégommer en moins d'une seconde, celui-là, et peut-être même plus vite. Je me suis tournée vers elle et j'ai posé la main sur son genou.

«Je peux encore poser une question? La dernière. Je te jure!»

«D'accord», elle a dit. «La dernière.»

«Il aime ça, les patates douces?»

Elle n'a rien dit. Ses yeux se baladaient dans la pièce et regardaient tout sauf moi. Elle a commencé à tousser. Comme elle avait envie de faire pipi, elle m'a demandé d'aller chercher le pot de chambre, qui était sur la véranda derrière la maison. Quand je suis revenue avec le pot, elle a retiré le couvercle et elle l'a posé sous le lit.

Après quoi, elle a baissé sa culotte, elle s'est assise et elle a fait pipi.

Elle n'avait toujours pas répondu. «Tu as dit que je pouvais poser une dernière question», j'ai fait.

«Ouais», elle a répondu, «je sais.»

«Alors, réponds, quoi... Il aime ça, les patates douces ou pas?»

«Mary Agnès», elle a fait en remontant sa culotte, «tout le monde aime ça, les patates douces.»

*
* *

Il m'a bien fallu deux jours pleins pour arriver à croire ce que j'avais entendu. Oh, je savais bien que c'était une menteuse, mais là j'étais sûre qu'elle avait dit la vérité. Même Sudie n'aurait pas pu inventer une histoire pareille. Après l'incendie, elle a manqué l'école toute une semaine; moi, pendant ce temps-là, j'étais dans tous mes états. C'était trop l'enfer de devoir garder ça pour moi! J'en avais tellement marre que j'ai fini par me dire que j'allais tout raconter à Dieu avant que quelqu'un le fasse avant moi. Je Lui ai dit: «Seigneur, est-ce que Tu as entendu tous les trucs que Sudie m'a racontés sur ce nègre? Il faut que je Te dise tout parce que moi, maintenant, je sais vraiment plus si j'ai envie de redevenir son amie.» Alors je Lui ai tout dit. Tout. Même pour le pot de chambre. Ça s'est terminé comme ça: «Seigneur, je sais pas si c'est bien que je sois amie avec l'amie d'un nègre. Alors, si Tu pouvais m'envoyer un signe pour que je sache quoi faire, ça me rendrait service. Rien qu'un seul, Seigneur. Pour que je sache si je peux être amie avec l'amie d'un nègre, Tu peux par exemple envoyer un éclair dans le ciel; et si je ne peux pas, Tu n'as qu'à rien envoyer du tout. D'accord?» Donc, j'ai attendu. Trois heures en tout, pendant le midi et après l'école. Mais il n'y a pas eu d'éclair dans le ciel.

Le lendemain, Sudie a repris l'école, et comme je voulais

qu'elle soit au courant pour l'éclair, je lui ai tout expliqué à midi. Quand je suis sortie de la cantine, elle était assise sur les marches de la salle de gym en train de manger son biscuit. Je lui ai dit franchement que ça me mettait mal à l'aise, ses histoires, et que j'attendais un signe de Dieu pour savoir quoi faire, mais qu'à mon avis c'était mal parti, parce qu'Il ne m'avait toujours pas envoyé d'éclair pour savoir si oui ou non c'était bien pour moi d'être amie avec l'amie d'un nègre, et que s'il ne répondait pas, ça voulait sûrement dire que ce n'était pas bien pour mon amie d'être amie avec un nègre. Elle m'a regardée d'un air bizarre puis elle a ramassé son sac à casse-croûte et elle est repartie vers l'école.

J'ai pensé à ça toute la journée et toute la nuit. J'ai même refait ma prière, mais en inversant. Mais ça n'a rien donné non plus. Toujours pas d'éclair. J'ai demandé à maman si Dieu pouvait envoyer des éclairs quand on avait besoin d'un signe de Lui, mais elle m'a répondu que c'était seulement à l'époque de la Bible que ça arrivait, ce genre de choses, et qu'elle n'en avait plus jamais entendu parler depuis. Après ça, je me suis sentie beaucoup mieux, parce que je trouvais ça horrible de me dire que Dieu avait autant de mal que moi à prendre des décisions.

*
* *

Tout ce que j'espère, c'est que personne d'autre que moi sur cette terre n'aura à endurer ce que j'ai dû endurer en étant amie avec l'amie d'un nègre. C'est comme si vous aviez un fardeau à porter et qu'il n'y avait que Dieu qui en connaissait le poids. Je crois que je n'ai jamais autant prié de ma vie. Il y avait des fois où je trouvais le fardeau juste trop lourd à porter, exactement comme Jésus avec sa croix, j'imagine. Comme elle dit maman, il y a des gens qui ont des fardeaux plus lourds à porter que d'autres. Ce n'est peut-être pas juste, mais c'est comme ça, et elle m'a dit que ceux qui supportaient ces fardeaux-là sans jamais arrêter de croire en Dieu, ils pouvaient être sûrs d'avoir les meilleures places au paradis. Avec Sudie comme amie, je devais avoir le fardeau le plus lourd à porter de tout Linlow.

Donc, vous voyez ce que j'ai dû endurer. À mon avis, ça a sûrement quelque chose à voir avec le fait d'être un bon chrétien ou pas. Pour vous dire la pure vérité, je n'ai jamais trouvé que Sudie était une bonne chrétienne, même si pendant longtemps j'ai cru qu'elle était au moins rachetée avant qu'elle me dise le contraire. En tout cas, il y a un truc qui est vraiment sûr, c'est que Nettie, elle, c'est une bonne chrétienne. Elle sait se servir d'un couteau et d'une fourchette et en plus de ça, elle est toujours très propre. Et n'importe quel abruti sait bien que la propreté et la piété, c'est presque la même chose. En plus de ça, Nettie est chiante comme tout, ce qui prouve bien que c'est une vraie chrétienne. Parce que, comme la Bible nous le dit, la rigolade, c'est un cadeau empoisonné du diable. C'est pour ça que j'ai toujours essayé de ne pas trop rigoler, juste pour être du bon côté.

À peu près deux semaines plus tard, j'ai eu droit à une nouvelle épreuve. C'était un dimanche matin où il faisait très froid. Sudie et moi, on était allées à la messe, parce que la mère de Sudie l'avait obligée à emmener Billy, histoire qu'il se repente de ses péchés du fait que c'était quand même lui qui avait provoqué l'incendie et tout le tintouin. Encore une belle perte de temps ! Pourtant, on savait bien que même en forçant Billy à aller à la messe (on l'avait même menacé et tout, mais ça avait à peine commencé que cet énergumène avait déjà fichu le champ, et que Sudie et moi, on s'est retrouvées comme deux idiotes), jamais il n'irait se mettre à genoux devant l'autel pour se repentir de quoi que ce soit. Bref, on a dû se payer tout le sermon du pasteur Miller qui nous disait qu'il fallait porter la bonne parole aux quatre coins de la Terre ; en entendant ça, Sudie m'a fait bien rigoler quand elle m'a dit à l'oreille que si Christophe Colomb n'avait pas réussi à les trouver, ces coins, ça voulait dire qu'elle et moi, on n'avait aucune chance.

Après ça, le pasteur Miller a continué en disant qu'il fallait porter la bonne parole dans des endroits comme la Chine, l'Inde, la Russie, le Japon, le Mexique et l'Afrique ; j'en avais la tête qui tournait, moi, à force de penser à tous ces endroits où je devais aller. Je nous imaginais, Sudie et moi, dans une barque, en train de ramer jusqu'au Japon où les Japs nous enverraient une bombe sur la tête pour notre peine.

C'était surtout en Afrique que le pasteur avait l'air de vouloir porter la bonne parole. Je n'ai pas arrêté de regarder Sudie pendant qu'il parlait de l'Afrique, parce que tout le monde sait qu'en Afrique, les nègres, il n'y a que ça. J'étais un peu mal à l'aise, parce qu'elle n'arrêtait pas de tripoter et de tordre le livret de cantiques dans tous les sens, sans parler du regard assassin qu'elle a lancé au pasteur quand il s'est mis à dire que si on n'allait pas porter la bonne parole en Afrique, alors tous ces pauvres nègres iraient brûler à jamais dans les feux de l'enfer.

Comme si ce n'était pas assez horrible comme ça, il a continué en disant que si nous, on n'allait pas nous-mêmes leur porter la bonne parole, eh ben on irait nous aussi rôtir en enfer. Ça m'a fichu une de ces trouilles, son truc ! Là, j'étais bonne pour la nuit blanche ! Heureusement, à la fin, il nous réservait quand même une bonne nouvelle : Jésus nous pardonnerait de ne pas aller porter nous-mêmes la bonne parole, de ça et de tous nos autres péchés, à condition que nous le Lui demandions, ce que j'ai fait tout de suite, du coup. Comme a dit le pasteur, Jésus nous pardonnerait même sur notre lit de mort si on croyait en Lui.

Là-dessus, le pasteur a embrayé sur une tripotée d'autres péchés, et ça pendant tellement longtemps que j'ai attrapé des fourmis dans les fesses à force d'être assise sur cette saleté de banc tout dur. Après ça, il nous a dit que ceux qui n'étaient pas certains d'être rachetés pouvaient tout aussi bien sortir de cette église sur-le-champ, car Dieu pouvait à tout moment décider de leur trépas. Il pouvait leur tomber dessus sur le parvis même de cette église. J'aurais bien voulu qu'il arrête de parler de ça. Parce qu'à chaque fois, j'ai peur qu'un pécheur meure foudroyé sur le parvis au moment où je passe à côté de lui. Parce que moi, je n'ai sûrement pas envie de trépasser quand ce n'est pas mon tour. C'est pour ça que tous les dimanches, Sudie et moi, on ne prend aucun risque : on déguerpit à toute vitesse et hop, on saute les marches ! Tout le monde rigole de nous, n'empêche que je n'en vois pas beaucoup qui prennent racine sur ce parvis, surtout les gosses.

Tous les dimanches après la messe, le pasteur sort de l'église pour serrer des mains et se faire complimenter sur son sermon. Cette fois-là, quand le pasteur est passé devant nous pour nous saluer, Sudie a sauté devant moi et lui a attrapé la main : « Salut, pasteur Miller ! » elle a dit.

« Tiens, Sudie ! » le pasteur a répondu. « Ça fait plaisir de te revoir parmi nous. J'espère que tu n'as pas trop souffert de l'incendie. »

« Pas du tout », elle a répondu.

« Eh bien tant mieux », il a dit en dégageant sa main.

À ce moment-là, elle l'a attrapé carrément par la

manche de son manteau: «Pasteur Miller, est-ce que je peux vous poser une question?»

«Bien sûr, Sudie.»

«Pourquoi est-ce que les nègres d'Afrique doivent aller en enfer, tout ça parce que nous, on peut pas aller là-bas leur porter la bonne parole?»

Le pasteur a fait une drôle de tête: «Sudie», il a répondu, «ces gens ne peuvent être sauvés à moins d'entendre la bonne parole.»

«C'est pas juste. C'est pas de leur faute!»

«Ce que tu dis est vrai. C'est pourquoi il nous incombe de la leur porter, vois-tu.»

«Non, je vois rien du tout», elle a répondu. «Je vois pas comment Dieu peut les envoyer tout droit en enfer, tout ça parce que nous, on ne trouve pas de moyen d'aller en Afrique.»

Le pasteur a eu un air exaspéré: «C'est ainsi, mon enfant.»

«Alors, comme moi je suis sûre de jamais aller en Afrique, et vous non plus, ça veut dire que des tas de nègres vont aller rôtir en enfer, c'est ça? Alors que nous, tout ce qu'on a à faire, c'est de demander pardon à Dieu sur notre lit de mort de ne pas avoir pu aller là-bas, et comme ça, on va au paradis. Eh ben, moi, je trouve ça pas juste, c'est tout! Est-ce que Dieu envoie tous les nègres en enfer comme ça, même quand ils sont gentils?»

Je voyais bien que le pasteur voulait en finir avec cette conversation et continuer sa tournée de poignées de main. Il a commencé à s'éloigner de Sudie et il a tendu la main à Lem Coker, qui regardait Sudie comme si elle était devenue complètement folle.

«Vous ne m'avez pas répondu, pasteur», Sudie a continué. «Est-ce que les gentils nègres vont en enfer?»

Le pasteur s'est contenté de lui tapoter la tête tout en serrant la main de Lem: «Ceux qui ne sont pas rachetés vont en enfer, voilà tout», il a répondu.

À ce moment-là, Lem s'est mis à rire: «Heureusement qu'il y a l'enfer pour racheter les nègres, pas vrai, pasteur?»

En entendant ça, Sudie a littéralement écrabouillé le pied de Lem avant de détaler en zigzaguant entre les gens.

Je parie que je devais être rouge comme une tomate, mais Dieu merci, personne ne faisait attention à moi. Tout le monde se payait la tête de Lem qui dansait d'un pied sur l'autre en faisant tout ce qu'il pouvait pour ne pas dire de jurons devant le pasteur Miller. De toute façon, c'était bien fait pour lui. Comme elle dit maman, son frère Jesse et lui, c'est les plus grands hypocrites de Linlow, parce qu'en plus de tous leurs jurons, ils passent leur vie à se soûler et à courir le jupon. Pour dire la vérité, j'espérais juste que son dentier pourri dégringole de sa sale vieille gamelle.

Poser ce genre de questions au pasteur, ça ne se fait pas. C'est comme douter de Dieu. Et c'est bien ce que la mère de Sudie a dû penser quand elle a appris ce qui s'était passé et que, du coup, elle lui a labouré les jambes avec sa verge en noyer. Papa, il disait que Sudie n'aurait jamais dû parler des nègres, et encore moins poser des questions au pasteur, et que s'il me prenait un jour à faire un truc pareil, je serais bonne pour le fouet aussi. Ça m'a donné la chair de poule, parce que s'il avait su ce que je sais, je n'ose pas imaginer ce qu'il m'aurait fait. Du coup, j'ai commencé à prier tous les soirs pour me faire pardonner. Mais comme j'en avais marre de répéter tout le temps les mêmes trucs, et que Dieu devait en avoir marre aussi de les entendre, j'ai fini par arrêter au bout d'un petit moment. Et puis, comme quelques semaines ont passé sans incident, j'ai commencé à me sentir mieux.

*
* *

Le vendredi avant le dimanche de Pâques, l'école primaire a brûlé. Si je me souviens aussi bien de la date, c'est parce qu'on avait tous rapporté nos œufs peints que Mme Wilson devait collecter pour la chasse aux œufs de dimanche matin. L'école avait brûlé vers les quatre heures du matin. Du moins, c'est à cette heure-là que M. Hogan s'en était rendu compte, sauf que c'était déjà trop tard. Ce n'était pas aussi excitant que l'incendie du champ de genêts, vu que tout le monde dormait quand c'est arrivé, mais j'étais quand même tout excitée quand je l'ai su, vu que je déteste l'école.

Vers sept heures ce matin-là, toute la ville était rassemblée autour des cendres. Beaucoup de gens pleuraient. Mais pas beaucoup de gosses. C'était une vraie pagaille, pour dire la vérité; les gosses couraient dans tous les sens comme des Peaux-Rouges. Finalement, Mme Wilson a proposé d'avancer la chasse aux œufs de Pâques à ce jour-là, pour que les hommes puissent réfléchir en paix à ce qu'ils allaient faire de nous en attendant que l'école soit reconstruite.

Les institutrices et les mamans nous ont rassemblés et nous ont fait embarquer dans deux cars. Au bout d'un long moment, on est arrivés à une grande pâture près de Hog Mountain. Pendant que les mamans cachaient les œufs, les institutrices distrayaient notre attention. Je croyais que Sudie était venue dans l'autre car, vu qu'elle n'était pas avec moi. Je l'ai cherchée partout à notre arrivée, mais elle n'était même pas venue. Les autres ne l'avaient vue qu'en début de matinée sur les terrains de l'école.

La chasse a commencé, et j'ai trouvé six œufs de poule et cinq œufs en sucre, ce qui fait onze en tout. Mais c'est Bobby Turner qui a gagné le prix, vu qu'il avait trouvé huit œufs de poule et treize œufs en sucre, c'est-à-dire vingt et un en tout. Le prix, c'était une grosse balle en caoutchouc et une boîte de jonchets. Après ça, on a joué à la balle au prisonnier, à cache-cache, à colin-maillard et aux quatre coins. On s'est tellement amusés que j'en avais presque oublié que l'école avait brûlé, et ce n'est qu'au retour, quand on s'est arrêtés devant, que je m'en suis souvenue: c'était vraiment une journée parfaite. Même si, pour dire la pure vérité, cette école calcinée, c'était un peu triste à voir.

Le lendemain matin, je suis allée chez Sudie pour lui raconter la chasse aux œufs mais elle n'était pas là. Je l'ai cherchée dans tout Linlow, mais comme elle était introuvable, j'ai décidé de passer chez Nettie. Nettie, elle habite de l'autre côté du pont, près de l'église méthodiste, après la station-service de Puckett, ce qui explique pourquoi j'ai jeté un œil sur la voie ferrée. Et qu'est-ce que je vois à ce moment-là ? Sudie en train de marcher en équilibre sur les rails avec un bras tendu et l'autre serrant un gros bouquet de fleurs. Je l'ai appelée de toutes mes forces, et quand elle a fini par m'entendre, le seul truc qu'elle a trouvé à faire, c'est de se retourner, de me faire un grand signe de la main et de repartir. J'aurais pu la tuer, celle-là !

Il arrive des choses étranges, parfois. J'étais là sur le pont en train de la regarder s'éloigner quand brusquement j'ai eu l'illumination: elle passait sa vie à marcher sur ces rails, et avec un bouquet de fleurs encore ! Pour aller le porter à qui, je vous le demande ? À l'institutrice, peut-être ?

Certainement pas. C'était à *lui* qu'elle allait le porter, je le savais maintenant, aussi sûrement que j'étais là sur ce pont. De toute ma vie, le fait de savoir le pourquoi des choses ne m'avait autant horrifiée ! Au point que j'en ai complètement oublié Nettie et que je suis rentrée chez moi en courant. Je n'ai rien fait de la journée à part me tourmenter, réfléchir et prier. J'en étais arrivée au point où je pouvais passer toute une journée sans penser à Sudie et à ce nègre, mais ce jour-là, pas moyen, ce qui fait que j'ai continué à gamberger comme ça jusqu'à l'heure du coucher.

*
* *

Le lundi matin, j'avais décidé de régler la question une bonne fois pour toutes. Je n'y pouvais rien si j'avais promis de ne plus jamais en parler. Je n'y pouvais rien si j'avais juré sur la tête de ma mère de ne plus jamais poser de questions. J'avais espéré, j'avais prié, et j'avais cru que ce nègre était parti depuis longtemps et que je n'aurais plus jamais à penser à lui. Mais il était toujours là. Je le savais aussi sûrement que je m'appelle Mary Agnès.

Je suis passée chez Sudie avant neuf heures du matin mais bien sûr, elle n'était pas là. Je l'aurais parié. Elle devait être partie pour la journée, comme elle l'avait fait des centaines de fois auparavant. C'est là que j'ai décidé que même si je devais attendre jusqu'à neuf heures du soir, je serais là, au dépôt, quand elle réapparaîtrait sur cette voie ferrée.

Donc, j'ai attendu. Comme on peut apercevoir le dépôt de la maison de M. Wilson, je suis allée le voir, et lui et sa femme m'ont donné des biscuits et du thé glacé. J'ai joué avec Clabber, leur vieux chien, sans cesser de surveiller le dépôt. Il devait être près de trois heures quand j'ai vu Sudie sortir du virage.

J'ai dit au revoir aux Wilson et j'ai couru à sa rencontre. En me voyant, elle m'a fait un signe de la main et quand je suis arrivée à sa hauteur, elle m'a demandé ce qui s'était passé pour que je sois venue l'attendre. Comme j'étais folle de rage d'avoir passé toute une journée à poireauter, je lui ai dit ma façon de penser. «Écoute-moi bien, Sudie Harrigan, ce qui se passe, c'est que tu me fais tourner en bourrique et que j'ai décidé que j'en avais plus que marre! Si tu crois que tu n'as qu'à continuer avec ce nègre et avec tous tes secrets pendant que moi, je la boucle et je dis rien à personne, eh ben là, tu rêves!»

Et vous savez ce qu'elle a fait? Elle a souri! Eh ben oui. Elle m'a regardée en souriant comme si j'avais dit quelque chose de vraiment marrant. Ça me donnait envie de l'étriper! Alors j'ai dit: «Pour l'amour de Dieu, Sudie Harrigan, j'aimerais bien savoir ce qui te fait sourire comme ça.»

Elle est remontée sur les rails et s'est remise en marche avec ses bras maigres déployés comme des branches d'arbre. Elle allait tellement vite que j'étais obligée de sauter deux traverses à la fois.

«Je souris parce que tu es drôle», elle a fait.

«Drôle!» j'ai hurlé. «D'abord, je suis pas drôle! J'ai jamais été drôle de ma vie.»

«Si, je te jure, tu es marrante comme tout.»

«J'aimerais bien que tu m'expliques ce qu'il y a de si marrant dans ce que j'ai dit. C'était pas fait pour! C'était sérieux! Et si tu veux vraiment que je te dise, de nous deux, c'est certainement pas moi la plus drôle. Et tu n'es pas seulement drôle, tu es folle!»

«Je t'ai rien demandé», elle a répondu.

«Eh ben, justement, peut-être que tu devrais arrêter de rien demander à personne!» j'ai hurlé. «Si tu te crois maligne ! Toi, tu crois que tu sais tout et que t'as rien à demander à personne ! Eh ben moi, je vais te dire un truc : tu sais rien du tout ! Parce que pour être amie avec un nègre, il faut vraiment pas savoir grand-chose ! »

Elle est descendue de son rail, traversant la voie sous mon nez pour monter sur l'autre.

« Mary Agnès », elle a commencé, tranquille comme Baptiste, « je crois que tu es jalouse parce que j'ai un ami nègre. » Après quoi, elle s'est mise à ricaner.

« Jalouse ! Tu crois que je suis jalouse ! Jésus Marie Joseph, de toute ma vie j'ai jamais rien entendu d'aussi stupide ! Je ne voudrais jamais d'un ami nègre même si c'était le dernier ami sur terre ! Avoir un ami nègre, c'est un péché ! »

« Oh, crotte de bique, Mary Agnès », elle a dit. « Tu sais très bien qu'on peut avoir qui on veut comme ami et que c'est pas un péché. Tu peux même prendre un assassin de Jap comme ami, si tu veux. »

« Un assassin de Jap, c'est pas un nègre ! »

« Et un nègre, c'est pas un assassin », elle a dit en se remettant à rigoler.

« Un nègre, c'est un *nègre* ! » j'ai hurlé.

« Eh ben, là, tu vois, je suis d'accord avec toi ! » elle a hurlé à son tour.

Je venais de rater une traverse et mon pied nu avait heurté le gravier.

« Est-ce que tu vas descendre un jour de ces rails pour me parler, oui ou non ? Je me suis tué le pied ! »

Elle est descendue de son rail et s'est assise dessus en posant les coudes sur ses genoux. Je suis allée m'asseoir sur le rail en face d'elle et j'ai fait la même chose. Puis j'ai examiné ma plante de pied. J'avais une petite coupure au talon.

«Regarde ce que tu as fait, maintenant!» je lui ai dit en montrant ma coupure.

Elle a ramassé une poignée de graviers et s'est mise à les jeter un par un au-dessus de ma tête pour essayer de toucher le remblai.

«Qu'est-ce que j'ai fait encore?»

«À cause de toi, je me suis coupé le pied!»

«Ce que t'es chiante, alors!» elle a dit. «Écoute, c'est pas de ma faute pour ton pied. Bientôt tu vas me dire que c'est moi qui t'ai forcée à venir m'attendre.»

«Je serais jamais venue t'attendre si tu me rendais pas complètement dingue!»

«Écoute, je te rends rien du tout. Si tu t'occupais de tes oignons de temps en temps, tu me ficherais la paix avec Simpson.»

Je trouvais ça tellement méchant que j'ai senti les larmes me monter aux yeux.

«Écoute, Sudie», j'ai continué, «c'est pas de ma faute si ça me rend dingue, ton histoire. Je te jure que j'essaie de pas y penser. D'ailleurs, ça fait longtemps que je t'ai rien demandé.»

Elle continuait de jeter ses cailloux sans répondre.

«Et tu sais aussi que j'en ai parlé à personne depuis que je te l'ai promis. À personne, tu m'entends. Et je vais te dire autre chose: c'est pas facile de savoir un truc pareil sans pouvoir en parler. Quel effet ça te ferait, toi? C'est pas juste, c'est tout!»

«T'as peut-être raison.»

«Qu'est-ce que tu ferais, toi, si t'avais un fardeau aussi lourd à porter? Si tu passais ta vie à te ronger les sangs et à prier parce qu'il n'y a rien d'autre à faire et qu'en plus ton amie ne veut même pas en parler avec toi? Hein, qu'est-ce que tu ferais?»

«Ça avancerait à quoi de parler?»

«Ça serait toujours mieux que de me laisser toute seule avec mon fardeau. C'est horrible de passer son temps à se demander ce qui se passe et de jamais le savoir!»

«Si tu savais tout, ça te rendrait encore plus folle», elle a dit.

«Je te jure que non! Ce qui me rend folle, c'est de rien savoir!»

Elle s'est levée pour regrimper sur les rails et elle s'est remise à marcher.

«Bon, d'accord», elle a dit. «Moi, je pense que c'est mieux pour toi de rien savoir, mais si ça te rend si folle que ça, je suppose que tu as le droit de savoir.»

Ouf! Quel soulagement! Parce que, pour dire la vérité, ce n'est pas si souvent que j'arrive à faire faire à Sudie un truc qu'elle n'a pas envie de faire sans devoir la menacer. Ça faisait du bien de réussir à la convaincre de quelque chose. J'ai attendu qu'on soit arrivées au dépôt pour commencer à la questionner. Là, on s'est hissées sur le quai en laissant pendiller nos jambes. Alors je lui ai posé toutes les questions qui m'avaient traversé la tête depuis la cueillette du coton, et même celles que je lui avais déjà posées le jour de l'incendie du champ de genêts. J'ai dû lui en poser une centaine au moins, et je crois qu'elle a fait de son mieux pour me répondre, et je vais vous dire un truc: de toute ma vie, je n'avais jamais entendu une histoire pareille.

Troisième partie

La vérité sur les rôdeurs

Tout a commencé le printemps dernier, sur cette voie ferrée justement. Sudie marchait sur les rails, et elle a décidé de pousser au-delà du pont parce qu'elle ne l'avait jamais fait de sa vie et pour voir ce qu'il y avait par là. Le soleil brillait et il faisait très chaud, et comme la voie est bordée de chaque côté par des grands pins, Sudie était à l'ombre, et elle trouvait ça bien agréable de marcher pieds nus sur les rails frais. Elle a fait à peu près trois kilomètres (elle s'en est rendu compte plus tard) rien qu'à contempler le paysage : les vieux chênes immenses dispersés dans les pins, les arbustes croulants de chèvrefeuille et, par-ci par-là, des buissons d'azalées sauvages aux fleurs orange vif qui tranchaient sur l'écorce sombre des arbres. Il n'y avait aucun bruit à part le chant des grillons qui montait de l'enchevêtrement de vignes sauvages au bord de la voie.

Elle marchait très lentement du fait qu'elle cherchait des bulles de goudron à crever du bout de l'orteil. De temps en temps, elle descendait de la voie juste pour aller sentir le chèvrefeuille. Tout à coup, elle a entendu des chiens qui aboyaient au loin. Elle a continué son chemin sans faire attention jusqu'au moment où elle s'est rendu compte que les aboiements se rapprochaient de plus en plus. On aurait dit une meute de chiens. À sa place, j'aurais fait demi-tour à toute vitesse. Elle a regardé de tous les côtés, mais elle ne voyait toujours rien.

C'est alors qu'elle a entendu une voix d'homme qui essayait de chasser les chiens. Elle s'est dit que ça devait être M. Higgens ou M. Bradley, vu qu'ils emmenaient toujours leurs chiens quand ils chassaient l'écureuil ou le lapin. Ce qui fait qu'elle ne s'est pas méfiée et qu'elle a continué son chemin.

C'est à ce moment-là que c'est arrivé. Elle a entendu un bruit dans les buissons et tout à coup, elle s'est retrouvée à vingt pas d'un nègre qui venait de débouler sur la voie. Il s'est arrêté devant elle. Il était figé sur place, aussi immobile qu'un épouvantail: il ne la quittait pas des yeux. Dans ses mains, il tenait devant lui comme une offrande un lapin à moitié mort couvert de sang. Pétrifiée, Sudie était incapable de bouger un bras ou une jambe. Elle ne pouvait plus détacher les yeux de ce nègre et de ce lapin plein de sang convulsé entre ses mains. Elle n'arrêtait pas de penser aux histoires qu'on connaît par cœur où des rôdeurs noirs attrapent les enfants et les mangent tout crus, ce qui fait qu'elle était glacée de terreur.

Ils étaient toujours immobiles à se regarder. Ça n'en finissait plus. Finalement, c'est lui qui a parlé le premier, et ça a tellement choqué Sudie qu'elle a failli tomber dans les pommes sur place: jamais elle n'aurait imaginé que les nègres parlaient avec des mots. Et quand il s'est mis à parler, sa voix était tellement douce qu'elle l'entendait à peine.

Il lui a dit: «Il ne faut pas avoir peur, Miss. Je ne vais pas vous faire de mal. S'il vous plaît, il ne faut pas avoir peur comme ça. Tout ce que je veux, c'est emmener ce petit lapin pour le soigner. Il était en train de se faire dévorer par un chien. Il ne faut pas avoir l'air terrifié comme ça, Miss. Je n'ai jamais fait de mal à personne. Je ne vous ferai pas de mal.»

Sur ce, il lui a raconté comment les chiens avaient

arraché une patte à ce pauvre petit lapin et comment il allait arrêter l'hémorragie en emmaillotant le moignon dans un chiffon, le tout sans bouger un muscle pour ne pas effrayer Sudie. Ils se dévisageaient toujours; il n'arrêtait pas de parler et de la supplier de ne pas avoir peur.

En l'écoutant, Sudie était émue comme jamais elle ne l'avait été de sa vie. Elle regardait celui qu'on lui avait décrit toute sa vie comme un monstre, et plus il parlait, plus elle croyait ce qu'il lui disait. Pas tellement parce qu'il lui répétait sans arrêt de ne pas avoir peur, mais à cause de sa façon de tenir ce lapin.

Sudie expliquait tout le temps que, même en étant demeuré, à demi aveugle, sourd, muet ou fou, on pouvait deviner beaucoup de choses sur une personne rien qu'à sa façon de traiter les animaux. Et tout en parlant, ce nègre n'arrêtait pas de caresser le dos et les oreilles du lapin qu'il tenait contre sa poitrine sans faire attention au sang qui tachait sa salopette. Quand il la serrait contre lui, la petite bête disparaissait presque entièrement dans sa grosse main, et plus il la caressait, plus elle avait l'air de se détendre, comme si elle était dans un nid douillet et qu'elle avait oublié qu'elle venait de se faire à moitié dévorer par une bande de chiens de chasse. Même en ayant recueilli autant d'animaux malades et blessés, Sudie m'a expliqué qu'elle n'aurait jamais réussi à calmer le lapin de cette façon. Elle commençait d'ailleurs à se dire qu'il n'avait pas du tout l'air d'un rôdeur. C'était un homme normal, mis à part qu'il était noir et que, quand il souriait, il avait deux rangées de dents les plus blanches et les plus régulières qu'elle ait jamais vues, et non pas des crocs ou quoi que ce soit de ce genre.

Ils étaient toujours immobiles, et quand il a vu qu'elle avait un peu moins peur qu'au début, il a demandé s'il pouvait approcher pour lui montrer le lapin, si bien sûr elle pouvait supporter la vue du sang. Elle a fait oui de la tête, qui était la seule partie du corps qu'elle était encore capable de bouger. Il s'est approché assez près pour qu'elle puisse toucher le lapin, et elle lui a caressé les oreilles.

«Vous aimez les animaux, hein, Miss?» le nègre lui a demandé.

«Ouais», elle a répondu, s'étouffant en prononçant le mot.

«Ça c'est bien, Miss, très bien. Je ne veux pas que vous vous fassiez de souci pour ce petit bout-là. Je vais vous le soigner et en moins de deux, il sera comme neuf. Comme neuf, je vous dis, sauf qu'il n'aura plus que trois pattes.»

Il s'est arrêté un petit moment pour lui laisser caresser le lapin.

Puis il a demandé: «Vous voulez bien me dire votre nom, Miss?»

Elle n'osait pas le regarder, ce qui fait qu'elle ne quittait pas le lapin des yeux.

«Oui, euh... je m'appelle Sudie Harrigan.»

«Sudie Harrigan», il a fait. «Un bien beau nom irlandais, ça. Oui, un bien beau nom. Vous habitez près d'ici, Miss Sudie?»

«Euh... oui, j'habite là-bas, derrière les boutiques.»

«Et vous vous promenez souvent sur la voie ferrée?»

«Oui, monsieur.»

«Je ne vous ai jamais vue par ici.»

«C'est la première fois que je vais aussi loin.»

«Eh bien, c'est un grand plaisir de vous connaître, Miss Sudie!»

Comme elle ne savait plus quoi dire, elle s'est tue. Elle est restée plantée là une minute à se demander ce qu'elle allait faire. C'est alors qu'il lui est venu à l'esprit que peut-être les nègres avaient un nom, eux aussi! Levant les yeux vers lui, elle a demandé: «Vous avez un nom?»

«Bien sûr que j'ai un nom, Miss Sudie», le nègre a répondu en rigolant. «Moi, c'est Simpson. Tout le monde m'appelle Simpson.»

«Simpson tout court?»

«C'est exact. Simpson tout court. Vous pouvez m'appeler Simpson.»

«Y a pas plus normal, comme nom.»

Là-dessus, Simpson a éclaté de rire. «Comme vous dites, Miss Sudie. Y a pas plus normal, comme nom.»

À ce moment-là, Sudie a été envahie par une grande bouffée de soulagement. Tout à coup, elle a senti ses jambes devenir molles du fait d'être restée toute raide pendant si longtemps, ce qui fait qu'elle s'est assise sur les rails. Simpson est venu s'asseoir en face d'elle. Il gardait le doigt pressé contre la blessure du lapin pour arrêter l'hémorragie. Ils sont restés comme ça sans rien dire pendant deux ou trois minutes, quand soudain elle a eu l'impression qu'il attendait de voir si elle allait lui parler. Donc, elle lui a parlé, en le regardant droit dans les yeux.

«Comment est-ce que vous allez le soigner, ce lapin?» elle a demandé. «Vous avez des médicaments?»

«Non», il a répondu en souriant, «mais ne vous en faites pas pour ça. Je vais nettoyer la blessure et lui bander la patte, et ça sera très bien.»

«Parce que moi, j'ai du baume noir», elle a dit. «Je peux aller le chercher si vous voulez.»

«C'est gentil à vous, Miss Sudie, mais ça risque de prendre trop de temps. Je pense que je ferais mieux d'emmener ce lapin chez moi. Il a perdu beaucoup de sang.»

Elle était très surprise d'apprendre qu'il avait une maison, vu que jusque-là elle l'avait pris pour un vagabond.

«Vous avez une maison?»

«Oui, j'ai une maison. Ce n'est pas grand-chose, mais c'est à moi.»

«Près d'ici?»

À cette question, Simpson s'est mis à fixer les traverses, puis regardant Sudie droit dans les yeux, il a répondu:

«Miss Sudie, il n'y a pas beaucoup de gens de couleur qui vivent par ici, pas vrai?»

«Non, aucun», elle a dit.

«Que se passerait-il, à votre avis, si les hommes blancs apprenaient qu'un Noir habite par ici?»

«Je sais pas.»

«Et vous, qu'est-ce que vous feriez?»

«Rien.»

«Vous aviez déjà vu un homme de couleur avant?»

«Non, monsieur, pas en chair et en os.»

«Vous pensiez que j'allais vous faire du mal?» il a demandé en souriant.

À son tour, elle s'est mise à fixer les traverses.

«Oui, monsieur. Je croyais que vous alliez me tuer.»

«Je n'ai jamais tué personne de ma vie, Miss Sudie. Je me doutais bien que vous n'aviez jamais vu de nègres avant moi. Je n'avais jamais vu quelqu'un d'aussi terrorisé que vous.»

«C'est vrai. J'étais morte de peur.»

«Encore maintenant, Miss Sudie?»

«Non, je crois pas», elle a répondu.

«Eh bien, je suis fier de moi. Très fier.»

À ce moment-là, il s'est levé. «Il faut que je rentre m'occuper de ce lapin. Il est dans un sale état.»

Elle s'est levée aussi pour caresser le lapin. «Vous êtes sûr qu'il va s'en sortir?»

«Je vous promets que ce sera le lapin à trois pattes le plus dégourdi de la région», il a répondu.

«Sauf qu'il se fera encore plus facilement coincer par les chiens», elle a continué. «Il n'aura plus aucune chance. Moi, je sais m'occuper des animaux malades. Je pourrai avoir le lapin quand il sera guéri?»

«Pas de problème, Miss Sudie. C'est une excellente idée, et je crois que ce petit lapin en sera ravi.»

«Je m'en occuperai bien, je le promets.»

«J'en suis sûr», il a dit. «Voilà une affaire réglée.»

«Je pourrai venir le chercher quand?»

«Je crois qu'il vaudrait mieux attendre deux ou trois semaines, Miss Sudie, le temps qu'il se remette. Après ça, vous pourrez l'emmener.»

«D'accord, mais comment je fais pour venir le chercher?»

Après un moment d'hésitation, Simpson a répondu: «Miss Sudie, vous voyez ce petit bois, là-bas, celui qui est recouvert par les vignes sauvages?»

«Oui.»

«C'est là que j'habite.»

«Mais c'est Brannon Place!»

«Je ne connaissais pas le nom», il a dit.

«Vous habitez là? Mais on ne peut même pas y aller. Tout est recouvert de kudzu!»

«Non, Miss Sudie, pas tout.»

«Je pourrai venir là-bas chercher le lapin?»

«Vous serez la bienvenue, si vous n'avez pas peur de venir, bien sûr.»

Après un court silence, Sudie lui a demandé: «Comment ça se fait que tout le monde raconte que les nègres tuent les petits enfants pour les manger tout crus?»

À cette question, Simpson a secoué tristement la tête.

«Vous connaissez des nègres qui le font?» elle a ajouté.

«Miss Sudie, est-ce qu'il y a des habitants de Linlow qui mangent les enfants tout crus?»

«Bien sûr que non.»

«Eh bien, moi, je suis un habitant de Linlow comme les autres. La seule différence, c'est que personne ne sait que je vis ici et que j'ai la peau noire.»

«Vous aimez les enfants?»

«J'adore les enfants, Miss Sudie», Simpson a répondu avec un grand sourire.

«Promis, craché, juré?»

En rigolant, il a pris le lapin dans une main et a tendu l'autre pour jurer.

«Je viens dans deux semaines, alors?»

«Vous pouvez venir quand vous voulez. Ça sera toujours un plaisir de vous voir.»

Simpson a commencé à s'éloigner. «Je vais soigner ce lapin», il a répété, «et on se revoit dans deux semaines, Miss Sudie.» Là-dessus, il lui a fait au revoir de la main.

Sudie l'a regardé s'éloigner sur la voie ferrée en sautant trois traverses à la fois. Mais tout à coup, elle s'est rendu compte qu'elle ne voulait pas qu'il parte et qu'elle avait encore envie de parler avec lui. Elle n'en revenait pas elle-même de penser une chose pareille. Mais Simpson n'était pas un rôdeur. Et encore moins un fantôme. Il n'avait rien à voir avec ces histoires à faire peur qu'on lui avait racontées. Il était comme tout le monde. Et même plus gentil que la plupart des gens.

Elle a croisé les doigts et, fermant les yeux, elle a crié: «Simpson?»

Il s'est retourné. «Oui, Miss Sudie?»

«Est-ce que je peux venir chez vous maintenant?»

Quand elle m'a raconté ça, j'ai bien cru que j'allais

tourner de l'œil. J'avais la chair de poule partout sur les bras. Ça dépassait tout ce que j'avais pu imaginer. Ce qu'elle me racontait, c'était une histoire d'épouvante. Et quand elle est arrivée au moment où elle lui a demandé si elle pouvait l'accompagner chez lui, j'ai bien cru qu'elle avait complètement perdu la tête.

Pourtant elle l'a fait. Exactement comme je vous l'ai dit. Elle lui a demandé et il l'a emmenée chez lui tout de suite.

Il l'a fait passer par un chemin qu'il avait taillé dans les broussailles, puis à travers les bois, après quoi ils sont arrivés à cette maison que personne n'avait dû voir depuis au moins vingt ou trente ans. Elle m'a raconté qu'en chemin, le kudzu était tellement épais qu'il avait dû tailler un passage à travers, presque comme un tunnel.

En voyant la maison, elle est tombée en arrêt. C'était une petite bicoque toute rafistolée à moitié enfouie sous un enchevêtrement de vignes sauvages. Ça lui a fait tout de suite penser à un bébé emmailloté dans une couverture qui n'avait que la tête qui dépassait, sauf que là, la seule partie visible de la maison, c'était la véranda sur le devant. Simpson avait aussi dégagé une partie de la cour, les fenêtres et les cheminées. La véranda avait été consolidée avec des branches de pin et des vieilles planches. Sudie n'en revenait pas.

«Simpson!» elle s'est écriée. «C'est... euh... elle est vraiment jolie, votre maison.»

Simpson lui a souri. «À moi, elle me plaît bien, Miss Sudie», il a répondu.

«Vous avez tout fait tout seul?»

«Pour ça, oui.»

«Seigneur Jésus! Vous avez dû couper des millions de kilomètres de vignes!»

Simpson s'est mis à rire. «Encore plus que ça, à mon avis.»

Elle restait clouée sur place à observer la maison. Dans la véranda, elle voyait une chaise en branches de pin qu'il avait fabriquée lui-même, et en face de la chaise, une petite table à trois pieds entrecroisés avec, posé dessus, un vieux seau contenant une petite fougère aux feuilles chiffonnées. Un escalier en rondins tout neuf conduisait à la véranda, et de chaque côté des marches il y avait des parterres de fougères entourés de gros galets bien lisses. Le long de la véranda, sur le devant, poussaient du chèvrefeuille et des azalées sauvages aux fleurs rose et orange grandes ouvertes. Sudie se disait que ça sentait aussi bon que dans le jardin de Mme Higgens après la pluie ou tard le soir, quand la rosée s'est déposée.

«C'est mignon comme tout, Simpson!» Sudie s'est exclamée. «Mignon tout plein.»

Simpson avait l'air heureux que ça lui plaise.

«Vous voulez entrer, Miss Sudie, ou vous voulez venir derrière avec moi pendant que je m'occupe de ce lapin?»

Des lapins, Sudie en avait déjà soigné des tas dans sa vie. Par contre, elle n'avait jamais visité la maison d'un nègre, du coup elle lui a dit que si ça ne l'embêtait pas, elle préférerait visiter l'intérieur d'abord. Simpson lui a dit de faire comme chez elle.

Elle est entrée dans la pièce de devant: il y avait deux autres chaises en branches de pin avec, posés dessus, des coussins en sac de farine à rayures rouges et bleues, et à une des fenêtres étaient cloués deux autres sacs de farine retenus de chaque côté par des ficelles. Au milieu de la pièce, il y avait une table à quatre pieds, beaucoup plus grande que celle de la véranda, où était posée une coupe débordante de longues tiges de chèvrefeuille qui recouvraient presque tout le dessus et tombaient en cascade de chaque côté. Il y avait une grande cheminée en brique, dont quelqu'un avait dû enlever le manteau, que Simpson utilisait pour faire la cuisine. Une grosse marmite en fonte toute noircie était suspendue à un crochet en fer scellé dans la brique. Dans l'âtre, il y avait un tas de bûches, un vieux seau plein de petit bois et un gril en fer. À côté, sur le mur, il avait cloué quatre cageots qui servaient de placards. Dans le premier étaient rangés un poêlon en fonte, une casserole en fer, la farine de maïs, la farine de blé, le café, des patates, une boîte de saindoux, quelques bougies et une boîte de sel. Dans le deuxième cageot, il y avait une assiette, une tasse en fer et un ancien pot à confiture d'une livre. Il n'avait pas de couverts métalliques, mais deux grosses cuillères et une longue spatule en bois qu'il avait dû tailler de ses mains dépassaient du pot à confiture. Sur la troisième étagère se trouvaient une vieille cuvette en émail et un couvercle de pot à confiture contenant un morceau de savon. À côté de cette étagère, un éclat de miroir presque aussi grand qu'un pupitre était fixé au mur avec des clous.

L'autre pièce possédait aussi une cheminée devant laquelle étaient disposés six grands sacs en jute rebondis qui servaient de matelas. Ce matelas était enveloppé dans une toile de bâche et recouvert par une courtepointe, la plus jolie que Sudie ait jamais vue. Sur un fond bleu ciel, des anneaux de mariage étaient brodés en fil rouge foncé, violet, rose et vert. La fenêtre de cette pièce était cassée, ce qui fait qu'elle était bouchée par des planches. Au-dessous de la fenêtre se trouvait une malle en fer grise où étaient entassés un grand nombre de livres, dont une bible tout écornée. Sudie était vraiment surprise de voir tous ces bouquins parce qu'elle n'aurait jamais imaginé que les nègres savaient lire.

Sudie allait de pièce en pièce, les yeux exorbités tellement elle n'en revenait pas de ce qu'elle voyait. Au bout d'un moment, elle a entendu Simpson qui l'appelait de la cour de derrière. Elle a dû sortir par la porte d'entrée, vu que la seule autre porte était condamnée. Et, arrivée dehors, elle a compris pourquoi : le reste de la maison était entièrement enfoui sous le kudzu. Simpson était installé à côté du puits, un seau d'eau et une vieille casserole en fer posés près de lui. Il avait nettoyé le lapin et emmailloté son moignon dans des bandes de chiffon blanc tout propre qu'il avait attachées au-dessus du dos et du cou. Tenant le lapin dans une main, il essayait de lui faire manger une patate crue. Il a laissé Sudie le nourrir pendant qu'il lui fabriquait un endroit pour dormir. Il a sorti une vieille pelle de dessous la maison, du côté qui était enfoui sous le kudzu, et il est revenu devant. Sous la véranda, il a creusé un trou rond à peu près aussi large qu'une bassine, après quoi il a arraché une poignée de jeunes feuilles de kudzu qu'il a placées au fond du trou pour faire un nid. Après avoir tenu le lapin un petit moment, Sudie est venue le déposer dans son nid dont Simpson a barré l'entrée avec des branches d'arbre pour qu'il ne puisse pas sortir.

Jusque-là, ils n'avaient pas beaucoup parlé, mais une fois le lapin installé, ils se sont assis sur les marches en rondin et ils ont discuté de tout et de rien comme si de rien n'était. D'abord ils ont parlé d'animaux, et Sudie lui a parlé des siens qu'elle cachait dans les bois, dans des cartons et dans des caisses recouvertes par une ancienne porte de grange, des feuilles et des branches. Après ça, ils ont reparlé du lapin, de la veine qu'il avait eue que Simpson soit passé par là au bon moment pour le sauver des chiens. Du coup, Sudie a proposé à Simpson d'appeler le lapin Veinard. Simpson trouvait que c'était exactement le nom qu'il lui fallait.

Après avoir parlé un petit moment, ils sont restés assis là, heureux de respirer le parfum des fleurs et d'écouter les bruits de la forêt. Moi, je n'aurais jamais pu supporter de ne rien dire. Ça m'aurait rendue folle, mais Sudie, elle est comme ça. Soudain, elle s'est mise à rigoler parce qu'elle n'arrêtait pas de penser à ce que diraient les gens de Linlow s'ils la voyaient en train de discuter avec un vrai nègre. Quand Simpson lui a demandé ce qui la faisait rigoler, elle a répondu: «C'est juste que je me disais que les gens que je connais tourneraient de l'œil s'ils nous voyaient ensemble en ce moment, surtout le pasteur Miller.»

Simpson a hoché la tête en souriant. «Pourquoi surtout le pasteur Miller, Miss Sudie?»

«Euh... ben... vous savez...»

«Non, je crois que je ne sais pas... c'est-à-dire que je sais, mais je ne vois pas pourquoi *surtout* le pasteur.»

Sudie se tortillait de gêne sur sa marche.

«Vous voulez dire que dans ses sermons, il dit qu'il vaut mieux que les Noirs et les Blancs ne se fréquentent pas?» Simpson a demandé.

«Ben... oui... ça lui arrive, des fois.»

Simpson est resté silencieux un petit moment.

«Je m'excuse d'avoir parlé de ça», Sudie a fait.

«Vous n'avez pas besoin de vous excuser, petite fille. Pas besoin du tout. Votre pasteur, il est comme tous les pasteurs, blancs ou noirs.»

Soudain, Sudie s'est mise à pouffer de rire dans ses mains.

«Qu'est-ce qui vous fait rire cette fois, jeune fille?» il a demandé.

Sudie s'est arrêtée de rire et s'est assise bien droite.

« Simpson ? »

« Oui ? »

« Est-ce que les pasteurs noirs disent que les Blancs sont blancs à cause de leurs péchés, comme nous on nous dit que les Noirs sont noirs à cause des leurs ? »

Simpson s'est mis à glousser et s'est gratté la tête comme s'il essayait de réfléchir très fort. « Non, ce n'est pas exactement comme ça que nos pasteurs disent les choses. »

« Ils les disent comment, alors ? »

« Eh bien... quand j'y réfléchis, je ne me souviens pas avoir entendu un pasteur expliquer pourquoi les gens sont de couleurs différentes. »

Sudie s'est mise debout devant Simpson.

« Jamais, jamais ? »

« Je crois bien que non, petite fille. »

« Alors, vous ne savez pas pourquoi vous êtes noir ? »

Simpson s'est penché en avant, appuyant ses deux coudes sur ses genoux.

« Figurez-vous que si », il a répondu en souriant de toutes ses dents blanches.

« Alors, pourquoi ? »

« Pour la même raison que vous êtes blanche. Vous savez, vous, pourquoi Dieu vous a faite blanche ? »

Cette question a mis fin à celles de Sudie. Toujours debout, elle réfléchissait. Simpson ne disait rien. Il la laissait réfléchir. Soudain, Sudie a recommencé à rigoler et a piqué un fou rire tellement énorme que Simpson n'a pas pu s'empêcher de rire avec elle. Entre deux hoquets, elle s'est écriée : « Ça y est, je sais pourquoi, je sais pourquoi ! »

« Pourquoi, pourquoi ? » demandait Simpson.

Quand ils ont réussi à se calmer, Sudie a déclaré : « Il m'a faite blanche pour la même raison qu'Il vous a fait noir ! »

Sur ce, elle a explosé à nouveau, Simpson se frappant les cuisses et riant de plus belle.

Elle serait bien restée jusqu'à la nuit si Simpson n'avait pas refusé. Il disait que sa mère allait s'inquiéter (alors qu'elle ne s'inquiète jamais, vu que Sudie rentre pratiquement tous les jours après la tombée de la nuit) et il ne voulait pas qu'elle se promène toute seule sur la voie ferrée après le coucher du soleil. Du coup, il l'a raccompagnée jusque-là, et quand ils se sont quittés, elle lui a juré de ne jamais dire à personne où il habitait, ce à quoi il lui a répondu qu'il lui en serait très redevable. Elle lui a aussi promis de revenir le lendemain avec le baume noir.

Sauf que, pour finir, elle n'a pas pu, parce que Billy est tombé malade, que sa mère a cru que c'était la rougeole vu qu'il était couvert de boutons rouges sur la poitrine et sur le ventre et que Sudie a dû rester à la maison pour le garder. Ça a duré deux jours, le temps que Mme Harrigan décide pour finir que ce n'était pas la rougeole du fait que les boutons avaient disparu et qu'il n'est pas rentré avant dix heures au moins le deuxième soir, tout ça parce qu'en plus du casse-croûte que Mme Harrigan s'était préparé pour emporter au travail, il avait englouti presque tout un gâteau au caramel. Sudie avait peur de devoir encore rester avec lui le lendemain du fait qu'il avait maintenant une indigestion carabinée, mais Mme Harrigan a dit que c'était bien fait pour lui et elle l'a envoyé à l'école.

Le même jour après l'école, Sudie est allée chercher son baume noir dans les bois derrière chez M. Wilson où se trouvait son parc à animaux. Là, elle s'est aperçue que deux animaux s'étaient échappés de leur carton, un écureuil et un mulot. Elle les a cherchés partout, mais comme elle ne les trouvait pas, elle a pris le baume noir dans la souche d'arbre où il était caché et elle a filé vers la voie ferrée.

Quand elle est arrivée, Simpson n'était pas chez lui. Elle s'est assise un moment sur l'escalier en rondins pour l'attendre, mais comme il n'arrivait pas, elle est allée voir sous la véranda si Veinard allait bien. Elle a enlevé les branches qui bouchaient le trou; Veinard grignotait des feuilles, l'air heureux comme un pape. Son bandage était tellement propre qu'elle était sûre que Simpson avait dû le changer. Elle a sorti Veinard de son nid et l'a emmené sur l'escalier. Il avait l'air d'aller le mieux du monde. À part son pelage qui était pas mal amoché, il bougeait bien ses trois pattes et il avait le regard clair. Pendant qu'elle jouait avec Veinard, Simpson est arrivé. Il était vraiment surpris de la voir.

«Miss Sudie!» il s'est exclamé avec un énorme sourire.

Sudie a sauté sur ses pieds et s'est élancée vers lui.

«Salut, Simpson!»

Tapotant la tête de Veinard, il a levé la main comme pour tapoter celle de Sudie aussi, avant de se rattraper au dernier moment.

«Vous savez, Miss Sudie», il a dit, «je pensais bien ne plus jamais vous revoir.»

«J'ai pas pu venir», Sudie a expliqué. «On a cru que mon petit frère était malade, mais j'avais promis de rapporter le baume, alors me voilà.»

«Je suis désolé pour votre frère. Il va mieux maintenant?»

«En fait, il était pas malade. Il avait attrapé des boutons rouges sur le ventre mais c'est fini maintenant.»

Il a souri et a tapoté une nouvelle fois la tête de Veinard.

«À la bonne heure, Miss Sudie, à la bonne heure», il a dit. «Et alors, que pensez-vous de notre lapin? Un vrai prodige, pas vrai? Son état s'améliore de jour en jour. Et vous devriez voir cet appétit!»

Simpson s'est assis sur les marches et Sudie est allée s'asseoir à côté de lui.

«C'est vrai qu'il a l'air en forme, Simpson, mais on dirait qu'il est un peu faible. Vous croyez que c'est parce qu'il a perdu trop de sang?»

«C'est sûr qu'il en a perdu beaucoup, Miss Sudie, mais le plus dur est passé et je crois qu'il s'en tirera. Ça prendra peut-être un peu de temps. En tout cas, c'est un courageux petit bagarreur que nous avons là.»

«Moi, j'ai jamais eu d'animaux qui avaient perdu une patte», elle a continué. «Mais je sais qu'avant, M. Higgens avait un chien qui n'avait que trois pattes, et ce chien, il se baladait partout, pareil que s'il en avait quatre. Champion, le chien.»

«Eh bien, ça sera exactement pareil pour ce lapin. Vous allez voir. On n'aura pas le temps de dire ouf qu'il sera déjà en train de gambader partout dans la cour.»

Plus tard, ils ont changé le bandage de Veinard et ils lui ont mis du baume noir sur sa blessure avant de le remettre dans son nid.

Simpson a proposé alors à Sudie de manger un morceau, et justement elle était morte de faim.

«Vous aimez les galettes de maïs et le soggum, Miss Sudie?»

«Oui», elle a répondu, «j'aime bien.»

«Bon. Je commençais à avoir un peu faim, moi aussi. Ça a été une longue journée. Je n'ai rien mangé depuis ce matin.»

«Vous avez été où, Simpson?»

«À Canter. Je travaille pour M. Sims», il a répondu en se levant. «J'ai passé presque toute la journée à lui nettoyer sa grange, puis je lui ai coupé du bois pour son poêle. Après ça, j'ai sauté dans le train de marchandises et je suis rentré. Vous m'accompagnez derrière ? Je vais me débarbouiller un peu avant de manger. »

« Qui c'est, M. Sims ? » a demandé Sudie en le suivant.

« M. Sims a un magasin de nourriture pour animaux. Il a aussi beaucoup de terres qu'il loue à des fermiers. »

« Il est gentil ? »

« On dirait », dit Simpson. « Il m'a toujours bien traité. »

« Ça, c'est une bonne chose. »

Simpson s'est arrêté pour la regarder.

« C'est gentil de votre part de me dire ça, Miss Sudie. »

« Ben, c'est parce que… » elle a expliqué, « vous savez, des tas de gens sont pas très gentils avec les Noirs… »

Simpson s'est mis à rire. « C'est bien vrai. J'ai remarqué le panneau de bienvenue à l'entrée de cette ville. »

« Quel panneau de bienvenue ? »

« C'était une blague, Miss Sudie. Ce n'est pas un panneau de bienvenue. »

Il s'est remis en marche et est arrivé au puits. Après avoir versé de l'eau du seau dans la cuvette, il a roulé les manches de sa chemise et s'est lavé les mains. Soudain, Sudie a compris ce qu'il avait voulu dire pour le panneau.

« Je sais de quel panneau vous parlez, Simpson. »

Il n'a pas répondu.

« Celui qui dit : NÈGRE, SACHE QUE TU N'ES PAS LE BIENVENU SOUS LE SOLEIL DE LINLOW. »

« C'est ça. C'est ce qui est écrit. »

« Vous n'avez pas peur d'habiter si près de Linlow ? »

« J'aime cet endroit. C'est à l'écart de tout. Personne n'y vient jamais à cause du kudzu. Au début, j'avais peur d'être repéré à cause de la fumée qui sort de la cheminée, mais ça fait dix mois que j'habite ici et personne n'est venu m'embêter. »

Simpson s'est essuyé les mains avec un grand chiffon

blanc accroché à la margelle du puits. «Maintenant, allons manger.»

Dans la pièce principale, Sudie s'est assise sur une des chaises en branches de pin pendant que Simpson préparait le repas. Elle avait réfléchi à ce qu'il lui avait dit.

«Pourquoi les Noirs sont mal accueillis partout?»

Simpson a enlevé la coupe de chèvrefeuille et l'a posée par terre.

«Miss Sudie, vous n'avez jamais lu ce que dit votre livre d'histoire?»

«Si...»

«Vous ne savez pas que les Noirs ont été amenés dans ce pays comme esclaves?»

«Peut-être bien, mais les esclaves, ça n'existe plus, maintenant, pas vrai?»

«Non, plus maintenant, mais vous voyez, les gens de couleur n'ont jamais été considérés comme étant... euh... aussi bons que les Blancs. Beaucoup de Blancs haïssent... enfin, disons qu'ils n'aiment pas les Noirs.»

«Pourquoi?»

Simpson s'est approché de Sudie et s'est accroupi devant sa chaise. Il la regardait droit dans les yeux.

«Qu'est-ce qu'on vous a appris sur les gens de couleur, Miss Sudie?»

Sudie a souri en plissant le nez. «Eh ben, rien, à part que c'est des monstres qui mangent les enfants tout crus.»

«C'est bien ça que je voulais dire, Miss Sudie. Il n'y a pas de danger que les Noirs aient bonne réputation quand on voit le genre de choses que les Blancs apprennent à leurs enfants, vous ne croyez pas?»

«Et les Noirs, ils haïssent les Blancs?»

«Oui», il a répondu, «il y en a beaucoup qui les haïssent. Beaucoup.»

«Et vous?»

«Hum, je dois bien admettre que j'ai haï pas mal de Blancs dans ma vie. La haine est un mot très fort, un mot qui fait mal. Moi, je ne hais plus personne. Non, plus personne. Haïr, ça prend beaucoup de sentiments... beaucoup d'énergie...»

«Mais, Simpson, haïr, ça ne prend aucune énergie», Sudie a répondu.

Souriant, Simpson s'est levé pour retourner à la cheminée.

«Miss Sudie, haïr, ça vous épuise un homme, beaucoup plus que de creuser un puits de cent cinquante mètres. Oui, beaucoup plus. Et ça prend du temps. Et moi, je n'ai plus assez de temps pour haïr.»

«Mais c'est complètement idiot, ce que vous dites! Haïr, c'est facile. C'est mille fois plus facile pour moi que de creuser un puits.»

Simpson a posé sur la table une assiette en fer remplie de galettes de maïs froides.

«Allons, c'est prêt, petite fille», il a dit.

Sudie a traîné les deux chaises jusqu'à la table.

«Simpson?»

«Oui, Miss Sudie?»

«Les Noirs, ils ont des familles, des enfants et des maisons, comme tout le monde?»

«Oui.»

«Alors comment ça se fait que vous vivez ici tout seul?»

«Miss Sudie, je vous raconterai tout ça un jour. Pour l'instant, mangez-moi ces galettes. Il faut que j'aille travailler un peu dans mon potager avant la nuit.»

«Vous avez un potager, ici, avec tout ce kudzu?!»

«Non, pas ici. C'est près d'un ruisseau, le Harbin's Creek, je crois. Vous connaissez?»

«Si je connais! Je passe ma vie à me tremper les pieds dedans. C'est du côté de chez M. Bradley. Je peux venir avec vous?»

Simpson a continué à manger sa galette sans répondre.

«Miss Sudie, ce potager est beaucoup trop à découvert. C'est juste à côté de la voie ferrée, de l'autre côté du bois. Je crois que ça ne serait pas prudent que vous veniez avec moi.»

En temps normal, Sudie aurait tout fait pour obtenir ce qu'elle voulait. Elle est têtue comme une mule, cette fille. Mais cette fois-là, elle s'est retenue.

Pendant qu'ils remettaient en place la table, les chaises et le bouquet de chèvrefeuille, Sudie lui a fait comme ça: «Vous savez ce que je vais faire demain?»

Simpson a souri: «Non, petite fille, je suis sûr que je ne sais pas ce que vous allez faire demain.»

«Eh ben, je vais prendre un marteau et je vais aller décrocher ces saletés de pancartes!»

S'appuyant contre le mur près de la cheminée, Simpson a éclaté de rire.

* * *

Et elle l'a fait, en plus! Pas le lendemain, vu qu'il pleuvait, et pas les deux pancartes, vu qu'il y en avait une qui était clouée trop haut sur un poteau téléphonique. Mais elle a réussi à déclouer celle qui était sur le plaqueminier devant la maison du frère d'Amos Higgens. Elle a grimpé sur l'arbre et elle l'a fait tomber en tapant dessus avec une grosse pierre. Elle n'a même pas eu besoin de marteau. Incroyable, non?

Et vous savez ce qu'elle a fait après? Elle est allée dans la grange de M. Wilson voler de la peinture noire, mais comme elle ne trouvait pas de pinceau, elle s'est servie d'une baguette et de son doigt pour barrer le «N'» et le «PAS», et vous savez ce que ça donnait après? Ça donnait: NÈGRE, SACHE QUE TU ES LE BIENVENU SOUS LE SOLEIL DE LINLOW. Elle avait décroché la pancarte dimanche au petit matin, et le lundi, après l'école, elle est passée chez Simpson avant qu'il ne revienne de Canter et, après avoir attaché une longue corde de chaque côté de la pancarte, elle l'a accrochée au-dessus de la cheminée. Après quoi, elle est rentrée chez elle. Personnellement, je ne vois rien à redire au fait qu'elle ait volé cette pancarte, vu qu'elle ne s'est pas fait prendre. Et puis d'ailleurs, il en reste une. Ce qui est bien suffisant.

Sudie n'est pas retournée chez Simpson avant le mercredi suivant parce qu'elle a dû mettre des nouvelles cages dans son parc à animaux et aussi parce qu'elle avait du travail à rattraper du fait qu'elle avait raté deux compositions quand Billy n'avait pas la rougeole. Donc, elle est arrivée chez lui vers cinq heures, et quand elle a vu qu'il n'était pas là, elle a décidé d'aller l'attendre cachée dans les grandes herbes qui bordent la voie ferrée: quand il sauterait du train de marchandises, elle bondirait pour lui faire peur.

Donc, c'est ce qu'elle a fait. Quand elle a vu le train arriver, elle a plongé dans les herbes. Simpson a sauté du train et s'est engagé dans le petit chemin. Quand il est arrivé à sa hauteur, elle a jailli et lui a hurlé «Bouh!» dans les oreilles. Simpson a fait un bond d'un kilomètre, et Sudie a commencé à rigoler. Puis il l'a montrée du doigt et a éclaté de rire; riant et se tenant le ventre, il a essayé de lui raconter que, quand il avait vu la pancarte, il n'avait jamais rien vu de plus drôle et de plus gentil de toute sa vie, et qu'encore maintenant il ne pouvait pas s'empêcher de rire à chaque fois qu'il rentrait dans la pièce. Alors, ils se sont laissés tomber dans les herbes et ils ont continué à ricaner comme ça un bon moment comme deux vieilles hyènes. Sudie a commencé à le bombarder avec des herbes et lui à riposter, ce qui fait qu'elle est partie en courant et qu'il s'est lancé à ses trousses. Mais il avait de tellement grandes jambes qu'il l'a rattrapée au bout de trois pas, ce qui fait qu'il l'a balancée sur son épaule comme un sac de fourrage, après quoi il l'a emportée en courant jusque chez lui, il a grimpé les marches, pour s'arrêter en riant dans la pièce de devant, juste devant la pancarte, où ils se sont mis à faire les idiots.

Quand il l'a posée par terre, elle lui a dit: «Monsieur le Grand Noir, j'ai quelque chose à vous dire.»

«Et quoi donc, Mademoiselle La Petite Blanche?»

Déployant les pans de sa robe, elle lui a fait une révérence: «Monsieur le Grand Noir, je vous annonce que vous êtes le bienvenu sous le soleil de Linlow, Georgie, États-Unis d'Amérique.»

Simpson a éclaté de rire à nouveau.

Et quand ils ont fini par se calmer un peu, Simpson a voulu tout savoir sur le décrochage de la pancarte. Donc, elle lui a tout raconté (sauf la peinture volée dans la grange de M. Wilson). Il lui a dit qu'elle était la petite fille la plus incroyable qu'il ait jamais rencontrée et qu'il y avait bien longtemps que quelqu'un n'avait pas fait quelque chose d'aussi gentil pour lui.

Après toute cette pagaille, Sudie a commencé à lui poser des questions sur sa vie. Alors il lui a raconté qu'il était né quelque part au Texas, mais elle ne se souvenait plus où. Il était allé à l'école jusqu'à douze ans, mais il avait dû arrêter pour travailler. Il avait vécu au Texas pendant longtemps, jusqu'au moment où il avait épousé une fille d'Alabama. Comme elle voulait retourner vivre là-bas, ils étaient partis. Ils n'avaient vécu que six ans en Alabama, au bout de quoi elle était morte en mettant au monde une petite fille, qui était morte à son tour deux jours plus tard. Il en avait eu le cœur brisé. Il avait alors pensé à retourner au Texas, mais comme plus rien n'avait d'importance, il avait renoncé.

Après ça, il avait travaillé à la construction du chemin de fer, puis dans une ferme, puis dans d'autres endroits. Au début de la Grande Crise, il s'était mis en ménage avec une femme célibataire qui avait quatre enfants. Mais les temps étaient devenus très durs, et personne ne trouvait plus de travail, surtout les Noirs, et comme ils mouraient tous de faim, il a fini par cambrioler un magasin pour avoir de l'argent en revendant les objets volés et acheter de quoi manger, mais quelqu'un l'avait dénoncé, et il avait été condamné à un an de travaux forcés. En sortant du pénitencier, il était retourné chez cette femme, mais elle avait déménagé, et personne ne savait ce qu'elle était devenue. Après ça, il avait travaillé dans différents endroits pendant plusieurs années.

Un beau jour, il était monté dans un train de marchandises sans savoir où il allait, mais en traversant Canter, il avait été obligé de sauter parce qu'il était tombé très malade. Il avait été recueilli par une famille noire qui lui avait indiqué trois maisons abandonnées où il pourrait habiter à condition d'être très prudent. Il avait choisi Brannon Place, parce que c'était près de la voie ferrée et de la grand-route et qu'avec le train de marchandises et le bus Greyhound, c'était très facile d'aller à Canter, où il faisait différents petits boulots pour M. Sims.

Ils ont parlé tellement longtemps ce jour-là que Simpson n'a même pas remarqué que la nuit était tombée, si bien qu'il l'a raccompagnée jusqu'au pont qui enjambe la voie ferrée, mais en marchant le plus près possible des arbres et des buissons et pas sur les rails. Puis, il est resté dans l'ombre du pont jusqu'à ce qu'elle ait disparu derrière le dépôt, qui était tout près de chez elle, avant de rentrer.

Sudie n'a pas dormi cette nuit-là. Normal, vu qu'elle n'a pas arrêté de pleurer. C'était comme si elle avait attrapé la pleuromanie. À peine elle s'était couchée (il faut dire qu'elle dort dans la même chambre que sa mère et Billy, et en plus dans le même lit que lui, ce qu'elle ne m'avait jamais dit... en tout cas, moi, c'est sûr que je serais devenue insomniaque à vie si j'avais été obligée de dormir avec une vermine pareille), donc, elle était à peine couchée qu'elle a dû se relever en douce pour aller s'asseoir sur la véranda, histoire de se calmer.

Je n'arrêtais pas de lui demander pourquoi elle avait pleuré comme ça. Je pensais que c'était peut-être à cause des malheurs de Simpson, mais ce n'était pas pour ça, il ne s'était passé que des trucs marrants. Après ça, elle m'a dit qu'elle savait ce qui l'avait fait pleurer, mais qu'elle pouvait pas me le dire parce que j'allais me payer sa tête. Alors, bien sûr, je lui ai juré que non. Et vous savez ce qu'elle m'a raconté ? J'ai cru que j'allais mourir de rire sur place, mais j'ai tenu bon. Eh ben, elle m'a dit que c'était parce que Simpson l'avait portée sur son épaule ! Comme je devais rester sérieuse, j'ai tourné la tête vers le dépôt pour qu'elle ne me voie pas. En tout cas, moi je trouvais que ce n'était pas une raison de pleurer, à part s'il lui avait fait mal en la portant, ce qui n'était pas le cas, même si c'était un nègre, ce qui fait que je n'ai rien répondu. C'est là qu'elle m'a dit le truc le plus débile que j'aie jamais entendu. Elle m'a demandé si j'avais déjà touché un homme. Pour l'amour de Dieu, c'était n'importe quoi comme question, alors c'est ce que je lui ai dit :

«C'est n'importe quoi comme question!»

«Réponds! C'est tout ce que je te demande.»

«Comme de toucher Bob Rice, tu veux dire?»

À ce moment-là, Sudie est devenue rouge de fureur. «Seigneur Dieu, Mary Agnès! Je parlais de toucher *gentiment.*»

«Bien sûr que j'ai déjà touché un homme! Je touche papa tout le temps!»

«Je te parle pas seulement de quand tu lui fonces dedans ou de quand il te fouette.»

«Ben moi non plus. Bien sûr que je le touche.»

Après ça, elle s'est tue, et elle a refusé d'ajouter quoi que ce soit sur le sujet.

*
* *

Samedi matin, elle a volé deux cuillères dans le tiroir de cuisine de sa mère et elle les a enveloppées dans un morceau de sac en papier kraft. Puis elle est allée chez Simpson. En débouchant du chemin, elle l'a aperçu de loin; il était assis sur les marches en train de boire du café. Elle a caché les cuillères derrière son dos et s'est approchée de lui sur la pointe des pieds. Quand il l'a vue, il a eu un léger sursaut. «Miss Sudie!» il s'est exclamé en souriant.

«Je vous ai encore fait peur, Simpson?»

«Petite fille, vous devriez arrêter de jouer avec les nerfs d'un vieil homme comme moi», il a répondu en tapotant les marches à côté de lui.

«Vous n'êtes pas vieux, Simpson.»

«Parfois, je me sens très, très vieux, petite fille.»

Sudie s'est assise à côté de lui et lui a tendu le cadeau qu'elle lui avait apporté.

«Qu'est-ce que c'est que ça, Miss Sudie?»

«Un cadeau. Ouvrez!»

«Un cadeau! Ça alors! Il y a tellement longtemps qu'on ne m'a pas offert de cadeaux que j'ai oublié ce qu'il fallait faire!»

«Qu'il est bête!»

«Je vous assure que c'est vrai, Miss Sudie.»

Il a ouvert le paquet et a pris une cuillère dans chaque main.

«Petite fille! Regardez-moi ces cuillères! Elles sont superbes, Miss Sudie, mais vous n'auriez jamais dû les prendre. Je crois que votre maman ne serait pas très contente...»

«Oh, elle s'en fiche pas mal. Elle les avait jetées, de toute façon», Sudie a expliqué.

«Pourquoi est-ce qu'elle a jeté d'aussi belles cuillères?»

«Papa lui a acheté un nouveau service entier», Sudie a répondu sans regarder Simpson.

Simpson lui a pris le menton pour lui faire pivoter la tête. Il l'a regardée dans les yeux pendant une seconde ou deux; elle avait l'impression qu'il savait qu'elle mentait, même s'il ne le disait pas. Après une minute de silence, il lui a dit: «Miss Sudie, je vous remercie sincèrement. Depuis que je vis ici, je n'ai jamais eu de vraies cuillères.»

«Y a pas de quoi», elle a fait, un peu soulagée.

«Où est-ce que je vais pouvoir ranger d'aussi belles cuillères, à votre avis?»

«Pourquoi pas dans le pot à confiture?»

«Je crois que c'est ce que je vais devoir faire en attendant de trouver mieux.» Simpson s'est levé. «Venez, on va les mettre dans le pot à confiture», il a dit.

Quand ils sont entrés, Simpson a montré la pancarte du doigt et ils se sont remis à rire.

«Je n'en reviens pas de cette pancarte, Miss Sudie. À chaque fois que je la regarde, ça me fait rire.»

«J'aurais bien voulu avoir l'autre.»

«Une seule nous suffit, petite fille. Quand je pense à tous les risques et toute la peine que vous avez pris pour moi! C'est une chose que je n'oublierai jamais.»

«Bah, c'était rien du tout», elle répond. «C'était marrant. C'est pour ça que j'aurais bien voulu décrocher l'autre.»

«Je préfère que vous la laissiez à sa place.»

«De toute façon, j'arrive pas à l'atteindre. C'est trop haut.»

«Je sais, et c'est aussi bien comme ça.»

Après avoir placé les cuillères dans le pot à confiture, Simpson s'est reculé d'un pas pour les contempler. Il a secoué la tête.

«Il faut que je trouve quelque chose de mieux. Un aussi beau cadeau, ça doit être mis en valeur.»

«Vous savez, Simpson», elle lui dit, «c'est seulement deux vieilles cuillères.»

«Je vous interdis de dire ça! Vous allez voir. Je trouverai quelque chose pour les mettre en valeur.»

*
* *

Plus tard, Simpson a parlé à Sudie de ses visites. Ils étaient au puits, en train de nettoyer la patte de Veinard et de changer son pansement. Il lui a expliqué qu'il avait beaucoup réfléchi et qu'il s'était rendu compte à quel point c'était dangereux qu'elle vienne le voir aussi souvent.

«Miss Sudie, je ne peux pas vous laisser prendre un tel risque», il a commencé.

Sudie ne pouvait même pas le regarder; elle avait les larmes aux yeux.

«Mais je fais vraiment attention, Simpson.»

«Je sais bien, petite fille», il lui a dit gentiment, «mais vous ne vous rendez pas compte du danger.»

«Si.»

«Miss Sudie, vous avez une idée de ce qui se passerait si des gens venaient par ici et voyaient une petite fille blanche avec un homme noir?»

«Mais Simpson, vous êtes l'homme le plus gentil que je connaisse. Même encore plus gentil que le docteur Stubbs. Je pourrais leur dire!»

«Ça ne servirait à rien, Miss Sudie. Il faut me croire.»

«Mais pourquoi, Simpson? Pourquoi?»

«Parce que je suis noir... c'est tout.»

«Mais je ne comprends pas!» elle s'est écriée. «Je ne vois pas pourquoi. Toutes les histoires horribles qu'ils racontent sur les nègres, tout ça, ça existe pas. Tout ça, c'est des mensonges, rien que des mensonges! Les mensonges les plus affreux que j'aie jamais entendus!»

«Je suis désolé, Miss Sudie.»

«Mais ils ne vous tireraient pas dessus! Je les en empêcherais!» elle a ajouté en s'enfuyant pour aller s'asseoir sur les marches de la véranda. Quand elle a vu qu'il la suivait, elle s'est rapidement essuyé les yeux du revers de la main.

Simpson a remis Veinard dans son nid avant d'aller s'asseoir à côté d'elle sur les marches.

«Miss Sudie, ce n'est pas pour moi que je m'inquiète. Ça fait des mois que je prends ce risque. Non, ce n'est pas pour moi que je m'inquiète.»

«Et pourquoi ça?» elle a demandé sans le regarder.

«Miss Sudie, ma vie s'est terminée voici des années quand j'ai perdu ma famille. Moi, ça ne compte pas. Mais vous, vous comptez, Miss Sudie.»

Sudie a tourné la tête pour le regarder en face. «Je ne compte pas plus que vous, si vous voulez le savoir!»

Simpson a souri et a posé la main sur sa tête. «Petite fille», il lui dit, «vous avez une belle longue vie devant vous. Une vie merveilleuse qui vous attend.»

À ce moment-là, Sudie a piqué sa crise.

«En attendant, moi, personne ne va me tirer dessus! Vous m'entendez: personne!» elle a hurlé en frappant du pied. «Tout ce que je risque, c'est le fouet! Et le fouet, c'est rien! Je me fais fouetter tout le temps. Alors arrêtez de dire que c'est pour moi qu'il faut s'inquiéter, vous m'entendez!»

Simpson s'est levé en soupirant. Il a posé les deux mains sur ses épaules.

«Miss Sudie, vous êtes prête à prendre un risque pareil pour venir ici?»

«Ouais. Le fouet, c'est rien.»

«Je ne peux pas vous laisser faire ça.»

«Vous êtes pas mon père. Vous êtes pas mon patron. Pourquoi vous me laissez pas décider toute seule?»

«Parce que vous ne comprenez pas, Miss Sudie.»

«Vous avez raison: je ne comprends pas!»

«Un de ces jours, vous comprendrez. Quand vous serez un peu plus grande.»

Là-dessus, Simpson a fait demi-tour et a remonté lentement les marches. Sudie s'est rassise. Elle l'entendait qui faisait les cent pas dans la pièce de devant. Elle s'est levée, et après avoir fait le tour de la cour, elle est allée rejoindre Veinard sous la véranda.

Finalement, Simpson est redescendu; accroupi devant la véranda, il l'a regardée un moment jouer avec le lapin. Il ne disait rien. Alors elle lui a fait comme ça à voix basse: «Je reviendrai, Simpson. Et si vous ne voulez pas de moi, il faudra me fouetter. Alors, vous voyez, qu'est-ce que ça change?»

Il s'est glissé sous la véranda et s'est mis à tapoter la tête de Veinard. « Non, je ne vous fouetterai pas, petite fille. Je ne vous fouetterai jamais. »

*
* *

Finalement ils ont fait un pacte comme quoi Sudie ne viendrait qu'une fois par semaine, mais au début elle arrivait toujours à resquiller, et elle venait une fois et même deux fois de plus. Elle n'en finissait plus de lui apporter des cadeaux qu'elle volait. Il y a eu par exemple une assiette ébréchée, un saladier et un petit plateau avec des roses peintes qu'elle avait pris dans le buffet de sa mère. Elle racontait qu'elle trouvait tout ça dans les poubelles de Mme Wilson. Même qu'un jour, elle a volé pour Simpson un grand vase en verre rose sur le buffet de la salle à manger de Mme Greason et les roses jaunes pour mettre dedans dans le jardin de Mme Higgens. Elle lui a dit qu'elle avait trouvé le vase dans une vieille maison abandonnée. Elle a juré sur la tête de sa mère que s'il voulait bien qu'elle l'accompagne à son potager, elle se cacherait tellement bien que personne au monde ne la verrait jamais. Ce qui fait qu'il a fini par accepter, et très vite, comme personne ne passait jamais par là, elle a fini par l'aider à arracher les mauvaises herbes et aller chercher de l'eau au ruisseau pour les légumes. Ça ne faisait même pas trois semaines qu'elle le connaissait.

La quatrième semaine, elle a réussi à convaincre Simpson de l'accompagner dans les bois de M. Wilson pour aller voir ses animaux. C'était un lundi en fin d'après-midi. Elle lui a fait prendre le chemin le plus long, c'est-à-dire en passant par l'arrière de Brannon Place, par les bois derrière chez M. Bradley et en contournant les champs où le docteur Stubbs fait pousser du maïs pour ses porcs et les meilleures pastèques que Sudie et moi on a jamais goûtées. Quand ils sont arrivés sur la route de l'église, Sudie a dit à Simpson de rester caché dans la pinède le temps d'aller voir si le chemin était libre. Juste en sortant de la pinède, elle a aperçu Lester Attaway qui remontait la route avec un nouveau chien que Sudie n'avait encore jamais vu. Sa femme, Flora, marchait à dix ou douze pas derrière lui en portant leur bébé, Sybil, une petite fille mignonne comme tout avec des cheveux roux tout bouclés. Ils se sont fait un signe de la main. Quand ils sont arrivés à sa hauteur, Lester lui a dit comme ça en riant: «Alors, déjà en train de goûter les pastèques du docteur Stubbs, Sudie?»

«Oh, Lester...» Sudie a répondu, rigolant aussi.

Elle a caressé le chien et a demandé comment il s'appelait.

«Il s'appelle Chien», Lester a dit.

«Il n'a pas encore de nom», Flora a expliqué. «Lester l'a trouvé. Il traînait du côté du cimetière. Tu l'as déjà vu, Sudie?»

Sudie savait que non, mais elle s'est approchée du chien comme pour l'examiner.

«Non, je l'ai jamais vu. Il a l'air jeune. Je parie qu'il n'a pas plus de huit ou neuf mois.»

«Ouais, c'est encore un chiot», Lester a fait en tapotant la tête du chien.

Puis, Sudie s'est tournée vers Flora. «Flora, est-ce que je peux prendre Sybil une minute?»

Flora a déposé le bébé dans les bras de Sudie.

«Qu'est-ce qu'elle est mignonne!» Sudie a fait. «J'ai jamais vu des boucles aussi rousses.»

«Tu trouves?» Flora a dit.

«Ça oui, elle est beaucoup plus rousse que toi.»

«Quand j'étais petite», Flora a continué en se lissant les cheveux vers l'arrière, «j'étais aussi rousse qu'elle.»

«Tu as aussi de très beaux cheveux, sauf qu'ils sont pas aussi bouclés.»

«Ça, c'est gentil, Sudie.»

«Qu'est-ce qu'elle a grandi!» Sudie a fait en rendant le bébé à Flora. «Je pourrai venir jouer avec elle, un de ces jours?»

«Bien sûr. Passe quand tu veux.»

«Où est-ce que tu allais, Sudie?» Lester a demandé.

«Oh, nulle part.»

«Tu veux venir avec nous?»

«Euh... ben... non, je pensais aller au cimetière mettre des fleurs sur la tombe de l'oncle Albert.»

Lester s'est mis à rire. «Et dans quel jardin tu vas les piquer, tes fleurs, cette fois, Sudie?»

«Voyons, Lester», Flora a dit, «fiche la paix à Sudie.»

«Qu'est-ce que tu as comme fleurs dans ton jardin, Lester?» Sudie a demandé en gloussant.

«On a un beau parterre de jonquilles qui sont encore presque toutes en fleur», Flora a dit. «Tu n'as qu'à te servir.»

Du coup, Sudie a dû prendre la direction de leur maison pour qu'ils pensent qu'elle allait cueillir les jonquilles. Elle a attendu qu'ils soient hors de vue avant de faire demi-tour et de retourner ventre à terre à la pinède. Quand elle est arrivée, Simpson était assis par terre adossé à un pin. Il souriait de toutes ses dents.

«Pourquoi vous souriez comme ça, Simpson?» elle lui a demandé.

«Parce que vous êtes tout essoufflée, Miss Sudie. Vous savez quoi?»

«Non.»

« Un bouc en perdrait ses cornes tellement c'est charmant à voir. »

Sudie était vraiment gênée, mais en même temps complètement remuée qu'il lui fasse un compliment pareil, même si elle ne comprenait pas exactement ce qu'il avait voulu dire par là. Et comme elle ne savait pas quoi répondre, elle a attrapé sa main pour l'aider à se mettre debout : « Venez, Simpson, ils sont partis. On peut y aller maintenant. »

Ils ont traversé la route pour prendre le petit chemin entre la lisière du bois et le champ de coton de Lester, et ils sont arrivés à Moutain Rock. Moutain Rock, c'est un nom qui n'existe pas. Sudie et moi, on a appelé cet endroit comme ça à cause du rocher, parce que c'est le plus gros rocher qu'on ait jamais vu. Il est au moins aussi gros que le tas de sciure à côté de la scierie de M. Adams. Moutain Rock, c'est un joli endroit où aller quand on n'a rien d'autre à faire. Le ruisseau qui passe par là est plein de grosses pierres, et l'eau dégringole en chutes à quatre endroits différents avant de se jeter dans Freeman's Creek. Je ne sais pas combien de fois Sudie a dû me traîner là-bas ! Et à chaque fois, le seul truc qu'elle trouve à faire, c'est de grimper sur Moutain Rock et de regarder les chutes d'eau. En plus de ça, elle n'ouvre jamais la bouche, à part pour dire : « Tais-toi. Écoute », alors qu'il y a rien à écouter à part un bruit de flotte.

Ça, c'est le truc qui m'énerve le plus avec Sudie, en plus de tous ses secrets, je veux dire. C'est la seule personne que je connaisse qui soit capable d'écouter le silence pendant aussi longtemps. Moi, je trouve que c'est tout sauf une façon de s'amuser. La seule chose qu'on peut faire quand on écoute le silence, c'est penser. Et vous savez ce que j'en pense, du fait de penser.

En tout cas, Simpson, c'était vraiment la bonne personne à emmener à Mountain Rock. Parce qu'elle m'a raconté qu'elle lui avait fait visiter l'endroit et qu'après ça ils étaient montés sur le rocher, histoire d'écouter le silence (même si ce n'est pas exactement ce qu'elle a dit). Ce qu'elle a dit, c'est qu'ils sont restés assis sur ce rocher à peu près pendant une heure et qu'ils ont écouté toutes les sortes de plouf que faisaient les petits cailloux et les plus grosses pierres charriés par le ruisseau. Simpson a dit que tous ces différents bruits d'eau, c'était comme de la musique, et que cette musique, c'était un cadeau que Dieu leur faisait.

Quand elle m'a raconté ce qu'il avait dit, j'ai pensé : « Eh bien, ces deux-là, ils font la paire ! Cette façon qu'ils ont de faire quelque chose avec rien ! Ça me rappelait la fois où elle avait écrit un poème sur Mountain Rock. Moi je lui avais dit que son poème, c'était pas un vrai poème, vu qu'il n'y avait pas de rimes. Mais elle, elle trouvait que si, parce que les poèmes n'étaient pas tous obligés de rimer.

En quittant Mountain Rock, ils sont descendus jusqu'à la voie ferrée, après quoi ils ont traversé le bois jusqu'au terrain de M. Wilson. Et quand ils sont enfin arrivés à l'endroit où Sudie gardait ses animaux, le soleil était déjà très bas. Son parc à animaux, ce n'était pas grand-chose de plus qu'une poignée de cartons et de cageots protégés par un battant de porte de grange avec un ruisseau qui passait à côté. Cette porte de grange, c'était M. Wilson qui la lui avait apportée deux ans plus tôt. Même qu'il avait dû la traîner lui-même jusqu'au ruisseau, du fait que son chariot ne pouvait pas accéder jusque-là. Après ça, elle l'avait convaincu de fixer un morceau de bois de charpente entre deux arbres pour y appuyer la porte. Plus tard, elle avait mis des branches d'arbre tout autour pour protéger l'abri des courants d'air.

Simpson s'est extasié quand il a vu l'abri. Il disait que non seulement les animaux étaient bien protégés des intempéries, mais que l'endroit qu'elle avait choisi était vraiment joli, avec tous ces buissons de chèvrefeuille et les fougères qui couvraient les rives du ruisseau jusque dans l'eau.

De l'autre côté du ruisseau, Sudie avait désherbé un espace presque aussi grand qu'une pièce; c'était son cimetière. Simpson n'en croyait pas ses yeux. Jamais il n'avait vu de plus beau cimetière. Il y avait une tombe pour chaque type d'animal, c'est-à-dire qu'il y avait trois lapins dans une première, cinq écureuils dans une deuxième et six oiseaux dans une troisième. Il y avait encore deux opossums, trois ratons laveurs, quatre rats, deux tamias, trois poissons, deux serpents, sept vers de terre et trois bourdons. Mais la plus grande et la plus belle tombe était celle d'un chien. Penny.

La tombe de Penny formait un carré de deux pas de côté. C'était la seule tombe entourée de briques. Les autres étaient entourées de galets du ruisseau. Ce cimetière était parfaitement entretenu; il était entièrement tapissé de mousses de différentes couleurs que Sudie avait ramassées dans les bois. Il y avait une mousse vert foncé et une autre d'un vert très clair, et surtout plein de cette autre mousse verte piquetée de minuscules fleurs rouges. Autour de la tombe de Penny et de la bordure de pierres qui délimitait le cimetière, il y avait une rangée de violettes couleur mauve et lavande. Aux quatre coins et au centre du cimetière trônaient d'énormes plants de fougères. Toutes les tombes avaient une petite croix en bois constituée de deux brindilles attachées au milieu par un bout de ficelle. Toutes, sauf celle de Penny, qui avait une vraie pierre tombale. C'était un gros galet pratiquement rond; avec de la peinture vert foncé qu'elle avait volée, Sudie avait écrit: PENNY. UNE GENTILLE CHIENNE.

Lorsque Simpson a vu cette inscription, il a voulu connaître l'histoire de Penny. Sauf que Sudie lui a raconté des craques. Elle a raconté que son père avait abattu Penny par erreur, parce qu'il croyait qu'elle s'était fait mordre par un chien enragé. Moi, je peux vous dire tout de suite que c'est pas du tout comme ça que ça s'est passé. C'est vrai qu'à Linlow, des histoires de chiens enragés, il y en a eu des tas, mais justement, ça n'a jamais été autre chose que des histoires. Cette fois-là, le père de Sudie avait attendu un mois pour abattre Penny, même s'il avait sorti son fusil dès que sa femme lui avait dit qu'il y avait des chiens enragés à Linlow; heureusement, Sudie avait décidé de cacher Penny le jour d'avant. Elle l'avait attachée avec une corde près de son parc à animaux. Et quand son père a appris toutes ces histoires de chiens enragés, il s'est mis à chercher Penny partout comme un fou, mais Sudie lui a dit qu'elle avait dû s'échapper. Quatre semaines plus tard, un dimanche, le père de Sudie sort sur la véranda, et qu'est-ce qu'il voit dans la cour? Penny. Alors lui, il va chercher son fusil à toute vitesse, il revient et blam! il dégomme Penny qui était couchée sous le poirier. Dès que Sudie entend le coup de feu, elle déboule dans la véranda et qu'est-ce qu'elle voit? Penny, raide morte. Le corps complètement déchiqueté.

Quand j'ai appris la nouvelle, ça m'a rendue malade de tristesse. Même mon père a dit que c'était vraiment un truc de cinglé de tuer ce chien comme ça, alors que c'était le seul que Sudie ait jamais eu et que tout le monde savait bien que ces histoires de chiens enragés, ce n'était rien que du pipeau. Mais son père, il a dit à Sudie que pipeau ou pas, il s'en fichait, il ne voulait pas prendre de risques: des chiens enragés, il pouvait en venir n'importe quand à Linlow.

Là-dessus, Sudie s'est mise à lui donner des coups de poing dans le ventre et à hurler comme une folle, lui demandant pourquoi il n'allait pas tuer aussi les autres animaux puisqu'elle caressait tous les chiens de Linlow, absolument tous les chiens, sans parler des chats, des chevaux et des hérissons. Ce qui fait qu'il l'a fouettée. C'était le seul moyen pour qu'elle la boucle. Vous savez comment elle est. Il n'y a rien d'autre à faire quand elle est dans cet état-là. En tout cas, il y a un truc qui est sûr, c'est que moi, à sa place, je ne l'aurais pas ramenée. Ah ça non! Parce que je peux vous dire que quand la mère Harrigan, elle sort sa verge en noyer, elle met le paquet. Quand Sudie est arrivée à l'école le lendemain, ses pauvres petites jambes étaient dans un de ces états! Je vous jure, on aurait dit qu'elle était restée collée à la grille du poêle. Même que ça saignait encore. Ce jour-là, elle m'a juré un truc: c'était le dernière fois que je la voyais débarquer à l'école avec des jambes lacérées comme ça. De toute façon, c'est injuste, les garçons, ils n'ont jamais de marques quand il se font fouetter du fait qu'ils portent d'épaisses salopettes.

Quand elle a eu terminé de raconter ce mensonge, Simpson lui a caressé la main et lui a dit qu'il était désolé pour Penny. Comme elle était au bord des larmes, elle a regardé ailleurs, et puis pouf! elle a filé comme une flèche, sautant au-dessus du ruisseau, pour retourner auprès de ses animaux. Et après ça, elle les a tous présentés à Simpson. Il s'est assis par terre, et il les a caressés chacun leur tour. Sudie n'en sortait qu'un à la fois. Elle tendait l'animal à Simpson, qui l'examinait et le caressait. Quand il avait fini, il le lui rendait, et elle lui en donnait un autre. Il y a eu d'abord un écureuil, puis un gros lapin marron baptisé

Clodo du fait qu'elle l'avait trouvé sur la voie ferrée. Mais Clodo était tellement malade qu'il avait la tête tout avachie.

«Miss Sudie, ce lapin est plutôt mal en point», Simpson a dit en le recueillant dans ses mains.

«Je sais bien. Mais je comprends pas ce qu'il a.»

«Il mange?»

«Non. Il a rien mangé depuis vendredi dernier.»

Simpson a soulevé le lapin pour regarder la mine qu'il avait. «Il a les yeux vitreux, Miss Sudie. Ce lapin est à moitié mort.»

«Mais je l'ai examiné de la tête aux pieds, Simpson», elle a dit.« Et je n'ai rien vu, pas de morsures, pas de coupures, rien du tout.»

«On ne peut pas laisser ce lapin ici. On ferait mieux de l'emmener chez moi.»

«Oh, Simpson», elle a dit, «c'est exactement ce que j'espérais!»

Simpson a allongé le lapin sur ses genoux et Sudie lui a passé un geai bleu qui avait une aile cassée. Tout doucement, Simpson a essayé de lui soulever l'aile, mais l'oiseau s'est mis à faire des bonds dans tous les sens, ce qui fait qu'il a dû le garder dans sa main en attendant qu'il se calme.

«L'aile est cassée à peu près au niveau de l'épaule», Sudie a expliqué.

«Oui, je vois ça.»

«J'ai jamais été capable de mettre une bonne attelle à un oiseau.»

«De toute façon, ça serait impossible d'en mettre une à celui-ci.»

«J'ai quatre oiseaux qui ont une aile cassée. Du moins, je crois qu'elles sont cassées.»

«Je n'y connais rien aux oiseaux, Miss Sudie. Il y en a qui ont pu revoler ?»

«Oui. Un seul.»

Il a soulevé le geai bleu pour le regarder. «Cet oiseau m'a l'air en pleine santé. À mon avis, il a toutes les chances de revoler.»

«J'en suis sûre», Sudie a affirmé. Simpson a souri. «Et comment vous pouvez le savoir, Miss Sudie ?»

«Je le sais, c'est tout.»

Après ça, elle lui a montré un jeune raton laveur, qui se portait tellement bien qu'ils ont décidé de le laisser partir.

Après l'avoir embrassé et caressé, Sudie l'a posé par terre. Le raton laveur ne bougeait pas. Alors Sudie lui a donné une petite tape sur le derrière.

«Au revoir, Bitsie», elle a dit.

Simpson s'est mis à rire. «Miss Sudie, vous avez donné un nom à tous vos animaux ?»

«Bien sûr», elle a répondu avant de commencer à débiter toute la liste pendant que Simpson écoutait en hochant la tête.

Mais Bitsie ne voulait décidément pas partir. Elle avait même grimpé sur les genoux de Sudie.

«Vous l'avez depuis longtemps, ce raton laveur, Miss Sudie ?»

«Depuis sa naissance. Quelque chose a dû arriver à la mère, parce que j'ai trouvé ses trois petits tout seuls dans une souche. J'ai attendu toute la journée, mais elle est jamais revenue. Quand je suis allée voir dans la souche, il y en avait deux de morts, alors je les ai enterrés et j'ai pris Bitsie avec moi. Voilà, je l'ai depuis ce jour-là.»

«Et on dirait bien que c'est pas fini !» Simpson a fait en rigolant.

«Bah, c'est parce qu'elle a pas l'habitude d'être en liberté. Elle s'habituera.»

«Et vous les nourrissez comment, les petits ?»

Sudie a posé Bitsie par terre pour aller chercher quelque chose dans la souche où elle rangeait les chiffons et le baume.

Elle est revenue avec un minuscule biberon. Nettie et moi, on a exactement le même pour nos poupées qui font pipi. Elle l'a tendu à Simpson.

«Ça alors, c'est incroyable. Qu'est-ce que c'est que ce petit biberon ?»

«C'est un biberon de poupée.»

«Et comment vous nourrissez vos poupées, alors ?» Simpson a demandé avec un grand sourire.

«J'ai pas de poupées.»

«Oh, je vois», il a dit en lui rendant le biberon. Après avoir caressé Bitsie un petit moment, elle lui a sorti comme ça : «C'est mon amie Mary Agnès qui me l'a donné, ce biberon.» (Ce qui était un mensonge, vu qu'à ce moment-là, je n'avais pas plus de biberon que de poupée.)

Simpson a regardé Sudie droit dans les yeux. Elle n'a pas détourné la tête. «Miss Sudie, vous avez déjà eu une poupée ?» il lui a demandé.

«Nan.»

«Vous aimez les poupées ?»

«Ça va.»

«Vous avez des jouets ?»

«Nan.»

«Pas du tout, Miss Sudie ?»

«J'ai des poupées en papier. Je les fais moi-même.»

«Et qu'est-ce qu'il vous a apporté, le Père Noël, l'an dernier ?»

«Y a pas de Père Noël.»

« D'accord », Simpson a fait en soupirant. « Qu'est-ce que vous avez eu pour Noël ? »

« Deux oranges et un livre de coloriage. »

Après ça, il n'a rien dit pendant un petit moment. Finalement il s'est levé et s'est penché au-dessus de Sudie :

« Il va bientôt faire nuit, petite fille. Je crois qu'on ferait bien de ranger les animaux et de rentrer. »

Sudie s'est levée et a posé Bitsie par terre. Ils ont remis les animaux dans les cages, après quoi Simpson a enveloppé Clodo dans un vieux chiffon que Sudie lui avait donné. Il a baissé les yeux : Bitsie était toujours par terre, nichée dans les pieds de Sudie.

« Je crois que je ferais mieux d'emmener Bitsie aussi », il a fait. « Elle ne veut plus vous quitter, Miss Sudie. »

« Oh, Simpson ! Vous voulez bien ? » Sudie s'est exclamée.

« On n'a pas le choix. Regardez-la, elle va nous suivre jusque chez nous, autrement. »

Après avoir rangé le biberon dans la souche, Sudie a pris Bitsie dans ses bras.

« Vous feriez mieux de rentrer, Miss Sudie. Il fait presque nuit. »

« Mais vous allez vous perdre ! »

« Je retrouverai mon chemin. Ne vous en faites pas pour moi. »

« Vous êtes sûr ? »

« Sûr. »

« Faites bien attention, Simpson », Sudie a recommandé en lui tendant le raton laveur.

« Je vous le promets. Vous aussi, soyez prudente, Miss Sudie. »

Sudie l'a regardé s'éloigner jusqu'à ce qu'il ait disparu, après quoi elle a sorti l'oiseau de sa cage et l'a gardé dans ses mains un long moment.

⁂

Quand elle s'est décidée à rentrer, il faisait nuit noire. Mais elle n'était pas pressée. Lentement, elle a traversé le bois et la pâture de M. Wilson. Puis, au lieu de passer par la cour de M. Wilson, elle a continué jusqu'à la voie ferrée et, arrivée au dépôt, elle a coupé comme d'habitude par la rue qui longe la poste.

Tout à coup, elle a senti une main s'abattre sur elle et l'empoigner. Elle a failli mourir de peur, mais finalement elle a vu que c'était Bob Rice. Elle lui a dit de la lâcher parce qu'elle était en retard.

« Tiens, touche-moi ça, Sudie », il a fait.

« J'y toucherai pas, à votre sale Truc ! » elle s'est écriée.

Comme il la tenait par le bras, il a fait descendre sa main jusqu'à son Truc, qui était déjà sorti de son pantalon. Tout de suite, ça lui a donné envie de vomir, comme à chaque fois. Elle m'a expliqué que c'était parce qu'il avait une odeur sur lui qui la dégoûtait. Elle ne savait pas ce que c'était, mais elle m'a dit que ça ressemblait à quelque chose comme du lait caillé. En plus de ça, il respirait toujours bizarrement, avec la bouche grande ouverte comme ce demeuré de Russell Hamilton. Elle m'a dit que c'était vraiment horrible.

« Vas-y, Sudie, touche-moi ça, touche ! » il a murmuré en se penchant sur elle et en lui soufflant dans la figure.

« Je vous ai dit que j'y toucherai pas ! » elle lui a dit en serrant le poing.

« Tu la veux pas, ta petite pièce ? » il lui a demandé en attirant son autre main et en l'écrasant contre son Truc. Du coup, elle a serré l'autre poing aussi.

Elle s'est débattue pour essayer de se dégager, mais elle savait bien que ce n'était pas la peine, vu qu'elle avait déjà essayé des tas de fois et que ça n'avait jamais marché. Il ne lui restait plus qu'une seule chose à faire : se raidir comme une planche en serrant les poings de toutes ses forces.

« Vas-y, prends-le dans ta main », il a murmuré. « Sans ça, je te laisserai pas partir. »

« Je vous ai dit que j'y toucherai pas ! Plus jamais ! »

Là-dessus, il lui a attrapé les deux poings et les a pressés contre son Truc. Au même moment, elle a entendu une porte claquer. C'était M. Wilson, de l'autre côté de la rue, qui venait de sortir sur sa véranda. Il a allumé la lumière : il était accroupi, en train de caresser Clabber. Bob Rice a plaqué Sudie contre le mur de la poste. Ils sont restés là tous les deux sans bouger, à part lui qui continuait à frotter son Truc contre les poings de Sudie en respirant très fort par la bouche. Ils sont restés comme ça pendant quelques minutes ; Bob Rice respirait de plus en plus fort. Finalement, M. Wilson a fait rentrer Clabber et a éteint la lumière.

À ce moment-là, Bob Rice s'est reculé légèrement avant de s'affaler carrément sur Sudie. Pressant son Truc contre sa poitrine, il s'est mis à s'agiter d'avant en arrière et à se trémousser contre elle. Il lui tenait toujours les poings qu'il écrasait carrément contre le mur. Il lui a fichu son gros ventre en plein dans la figure, et elle a cru qu'elle allait étouffer. Elle s'est mise à pleurer. Il a arrêté une minute de s'agiter et il lui a dit : « La ferme, Sudie ! » Comme elle a pu reprendre sa respiration, elle a essayé de dégager ses bras, mais c'était impossible. Puis, il a attiré à nouveau les deux poings de Sudie contre son Truc tout en se tortillant contre son ventre. Sudie ne pouvait rien faire. Soudain elle a senti ses jambes se ramollir et elle s'est effondrée contre lui. Ce qui fait qu'il a commencé à s'agiter encore plus vite. Elle pensait qu'elle allait mourir sur place; elle ne pouvait plus du tout respirer. Tout à coup, avant qu'elle ait eu le temps de réagir, il l'a poussée vers le bas. Elle était maintenant à genoux, et c'est là qu'il lui a foutu son Truc en plein sur la figure. Elle pleurait de plus en plus fort, mais on aurait dit que, maintenant, ça faisait vraiment plaisir à Bob Rice. Il s'est mis à glousser en disant des tas de mots dégoûtants. À ce moment-là, il est devenu vraiment fou. Appuyé contre la tête de Sudie, il a essayé de presser son Truc contre sa bouche. Mais elle tournait la tête dans tous les sens. Du coup, il s'est carrément affalé sur la tête de Sudie et s'est mis à frotter son Truc contre ses joues et son crâne. Il bougeait de plus en plus vite, et Sudie avait tellement mal à la tête qu'elle se disait qu'elle allait mourir. Soudain elle a reçu une giclée de glu sur le visage et sur les cheveux.

Elle avait arrêté de pleurer. Elle était complètement assommée. Elle ne pouvait même plus pleurer. Bob Rice s'est relevé et l'a remise sur ses genoux. Il a sorti quelque chose de sa poche qu'il a jeté par terre devant elle et il est parti en courant.

Elle, elle est restée là, à genoux, le temps de reprendre des forces. Puis elle s'est levée. Malgré ses genoux qui tremblaient, elle a réussi à marcher jusque chez elle. Arrivée dans la cour de derrière, elle s'est assise par terre un moment.

Après s'être un peu reposée, elle est allée tirer de l'eau au puits. Elle a soulevé le seau au-dessus de sa tête et l'a versé sur elle. Puis elle a refait la même chose avec un deuxième seau. Elle a pu se sécher un peu avec des chiffons que sa mère accrochait au puits pour essuyer sa baguette à lessive. Quand Sudie a fait son entrée dans la cuisine, sa mère lui a demandé pourquoi sa robe et ses cheveux étaient mouillés et pourquoi elle avait des égratignures partout sur la figure.

Sudie lui a dit qu'elle était tombée dans le ruisseau.

*
* *

Quand Sudie m'a raconté le truc immonde que Bob Rice lui avait fait, ça m'a fichu un peu la nausée. Jamais j'aurais imaginé qu'il faisait des trucs pareils. Je me disais: «En tout cas, moi, s'il m'avait fait ça, je sais que j'aurais appelé M. Wilson de toutes mes forces, et je vous jure que je ne me serais pas souciée des conséquences. De toute ma vie, je n'avais jamais entendu quelque chose d'aussi horrible! J'ai dit à Sudie que quelqu'un devrait aller le dénoncer, mais elle m'a répondu que j'étais bête, qu'il faisait ça à des tas de filles et qu'elles ne pouvaient rien faire parce que c'était la faute de leur sale Truc à elles. De toute façon, personne ne croyait jamais les gosses, ça c'était certain, et là-dessus j'étais bien forcée d'être d'accord avec elle.

*
* *

Finalement, Clodo est mort le lendemain de son arrivée chez Simpson. En allant au terrier qu'il avait creusé pour lui, Simpson l'a trouvé mort. Comme Sudie n'était pas là, il a cherché partout un joli endroit qu'elle aurait aimé si c'était elle qui l'avait enterré. Finalement, il a décidé que l'endroit le plus joli était un saule pleureur à la lisière du bois. Quand Sudie a vu la tombe sous l'arbre, elle lui a dit que c'était exactement l'endroit qu'elle aurait choisi. Avec de la mousse qu'ils avaient ramassée près du ruisseau, ils ont recouvert la tombe, après quoi ils ont fabriqué une croix. C'est comme ça que Simpson a eu son cimetière à animaux, qui est devenu par la suite presque aussi beau que celui de Sudie, même s'il n'y a jamais eu autant d'animaux enterrés dedans.

Ils laissaient maintenant Bitsie en liberté dans la cour. Elle s'enhardissait, et il lui arrivait de disparaître pendant plusieurs heures de suite. Si bien qu'au bout de quelques jours, elle est partie pour ne plus jamais revenir.

*
* *

Vers la fin du mois de juin, Sudie et Billy ont eu la plus grosse bagarre de leur vie, parce que figurez-vous qu'un jour, Billy l'a suivie pratiquement jusque chez Simpson. À mon avis, Billy avait remarqué ses allées et venues plus qu'elle ne le pensait, ce qui fait qu'un beau jour, il s'est mis à la suivre sur la voie ferrée en se cachant derrière les buissons.

Le ciel était très couvert, si bien que Sudie courait sur un rail sans regarder derrière elle. Elle avait fait à peu près la moitié du chemin quand il a commencé à pleuvoir à grosses gouttes. Elle est descendue de son rail et elle s'est mise à courir sur les traverses. Tout à coup, il y a eu un roulement de tonnerre. Elle était sur le point de s'engager dans le chemin qui conduisait chez Simpson quand elle a entendu crier derrière elle.

«SUDIE!»

Le coup au cœur qu'elle a eu! Elle s'est retournée et elle a vu cette espèce d'âne qui accourait vers elle.

«Qu'est-ce que tu veux?» elle a hurlé.

Le tonnerre résonnait tout autour d'eux. Billy a toujours eu une peur bleue de l'orage, et il avait les yeux à moitié exorbités. Quand enfin il l'a rattrapée, c'était le vrai feu d'artifice au-dessus de leur tête. Il n'en fallait pas plus à Billy pour se mettre à paniquer complètement. Il s'est enfoui la tête dans ses bras et s'est mis à crier. C'était horrible.

Sudie a regardé tout autour d'elle, essayant désespérément de trouver un abri. Elle a essayé d'empoigner Billy, mais il s'est jeté à plat ventre sur les traverses comme s'il essayait de se cacher. Bien sûr, elle a pensé à l'emmener chez Simpson, mais c'était trop risqué. C'est alors qu'elle a vu un fossé près de la voie ferrée. Il fallait à tout prix que Billy se mette dedans. Alors, attrapant un coin de sa chemise, elle a commencé à le tirer.

«Billy!» elle a hurlé. «Viens. On va dans le fossé!» Il ne bougeait pas. Il ne faisait plus que crier.

«Viens! Lève-toi!» Elle avait beau le supplier, il n'y avait rien à faire. Il s'est agrippé à sa jambe, ce qui fait qu'elle ne pouvait même plus bouger. La pluie tombait de plus en plus fort, comme si les nuages ne déversaient plus des gouttes, mais des seaux d'eau.

«Seigneur!» elle s'est écriée. «Qu'est-ce que je vais faire?» Elle s'est baissée pour essayer de prendre Billy dans ses bras. Mais il tremblait tellement que ça la terrorisait encore plus.

«Chut!» elle a hurlé. «Maintenant tu arrêtes de pleurer. Ça va aller. Il n'y a pas de danger. Alors, du calme!»

Soudain, elle a eu un coup au cœur. Il fallait qu'elle sache l'heure! Elle a calculé qu'elle était partie de chez elle à une heure; le train du sud traversait Linlow vers les deux heures: il était plus que temps que Billy dégage la voie. Sur ce, elle l'a attrapé par le bras et s'est mise à le traîner. Et c'est là que c'est devenu le vrai pugilat. Billy l'a tirée d'un coup sec, ce qui fait qu'elle lui est tombée dessus et qu'ils ont commencé à se battre sur les traverses et le gravier, sous la pluie battante qui transperçait leurs vêtements. Sudie avait de l'eau plein la figure, si bien qu'elle ne voyait pratiquement plus le fossé.

«Il y a un train qui va arriver!» elle a crié. «Il faut qu'on aille dans le fossé!» Tandis qu'elle lui hurlait ça dans l'oreille, elle s'est dit que c'était l'occasion où jamais de le feinter, et sur ce, elle lui a mordu l'oreille très fort. Aussitôt, Billy s'est mis à hurler et à l'insulter; il s'est levé comme un ressort et lui a balancé un coup de poing dans l'estomac. Elle a réussi à lui rendre un coup sur l'épaule. Levant les bras, il lui a assené ses deux poings sur la joue; puis, esquivant les coups, Sudie a commencé à se diriger vers le fossé. Billy la suivait en continuant à lancer des coups de poing. Arrivée au bord du fossé, elle s'est jetée sur lui, et ils se sont mis à dévaler le remblai avant d'atterrir dans la boue. Là, elle s'est effondrée sur lui et elle a fondu en larmes. Du coup, il a arrêté de la frapper et ils sont restés vautrés dans la boue rouge qui dégringolait de la pente. Le tonnerre et les éclairs ont continué comme ça pendant un petit moment. Sudie a eu l'impression que ça avait duré des heures, mais ce n'était pas possible vu que le train n'était toujours pas passé.

Quand la pluie a fini par ralentir, elle s'est levée et a aidé Billy à se mettre debout. Il était couvert de boue rouge gluante de la tête aux pieds. Il était tellement drôle à voir qu'elle n'a pas pu s'empêcher de rire. Elle l'a montré du doigt.

«Je te signale que t'es pas spécialement belle non plus», il lui a dit en se mettant à rigoler lui aussi. Là-dessus, ils ont entendu le train qui arrivait au loin.

«Attends», Sudie a fait, «on peut pas remonter tout de suite sur la voie.» Elle s'est rassise dans la boue et Billy aussi. Quand le train est passé, ils ont gravi le remblai; après quoi, Sudie a attendu pour voir s'il allait rentrer à la maison, mais il ne bougeait pas.

«Bon, ben, je crois qu'on va rentrer», elle a fait. «Et puis d'abord, comment ça se fait que tu m'as suivie?»

«Pour voir où t'allais.»

«Eh ben, t'as vu. Je marchais, c'est tout.»

«Complètement débile», il a grommelé. «Tu devrais pas aller aussi loin. Il pourrait t'arriver quelque chose! Et si tu te faisais attraper par un vagabond, hein? Qu'est-ce que je deviendrais, moi?»

Sudie est montée sur un rail. «Je crois bien que t'as raison», elle a dit. «C'est vrai que c'est complètement débile de faire un truc pareil.»

***

En juillet, Sudie a demandé à Simpson de lui construire une maison pour jouer. L'idée lui est venue un jour qu'il nettoyait son puits du fait qu'un animal, un serpent ou un truc dans ce genre-là, était tombé dedans et que l'eau sentait mauvais. Simpson avait tiré une trentaine de seaux d'eau, espérant remonter le truc qui était tombé dans le puits, mais en vain. Du coup, la seule chose qui restait à faire, c'était de descendre dans le puits et d'aller le chercher lui-même. Sudie était venue l'aider et elle devait rester près du treuil pour remonter le seau quand Simpson aurait mis cette immondice dedans.

Sudie était morte de peur. C'était vachement dangereux de descendre dans un puits. Pour s'accrocher, il n'y avait que les aspérités des pierres. Elle savait que beaucoup de gens se blessaient en nettoyant leur puits, et elle savait aussi que s'il tombait, elle devrait aller chercher de l'aide, et que ça serait le début des ennuis. Des gros ennuis. Normalement, il fallait deux hommes pour nettoyer un puits. Du moins, il en fallait un deuxième à proximité qu'on puisse appeler en cas de problème. Deux fois, elle avait regardé son père et son grand frère nettoyer le puits. Leur méthode était d'enlever le seau et de fixer une sorte de balançoire à la corde. Son père disait alors à son frère de monter sur la planche et de bien s'accrocher, après quoi il le faisait descendre lentement dans le puits. À mon avis, c'était la méthode la plus simple, mais comme bien sûr Sudie n'aurait jamais pu freiner le treuil pour faire descendre Simpson, c'était hors de question.

À peine Simpson avait commencé à chercher ses prises que Sudie avait imaginé tous les trucs horribles qui pouvaient arriver, ce qui fait qu'elle était vraiment angoissée. Elle a essayé de dissuader Simpson, lui promettant de l'aider à ramener de l'eau du ruisseau, mais il n'arrêtait pas de lui dire que tout irait bien et qu'il n'y avait rien à craindre. La seule chose qu'elle avait à faire, c'était de remonter et de redescendre le seau à son signal, très lentement, pour ne pas heurter Simpson et lui faire perdre l'équilibre.

La première chose que Simpson devait faire, c'était donc de trouver ses prises. Il s'était fait une torche à l'aide de brindilles et de chiffons, mais il ne pouvait pas descendre tout en tenant la torche, ce qui fait que lorsqu'il a fini par trouver ses prises, c'est Sudie qui a tenu la torche pendant qu'il commençait sa descente. Tout à coup, il a glissé. Il allait tomber; Sudie a cru qu'elle allait mourir sur place, mais il a réussi à se rattraper. Après ça, il a décidé qu'il valait mieux faire descendre le seau au fond, ce qui lui permettrait de s'accrocher à la corde d'une main et à la paroi de l'autre. Arrivé ainsi au fond sans problème, il a crié à Sudie de remonter le seau et de lui envoyer la torche. C'est ce qu'elle a fait, sauf que la torche s'est éteinte, et que du coup, il a dû explorer l'eau noire avec ses mains. Sudie a remonté neuf seaux de brindilles et de boue, après quoi il a crié qu'il pensait avoir trouvé. Elle a remonté le seau; il n'y avait pas d'erreur: c'était un surmulot enflé et puant, presque aussi gros qu'un opossum. Je peux vous dire qu'elle a été heureuse de voir ça! Après avoir jeté le contenu du seau, elle l'a renvoyé à Simpson pour qu'il puisse remonter. De toute sa vie elle n'avait jamais été aussi soulagée de voir le sommet d'un crâne, et elle s'est mise à faire des bonds et à battre des mains tellement elle était heureuse. Quand Simpson est sorti du puits, elle dansait toujours de joie.

Simpson n'a pas pu s'empêcher de rire en la voyant: «Eh bien, petite fille, j'ai comme l'impression que vous vous êtes fait du souci.»

Il s'est assis sur les marches du puits pour reprendre son souffle. Sudie s'est assise à côté de lui.

«C'était horrible, Simpson. Vous auriez pu tomber et vous noyer, et je n'aurais pas pu vous aider!»

«Eh bien, vous voyez, je ne suis pas tombé», il a dit. «Tout va bien, maintenant. On pourra se resservir du puits comme avant, dès que j'aurais enlevé encore un peu de cette eau. Qu'est-ce que c'était, un rat ou un raton laveur?»

«Un surmulot. Énorme», elle a dit en désignant l'endroit où elle l'avait jeté. «Vous voyez?»

Simpson s'est levé pour aller examiner cette bestiole. «Pas étonnant que l'eau était mauvaise», il a dit en faisant une grimace.

Prenant le rat par les pattes, il s'apprêtait à le balancer dans les vignes sauvages.

«Non, Simpson, pas ça!» a fait Sudie en courant vers lui.

«Autant le jeter dans le kudzu, Miss Sudie.»

«Donnez-le-moi», elle a dit en tendant la main, «je vais l'enterrer.»

Simpson a secoué la tête: «Excusez-moi, petite fille.» Il n'a pas voulu lui laisser toucher le rat. Il lui a demandé d'aller chercher quelque chose pour mettre le cadavre pendant qu'il creusait la tombe. Il a pris la pelle et s'est dirigé vers le saule pleureur, où il a creusé une tombe à côté de celle de Clodo. Quand Sudie est revenue en courant avec un sac à farine, Simpson lui a demandé: «Vous croyez que je peux enterrer ce rat à côté de Clodo?»

Sudie a réfléchi à la question une minute. «Je ne sais pas, Simpson», elle a dit. «Je crois que les lapins n'aiment pas trop les rats.»

«Vous avez peut-être raison», il lui a dit en rebouchant le trou. «Maintenant, montrez-moi l'endroit où vous voulez l'enterrer.»

Donc, ils l'ont enterré, et après avoir ramassé de la mousse au ruisseau, fabriqué la croix et dit le Notre-Père, Sudie a demandé à Simpson s'il voulait bien lui construire une maison pour jouer. Comme elle lui a demandé de but en blanc après l'amen, Simpson était un peu surpris.

«Qu'est-ce que c'est que ça, Miss Sudie, une maison pour jouer?»

«Ben, une petite maison, juste pour jouer.»

«Le problème, petite fille, c'est que je n'ai pas de bois pour vous en construire une.»

«Mais peut-être que...» elle a fait.

«Attendez, j'ai une idée. Je pourrais prendre des planches dans la partie recouverte de la maison. Elles sont pratiquement toutes en bon état.»

«Mais, Simpson», a fait Sudie en riant, «c'est pas une maison en bois que je veux.»

«Quel genre de maison vous voulez, alors?»

«Venez voir», elle lui a dit en lui prenant la main.

L'entraînant jusqu'au puits, elle a tendu le doigt en direction du kudzu.

« Regardez, Simpson. »

Simpson n'en finissait pas de regarder, mais tout ce qu'il y avait à voir, c'était du kudzu.

« Je ne comprends pas ce que vous voulez me montrer », il a dit.

« Vous voyez ce gros trou dans le kudzu ? »

« Oui, je le vois. »

« Vous trouvez pas que ça ressemble à une caverne ? »

Simpson s'est approché du trou pour regarder à l'intérieur. « C'est vrai, Miss Sudie. »

« En taillant dans la vigne, les branches et les buissons, comme pour votre chemin, vous pourriez me faire une maison. Vous comprenez ? »

Simpson trouvait que c'était une bonne idée. Le seul problème qu'il voyait, c'étaient les serpents, ce à quoi Sudie lui a répondu d'arrêter ses bêtises, qu'elle adorait les serpents, ce qui a bien fait rire Simpson.

Finalement, il ne lui a pas construit sa maison à cet endroit. Ne sachant pas combien de temps encore il habiterait là, il disait que ça serait plus agréable pour elle d'avoir sa maison plus près de chez elle au cas où il déménagerait, ce qui était une chose à laquelle elle ne voulait même pas penser. Elle lui a dit qu'il y avait des tas d'endroits recouverts de kudzu aux alentours de Linlow, dont celui derrière le bois de Bowen, qui se trouvait à la fois près de chez elle et pas trop loin de l'école.

Simpson a emprunté des outils à ses amis de Canter et, pendant son temps libre, il lui a fallu plus d'un mois pour tailler et scier cet enchevêtrement de vignes sauvages et de branches d'arbre et pour désherber. Mais il en est venu à bout. Même qu'après il a fabriqué des petites chaises et assemblé plusieurs cageots pour faire une table. À la fin, Sudie a trouvé que c'était l'Endroit Secret le plus merveilleux du monde. Ça lui plaisait tellement qu'elle a dit à Simpson qu'elle allait y installer ses animaux. Du coup, Simpson a acheté du fil de fer pour leur fabriquer de vraies cages, et Sudie pensait que s'il y avait un paradis sur terre, Simpson l'avait construit pour elle.

Si Sudie était fière de son Endroit Secret, vous auriez dû voir Simpson! Il n'en pouvait plus de sourire en la voyant sauter sur place, crier de joie et s'extasier comme si quelqu'un lui avait offert dix Noëls d'un coup, tous les cadeaux possibles et imaginables et la neige en plus.

Il a terminé l'Endroit Secret vers la mi-août, et c'est devenu leur lieu de rendez-vous préféré. Ils venaient jouer avec les animaux pratiquement tous les jours où Simpson ne devait pas travailler pour M. Sims. Ils y ont même installé Veinard pendant un moment, mais Simpson s'ennuyait tellement de lui qu'ils ont décidé de le ramener à la maison.

C'est là que le cochon blanc débarque dans l'histoire. Simpson l'a trouvé un jour en allant à l'Endroit Secret. Sudie était déjà là quand Simpson est entré à quatre pattes par le trou avec ce cochon qui hurlait. C'était tellement drôle de le voir essayer de ramper tout en tenant ce cochon affolé dans ses bras qu'elle s'est écroulée de rire sur le tapis en branches de pin. Ils ont baptisé le cochon Bébé Grognon, et Simpson a obligé Sudie à aller demander à tous les habitants de Linlow si quelqu'un avait perdu un cochon avant de l'adopter. Comme il n'appartenait à personne, il est resté quelque temps à l'Endroit Secret jusqu'au jour où ils ont décidé qu'un petit cochon, ce n'était pas fait pour vivre en cage. Du coup, Simpson a emmené le cochon chez lui et lui a construit un enclos, sauf que les planches devaient être mal fixées puisqu'un jour le cochon s'est enfui et que ça a été le début de mes soucis. Ce cochon! Si l'enclos avait été construit convenablement, jamais je n'aurais dû endurer ce que j'ai enduré! Tout le monde sait que les cochons creusent des tunnels si on n'enfonce pas les planches assez profondément dans le sol, ou si on ne les renforce pas avec des pierres. En tout cas, il y a un truc qui est sûr, c'est que les nègres, ils ne connaissent vraiment rien aux cochons!

*
* *

Le lundi après que j'ai surpris Sudie en train de donner ce cochon à Simpson, Sudie a décidé d'aller rendre visite à l'institutrice yankee pour essayer de lui parler des nègres. Elle s'était sentie obligée de le faire parce qu'elle avait peur que quelqu'un me croie au sujet de ce cochon et que Mlle Marge était la seule personne au monde à qui elle pouvait en parler. Sudie n'avait encore jamais vu Mlle Marge. Moi, j'étais allée la voir dès que j'avais appris l'arrivée d'une institutrice yankee. J'avais bien demandé à Sudie de venir avec moi, mais elle m'avait répondu qu'elle avait autre chose à faire; maintenant je sais que ces autres choses, c'était Simpson.

Bref, le premier jour d'école, après la cueillette du coton, Sudie a couru au collège dès que la dernière sonnerie a retenti, après avoir demandé à Betty Adams où se trouvait la salle de Mlle Marge. Quand elle est arrivée, Mlle Marge était bien là; debout sur le pas de la porte, elle parlait avec Joyce Cook, alors Sudie a fait: «Salut, Joyce» et Joyce a répondu: «Salut Sudie», après quoi elle a continué sa conversation, ce qui fait que Sudie est restée là à poireauter, essayant désespérément de réfléchir à ce qu'elle allait dire. Quand finalement Mlle Marge lui a demandé ce qu'elle voulait, Sudie a répondu qu'elle n'avait jamais vu de yankees avant et qu'elle voulait juste voir à quoi ça ressemblait. En entendant ça, Mlle Marge s'est mise à rire. C'est là que Sudie a compris que c'était bien une vraie yankee. Mlle Marge lui a demandé comment elle s'appelait, dans quelle classe elle était et tout un tas de choses que les grandes personnes demandent toujours aux enfants, que ce soit au Nord ou au Sud.

Après ça, Sudie a inventé un mensonge, comme quoi elle connaissait une fille qui connaissait une fille qui connaissait un nègre en chair et en os, même qu'elle était copine avec lui, sauf que c'était un truc qui ne pourrait jamais arriver ici, vu qu'il n'y avait pas un seul nègre dans les parages.

Alors Mlle Marge a fait: «Comme c'est charmant, Sudie.» Et c'est tout.

Sudie est repartie à la charge: «Il paraît que dans le Nord, il y a des tas de gens qui sont amis avec des nègres.»

«C'est fort possible», Mlle Marge a répondu. Et c'est tout.

«Et vous», Sudie a continué, «vous avez déjà été amie avec un nègre?»

Mlle Marge a répondu qu'elle n'avait jamais été amie avec un nègre. «Pourquoi me demandes-tu ça, Sudie?» elle a ajouté.

À ce moment-là, Sudie a pensé qu'elle ferait mieux de la fermer, parce que Mlle Marge n'avait plus l'air d'avoir envie de parler des nègres, alors elle a juste dit: «C'est parce qu'ici, euh... les gens détestent les nègres, vous savez... euh, ils les détestent vraiment.»

«Oui», elle a répondu, «je sais.»

Là-dessus, Sudie a arrêté de parler, et Mlle Marge a demandé: «Alors, les yankees, ils sont comme tu pensais, Sudie?»

«Non, m'dame, plus jolis.»

«Ça c'est gentil, Sudie», Mlle Marge a fait avec un grand sourire.

Comme Sudie commençait à se sentir vraiment idiote, elle a dit à Mlle Marge qu'elle devait y aller. Et elle est partie.

Sudie m'a raconté qu'elle avait été vraiment déçue de ne pas avoir une grande discussion sur les nègres avec Mlle Marge. Mais moi, ça ne m'a pas étonnée. Parce que, comme elle dit maman, Mlle Marge n'est pas folle : elle sait bien qu'elle n'a pas trop intérêt à la ramener sur les nègres si elle veut garder son boulot dans cette ville.

Quatrième partie

Patins à roulettes et autres trésors

Environ trois semaines avant Noël, Simpson a entrepris de cuisiner Sudie pour lui faire dire ce qu'elle aimerait vraiment avoir comme cadeau si elle pouvait en avoir. Elle, ça la faisait bien rigoler; il était trop drôle quand il se mettait à poser des questions mine de rien alors qu'elle savait très bien ce qu'il essayait de faire.

La première fois qu'il a questionné Sudie, c'était le jour où il l'a invitée à manger son premier chili. Moi, je n'avais jamais entendu parler de ce truc, et elle non plus avant qu'il ne lui raconte que quand il vivait au Texas, il en mangeait tout le temps. Quand elle est arrivée sur la véranda, ça avait une odeur tellement forte que ça passait à travers la porte. Ça sentait assez bon, sauf que ça ne ressemblait vraiment à rien qu'elle connaissait. La seule chose que ça lui rappelait vaguement, c'était le ragoût à la Brunswick de Mme Cook, celui qu'elle rapporte toujours aux dîners annuels de l'église, en plus de l'épaule de porc cuite au barbecue par son mari. Quand elle est entrée, Simpson se tenait devant la cheminée; il tenait dans la main des petits morceaux de piment rouge qu'il déversait dans la marmite noire fumante. Après avoir mélangé, il a trempé le bout de sa spatule dans la mixture pour goûter. Sudie a demandé à goûter aussi, mais il lui a dit que ce n'était pas tout à fait prêt, même si elle s'est rendu compte plus tard que ça cuisait depuis l'aube.

Du coup, elle est restée là sans rien faire d'autre que le regarder ajouter d'autres trucs dans la marmite. Il avait posé des sacs à farine par terre devant la cheminée pour qu'elle puisse s'asseoir au chaud. Au bout d'un moment, elle est venue s'asseoir dessus, et Veinard a sauté sur ses genoux. C'est à ce moment-là que Simpson a commencé à lui dire des drôles de trucs.

«Miss Sudie, vous ressemblez à une petite maman quand vous tenez un animal dans vos bras.»

Elle, elle n'a rien répondu parce qu'elle ne savait pas quoi dire. Alors il a repris: «L'autre jour vous m'avez parlé d'une petite poupée en caoutchouc que vous avez perdue, vous vous souvenez?»

«Non», elle a répondu.

«Vous l'avez toujours?»

«Non.»

«Alors c'est que vous l'avez perdue?»

«J'ai pas perdu de poupée», elle a dit, «j'en ai jamais eu.»

«Vous n'avez jamais eu de poupée en caoutchouc? Ça alors, je suis prêt à parier que toutes les petites filles rêvent d'en avoir une!»

«Sûrement.»

«Vous en connaissez, des petites filles qui veulent une poupée?»

«Ouais, plein.»

«Qui?»

Après avoir réfléchi quelques minutes, elle s'est mise à compter sur ses doigts toutes les filles qui en voulaient une.

«Voyons», elle a commencé, «il y a Carina, Mary Agnès, Vivian, Nettie, Heidi, Ella May, Julie et euh...»

Elle a réfléchi à nouveau puis elle a repris: «... et Helen, et aussi la petite sœur de Rayford qui n'a que quatre ans, Heather Ruth et euh... oh, je sais! La petite sœur de Carina en veut une aussi. Donc, ça fait Carina et Melinda – c'est un joli nom, hein? – et... oh zut, je sais plus... j'ai déjà dit Ella May et Karen?»

Simpson s'est gratté la tête: «Je crois bien que vous n'avez pas dit Karen», il a répondu.

«De toute façon, elle, je la compte pas. Et j'espère qu'elle en aura jamais, de poupée.»

Simpson s'est arrêté de mélanger pour regarder Sudie. On aurait dit qu'il allait se remettre à rire, mais il s'est retenu.

«Et comment ça se fait que vous ne voulez pas que Karen ait une poupée?»

«Parce qu'elle est allée raconter à Valérie que j'avais la teigne... sur mon derrière. En plus de ça, elle me joue toujours des sales tours. Vous savez ce qu'elle m'a fait une fois?»

Simpson s'est assis par terre à côté d'elle. «Qu'est-ce qu'elle a fait? Ça ne devait pas être très gentil.»

«Ça non alors. C'était atroce!» Sudie s'est écriée en se tortillant pour s'installer plus confortablement par terre. «Un jour, pendant la récréation, on était tous en train de jouer à cache-cache, et c'était Heather Ruth qui devait nous trouver. Pendant qu'elle comptait jusqu'à cent, j'ai couru me cacher dans la petite cabane à côté de la cantine, là où on range les serpillières, les balais et ce genre de trucs.»

Elle a regardé Simpson pour voir s'il était attentif. Puis elle a repris: «Donc, je venais de me cacher derrière un gros baril quand Karen a voulu entrer. Comme il n'y avait pas d'autre cachette à part ce baril, j'ai claqué la porte et j'ai refusé de la laisser entrer. À ce moment-là, Heather Ruth a fini de compter, et quand elle s'est retournée en criant: «Prêts ou pas, me voilà!» elle a vu Karen en train de sortir de la cabane et elle l'a tout de suite mise hors jeu. Karen a piqué une de ces rages! Du coup, vous savez ce qu'elle m'a fait?»

Simpson a secoué la tête.

«Elle m'a enfermée à l'intérieur! Elle a fermé la porte et elle a tourné le verrou, et moi j'étais enfermée. Après ça, elle s'est assise juste à côté de la porte et elle a commencé à raconter des histoires à mourir de rire pour me faire repérer par Heather Ruth. J'avais compris ce qu'elle essayait de faire, mais quand Karen raconte des histoires, c'est impossible de s'empêcher de rire. Elle invente toujours des tas de trucs idiots au fur et à mesure, et là, elle s'est mise à raconter l'histoire d'un oiseau bizarre, gros comme un cheval, qui portait des lunettes à double foyer comme M. Hogan, qui avait de grands rubans mauves autour des pattes, et qui survolait un chemin où Russell Hamilton se baladait en tripotant son Truc…»

À ce moment-là, Sudie s'est arrêtée net en plaquant sa main sur sa bouche. Jamais elle ne s'était sentie aussi gênée. Du coup, elle a détourné la tête en disant: «Euh… ben… je peux pas raconter cette partie-là, Simpson.»

«J'ai déjà vu ce garçon, Miss Sudie. Très souvent. Je crois que vous feriez mieux de sauter cette partie.»

«Bon… d'accord…»

«Racontez-moi plutôt la suite, quand vous étiez enfermée dans la remise.»

«Euh… bon…» elle a continué, «donc, Karen était toujours assise à l'extérieur, et bla bla bla, et bla bla bla… et vous n'avez même pas entendu la moitié! Et moi, j'ai commencé à rire tellement fort que ça m'a donné envie de faire pipi. Mais elle ne voulait pas me laisser sortir. Et je suis restée enfermée dans cette remise une heure et quarante-cinq minutes, c'est-à-dire jusqu'à la fin des cours. Pendant ce temps-là, cette vermine est allée raconter à l'institutrice que j'étais repartie chez moi, et elle a prévenu les autres élèves que j'étais enfermée dans la remise... et moi, pendant ce temps, j'ai pas pu me retenir. J'ai eu un accident. Oh, Simpson ! Jamais j'avais fait un truc pareil. J'avais envie de mourir sur place. Je suis restée enfermée là-dedans tout l'après-midi. »

Sudie s'est arrêtée pour reprendre sa respiration avant de hurler : « Vous avez déjà entendu un truc aussi horrible ? »

« Je crois que j'ai déjà entendu pire, Miss Sudie », il a répondu, « mais ça a dû être horrible pour vous. »

« *Horrible !* Et après la sonnerie, je vous parie qu'il devait bien y avoir dix élèves qui étaient là à m'attendre et à se moquer de moi. Heureusement que Mlle Dora les a vus, finalement, et qu'elle est venue déverrouiller la porte. Et quand elle s'est ouverte, j'ai filé à toute vitesse, et pendant que je courais, Everett Summerlin a montré du doigt ma robe toute mouillée et tout le monde s'est mis à rire... Voilà, c'est pour ça que j'espère que Karen n'aura jamais de poupée de sa vie ! »

Après ça, Sudie a pris une profonde inspiration et s'est remise à caresser Veinard.

Simpson est retourné remuer son chili et l'a goûté à nouveau. « Je comprends pourquoi vous en voulez à Karen », il a dit, « mais vous ne connaissez pas d'autres petites filles qui voudraient une poupée ? »

« Je ne me souviens plus des noms que j'ai dits, maintenant. »

« Vous avez parlé d'un tas de filles, mais vous avez oublié de dire si vous en vouliez une ou non. »

«Moi ? Nan, j'en veux pas. Je peux goûter, maintenant, votre truc ?»

«Ça alors, on dirait que toutes les petites filles de Linlow veulent une poupée sauf vous ! Pourquoi est-ce que vous n'en voulez pas ?»

«Parce que je préférerais avoir autre chose.»

«Comme quoi, Miss Sudie ?»

«Bof, je sais pas. J'y ai jamais pensé.»

*
* *

Donc, après ça, Simpson a préparé une assiette de chili pour Sudie et il lui a donné des crackers. Elle en a pris une bouchée, et elle m'a raconté que pendant une minute elle avait trouvé ça vraiment bon, mais que tout à coup sa bouche s'était mise à lui brûler tellement fort qu'elle a dû se jeter sur le seau et boire deux pleines louches d'eau avant que ça arrête de brûler. Simpson lui a dit qu'elle n'était pas obligée de finir le chili, ce qui fait qu'elle n'a mangé que des biscuits salés pendant que lui avalait deux bols complets de chili sans boire une seule goutte d'eau, et vous savez ce qu'il lui a raconté en mangeant ?

Il lui a raconté une longue histoire qui remontait à l'époque où il vivait au Texas. Il y avait dans son quartier une vieille bonne femme qui était différente des autres, comme Russell, et tout le monde se moquait des trucs bizarres qu'elle faisait. Les enfants lui jetaient des cailloux et la traitaient de tous les noms. Et Simpson faisait comme les autres. Un jour que le père de Simpson l'a surpris avec d'autres en train de harceler la vieille femme, il l'a attrapé par le colback, et en face des autres garçons, il l'a empoigné par le bras et il s'est mis à le faire tournoyer tellement longtemps qu'à la fin Simpson était complètement étourdi et qu'il ne tenait même plus sur ses jambes. Après ça, il a lâché Simpson et il a commencé à le houspiller, à le bousculer et à lui jeter des cailloux. Ça n'en finissait pas. À chaque fois que Simpson avait l'impression de retrouver son équilibre, son père recommençait à le taper, à le secouer et à se moquer de lui.

Au début, les autres garçons n'en pouvaient plus de rire. Mais après, ils ont commencé à avoir pitié de Simpson. Il y en a même un qui a jeté un caillou sur le père de Simpson avant de partir en courant, mais ça n'a servi à rien. Ce n'est que quand Simpson est tombé par terre, tellement assommé qu'il ne pouvait plus bouger, que son père a arrêté. Après ça, prenant Simpson par le col de sa chemise, il l'a forcé à se lever et à dire aux autres tout ce qu'il avait ressenti pendant que son père lui faisait tout ça, et à chaque fois que Simpson essayait de s'asseoir, son père le redressait d'une secousse. Il a forcé Simpson à raconter l'effet que ça lui avait fait quand son père l'avait brutalisé et injurié. Alors, debout devant les autres garçons, Simpson a tout dit, après quoi son père l'a ramené à la maison et lui a fait lire la Bible jusqu'à l'heure du coucher. Simpson a dit qu'après ça, il ne s'était plus jamais moqué de la vieille femme.

À la fin de son histoire, Simpson a demandé: «À votre avis, pourquoi est-ce qu'il a fait ça, Miss Sudie?»

«Pour vous donner une leçon.»

«Et quel genre de leçon croyez-vous qu'il voulait nous donner?»

«Ben... qu'il ne fallait pas se moquer de cette femme parce qu'elle était folle, non?»

«C'est exact», il a continué, «et je peux vous dire que je l'ai retenue, cette leçon. Elle était dure, mais je l'ai retenue. Se faire humilier par son père devant les autres garçons, ça c'était dur. Mais ça a marché. Ça s'est ancré si profondément en moi que même aujourd'hui je m'en souviens encore.»

«Je me suis jamais moquée de Russell devant lui», Sudie a fait.

Simpson lui a tapoté la main. «J'espère que vous ne vous moquerez jamais de quelqu'un parce qu'il est différent, petite fille.»

Pendant qu'il lavait son bol et l'assiette de Sudie, Simpson a expliqué qu'il avait commencé à chercher un sapin de Noël dans les bois. En entendant ça, Sudie a failli s'évanouir de joie.

«Simpson! Vous allez mettre un sapin! Oh, Simpson! C'est vrai?»

Soulevant l'assiette en fer-blanc à bout de bras au-dessus de sa tête, Simpson lui a dit: «Petite fille, je vais nous trouver un sapin de Noël grand comme ça!»

«Oh, Simpson!» Sudie s'est écriée en s'approchant de Simpson et en tendant le bras pour atteindre l'assiette. «On aura le sapin le plus grand de tout Linlow! Vous l'avez trouvé?»

«J'en ai repéré un. Au bord du ruisseau, à huit cents mètres d'ici à peu près. Mais je crois qu'il est sur les terres de M. Bradley. Vous savez où elles commencent?» il a demandé en essuyant l'assiette et en la rangeant sur l'étagère.

Sudie a réfléchi une minute. «Bah, ça ne fait rien», elle a dit. «De toute façon, M. Bradley, il s'en ficherait.»

«Comment le savez-vous?»

«Parce que tout le monde va prendre des cèdres sur ses terres. Il en a des millions!»

«C'est vrai qu'il en a beaucoup», Simpson a fait en rigolant. «Mais moi, je serais plus à l'aise si cet arbre n'était pas sur ses terres. Où est-ce qu'elle passe, la séparation? Vous le savez?»

«Pas exactement», elle a répondu. «Je sais seulement qu'il a beaucoup de terres. Mais c'est pas grave, je vous jure. Promis, craché, juré. Si vous voulez, je peux vous dire les noms de tous ceux qui viennent lui piquer des arbres.»

«Ils lui demandent la permission?»

«Nan, ils font ça depuis toujours.»

Après avoir raccroché le chiffon à vaisselle au clou fixé sur le côté de l'armoire de toilette, Simpson s'est assis par terre en face du feu. Sudie est allée s'asseoir auprès de lui.

«Vous êtes sûre qu'il n'y a pas de problème, Miss Sudie?»

Elle a levé la main droite et a craché par terre.

«Très bien, alors», il a dit. «On l'a trouvé, notre grand sapin!»

Sudie s'est levée d'un bond et l'a attrapé par la main. «Oh, Simpson! On va le voler maintenant?»

Simpson a secoué la tête et s'est mis à rigoler.

* * *

Le samedi suivant, Simpson s'est levé à l'aube pour aller couper le sapin. Après quoi, ils l'ont décoré ensemble. Quand il est arrivé avec le sapin, Sudie était déjà là. Elle avait apporté du papier cartonné qu'elle avait volé à l'école, ainsi que deux aiguilles, des ciseaux et du fil blanc qu'elle avait volés dans le tiroir de la machine à coudre de sa mère. Elle avait aussi apporté ses aquarelles et ses crayons de couleur. Simpson avait acheté du maïs pour faire du pop-corn et il avait cueilli tellement de branches de houx pleines de petites baies rouges qu'il y avait de quoi recouvrir entièrement la véranda. Il avait aussi acheté du lait de beurre et un gâteau pour Sudie.

Ils ont passé toute la journée à enfiler du pop-corn et des baies rouges, à couper des bandes de papier rouges, bleues, vertes et jaunes et à les coller ensemble avec un mélange de farine et d'eau pour faire des guirlandes. Sur le reste du papier cartonné, Sudie a dessiné des étoiles, des boules de Noël, un diable sortant d'une boîte, un enfant Jésus, une Marie, un Joseph et un Père Noël. Elle a aussi dessiné un ange aux cheveux blonds pour lequel Simpson a découpé un triangle de papier qu'il lui a collé dans le dos pour l'accrocher au sommet de l'arbre. Ils ont passé comme ça toute la journée à rire, à bavarder, à se demander s'il fallait que l'ange soit gros ou pas, à chanter des chants de Noël, à manger du pop-corn et du gâteau, à boire du lait de beurre, et Sudie m'a raconté que de toute sa vie elle ne s'était autant amusée.

Après avoir terminé de décorer le sapin, ils ont accroché des branches de houx dans toute la maison. Ils en ont mis quelques-unes dans le vase rose. Simpson en a même accroché sur sa pancarte NÈGRE, SACHE QUE TU ES LE BIENVENU SOUS LE SOLEIL DE LINLOW. Sudie en a mis sur les livres posés sur la malle, après quoi ils ont vidé le petit bois et ils ont mis un gros bouquet de houx dans le seau qu'ils ont posé à côté de la cheminée. Sudie a pris deux bougies et leur a fabriqué des bougeoirs en papier rouge en forme de bateau qu'elle a installés de chaque côté du vase rose. À la fin, Simpson et Sudie se sont assis pour regarder. Simpson a dit que c'était la première fois qu'il faisait un arbre de Noël depuis la mort de sa femme, mais que celui-ci était le plus joli qu'il lui avait été donné de voir et surtout de décorer lui-même. Il avait l'air tellement bouleversé que Sudie avait peur de dire quoi que ce soit. Ce qui fait qu'ils sont restés assis longtemps sur les sacs à farine en face du feu à contempler leur œuvre.

Sudie ne pouvait pas supporter l'idée de partir. Simpson

lui a permis de rester jusqu'à la tombée de la nuit pour voir ce que ça donnait avec les bougies allumées, après quoi il l'a raccompagnée pratiquement jusqu'au dépôt.

*
* *

Simpson a encore essayé pendant plusieurs jours de découvrir ce que Sudie aimerait avoir pour Noël, ce qui fait qu'elle a décidé de lui dire qu'elle voulait des patins à roulettes, mais d'une façon particulière, pour qu'il ne se doute pas de ce qu'elle était en train de lui dire. Donc, elle lui a raconté un mensonge, comme quoi l'autre jour, Carl Jordan, un grand de la primaire, était arrivé à l'école avec une nouvelle paire de patins à roulettes, même qu'il avait laissé d'autres gosses patiner avec sur le plancher de la cantine, et qu'elle avait eu le droit de les essayer aussi, et que c'était vraiment marrant, et qu'ils en avaient de la chance les gosses qui avaient des patins à roulettes, non ?

Bien sûr, Simpson a voulu tout savoir sur ce garçon et surtout sur ces patins à roulettes, ce qui fait qu'elle a commencé à le faire marcher. Elle lui a raconté que les Jordan habitaient près de Hog Mountain, au bord de la route où passait le bus, qu'ils avaient une maison blanche avec un jardin entouré d'une barrière blanche, même qu'il y avait deux cèdres, les plus hauts qu'elle ait jamais vus, deux pins et, en été, des parterres de pétunias entourés de briques. Ils avaient même des bacs de pétunias blancs sur la véranda, où il y avait aussi quatre fauteuils à bascule, mais pas de balancelle. S'ils n'avaient pas de balancelle, c'était parce qu'un jour Carl l'avait emportée dans son arbre, et que quand il avait voulu la fixer au plafond de sa cabane, la balancelle s'était cassée en tombant. Carl cassait toujours tout. Il était encore pire que Billy. Un jour il avait même démoli la Ford de son père : au lieu de partir en marche avant vers la route, il avait traversé la grange en marche arrière.

C'est à ce moment-là que Simpson a dit: «Stop, j'ai compris!» et que Sudie l'a regardé en clignant des yeux d'un air innocent.

«Qu'est-ce qui se passe, Simpson?» elle a demandé.

«Vous voulez une paire de patins à roulettes pour Noël, c'est ça?»

Toujours en clignant des yeux, elle a répondu: «Mince alors, Simpson, j'y avais même pas pensé.»

Alors il a demandé: «Jeune fille, est-ce que Carl Jordan a des patins à roulettes?»

Sudie s'est mise à rigoler: «Enfin, Simpson! Vous imaginez Carl Jordan avec des patins? Il n'arriverait même pas à tenir debout!»

Sur ce, ils se sont tous les deux tordus de rire.

*
* *

Le matin de Noël, Sudie a dû attendre la distribution des cadeaux avant d'aller chez Simpson. Billy a eu un petit camion en métal, trois clémentines, deux oranges et des bonbons à la menthe; Sudie, un album de poupées en papier, deux barrettes, trois clémentines, deux oranges et des bonbons à la menthe. Avant huit heures, elle était chez Simpson.

Simpson venait de se lever. Il avait les yeux tout endormis. Il s'est préparé du café et il a donné du lait à Sudie. Debout à côté de l'arbre, elle l'a regardé boire son café. Il n'avait même pas fini sa tasse qu'elle a commencé à le supplier d'aller ouvrir le cadeau qu'elle avait mis pour lui sous le sapin. Comme elle savait déjà ce qu'elle allait avoir, elle voulait qu'il ouvre son cadeau d'abord.

Elle lui offrait un dessin. Ce qu'elle avait fait, c'était

qu'elle avait récupéré quatre feuilles de papier cartonné blanc (celui qu'elle avait volé pour les décorations de Noël) qu'elle avait collées sur un grand carré de carton. Dessus, elle avait dessiné un grand Noir et une petite fille blanche qui se tenaient par la main. L'homme noir portait dans ses bras un lapin à trois pattes, la petite fille un petit cochon blanc. Tous tenaient à l'intérieur d'un cercle parfait qu'elle avait tracé en se servant d'une assiette. Le fond du cercle était jaune vif, et l'extérieur violet foncé. Tout autour du cercle, il y avait des vignes grimpantes aux feuilles vert foncé avec des petites touffes de fleurs couleur lavande pareilles à celles du kudzu. Derrière l'homme noir et la petite fille blanche, il y avait un gros soleil jaune avec des rayons d'or qui touchaient les vignes. L'homme et la petite fille étaient debout au milieu d'un cercle de fougères aux feuilles chiffonnées, doublé d'un deuxième cercle de fleurs pour lesquelles elle avait utilisé toutes les couleurs de sa boîte d'aquarelles, sauf le noir et le marron. Pour le cadre, Sudie avait découpé de longues bandes de carton qu'elle avait collées sur tout le tour. Le carton était peint en jaune. Elle avait enveloppé le cadeau dans du papier kraft sur lequel elle avait collé des boules et des anges de Noël qu'elle avait dessinés et coloriés. Le cadeau était au pied du sapin depuis trois ou quatre jours et Simpson lui avait dit que c'était le plus bel emballage qu'il ait jamais vu.

Au moment où il allait ouvrir son cadeau, elle lui a dit qu'elle avait des millions de papillons dans l'estomac tellement elle avait le trac. Au point qu'elle a failli lui arracher le paquet des mains. Elle avait peur que ça ne lui plaise pas du fait que ce n'était qu'un dessin, que ça ne valait rien et que ça ne coûtait pas d'argent. Pendant que Simpson enlevait l'emballage, elle lui a dit: «Vous savez, ça vaut rien, ce truc.»

Simpson n'a pas répondu. Il a continué de défaire tout doucement le papier; il ne voulait pas le déchirer parce qu'il avait l'intention de l'accrocher au mur, à ce qu'il disait, ce qui a bien fait rigoler Sudie. Sudie croisait les doigts des deux mains; elle en était à essayer de croiser les orteils quand finalement il a sorti la peinture de l'emballage. Il l'a tenue à bout de bras devant lui; il était toujours assis sur le sac à farine; il ne bougeait pas et respirait à peine. Sudie se disait qu'elle allait mourir sur place. Quand elle a eu le courage de le regarder, il avait l'air complètement chaviré, et Sudie a eu un tel choc qu'elle a tout de suite détourné les yeux.

Alors Simpson a dit: «Miss Sudie?»

Elle ne le regardait toujours pas. «Hein?» elle a dit.

«Miss Sudie, c'est le plus beau cadeau qu'on m'ait offert de ma vie.» Puis il a dit: «Petite fille, regardez-moi.»

Sudie a tourné la tête vers lui. Il n'avait plus l'air d'avoir envie de pleurer, il souriait un peu.

Il lui a pris la main. «Vous avez dit que ce cadeau ne valait rien. Ce n'est pas vrai, petite fille. Pas vrai du tout. Les plus beaux cadeaux que nous recevons dans ce monde sont ceux qui ne nous coûtent rien. Comme ceux que nous offre le Seigneur. Votre petite chute d'eau, par exemple.»

Il lui a tapoté la main et pendant une minute, elle est restée assise calmement. Il a repris: «Miss Sudie, aujourd'hui, dans le monde entier, les gens s'offrent des cadeaux – toutes sortes de cadeaux. Certains de ces cadeaux coûtent à peine trois sous, d'autres des centaines de dollars, mais ce dessin vaut plus que tous ces cadeaux réunis. Et vous savez pourquoi?»

Comme Sudie avait peur de fondre en larmes si elle disait quoi que ce soit, elle s'est contentée de faire non de la tête.

«Parce que», il a repris, «vous vous êtes servie de votre imagination et que vous avez fait ce dessin de vos propres mains, voilà pourquoi. Tout le monde peut aller dans un magasin acheter quelque chose. Très peu de gens sont capables de faire ce que vous avez fait, petite fille, et même si vous aviez dépensé un million de dollars, vous n'auriez pas pu m'offrir de plus beau cadeau!»

Sudie n'en pouvait plus. De sa vie, personne ne lui avait jamais dit quelque chose d'aussi gentil. Lâchant la main de Simpson, elle s'est précipitée vers la porte en disant qu'elle allait aux toilettes, où elle a éclaté en sanglots. Elle est restée là le temps de se calmer, après quoi elle s'est essuyé la figure avec le bas de sa robe avant de retourner à l'intérieur. Quand elle a ouvert la porte, Simpson était en train de clouer le dessin au mur. Il s'est retourné avec un grand sourire. «Merci, petite fille», il a dit.

«Y a pas de quoi.»

Après ça, Sudie est allée chercher son cadeau sous l'arbre. Elle a secoué la grosse boîte, elle l'a même reniflée, essayant de prendre un air perplexe comme si elle n'avait aucune idée de ce que c'était.

«Je peux l'ouvrir maintenant, Simpson?» elle a demandé, tout excitée, en secouant la boîte.

«Bien sûr», a dit Simpson en souriant.

Sudie s'est assise par terre et, très soigneusement, a commencé à enlever le ruban rouge et l'emballage rouge et blanc. Simpson est venu s'asseoir à côté d'elle.

«J'espère vraiment qu'ils vous plairont, Miss Sudie», il a fait.

Quand Sudie a retiré le couvercle de la boîte, elle a eu l'air aussi surpris que si elle n'avait pas su ce que c'était. «Oh, Simpson! Simpson! C'est des patins! Des vrais patins!»

Les sortant de la boîte, elle a pris un patin dans chaque main et les a brandis au-dessus de sa tête. «Oh, Simpson, c'est les meilleurs patins que j'aie jamais vus! Les plus beaux patins de la Terre!»

Puis, elle s'est mise à les faire rouler sur le plancher en marchant à quatre pattes. Elle a fait tout le tour de la pièce en poussant les deux patins avec ses mains.

Simpson s'est levé pour déplacer la table et repousser les chaises contre le mur.

«Allons, petite fille», il a fait en rigolant. «On va voir si vous patinez aussi bien avec les pieds qu'avec les mains.»

Ajustant les patins à sa pointure, il l'a aidée à les attacher. Alors, elle s'est mise debout; elle n'avait pas encore fait un seul mouvement qu'elle a senti ses jambes se dérober sous elle. Heureusement Simpson l'a rattrapée juste au moment où elle allait s'écraser par terre. Sudie commençait à pas mal rigoler, vu qu'à chaque fois qu'elle essayait de se mettre debout, elle avait toujours une jambe qui fichait le camp. Elle a fini par piquer un tel fou rire qu'elle a été obligée de s'asseoir par terre le temps de se calmer. Après ça, Simpson l'a soutenue jusqu'à ce qu'elle arrive à se tenir debout toute seule. Puis il l'a guidée par la main pendant qu'elle essayait de faire le tour de la pièce. Elle a fini par prendre le coup assez vite. Il faut dire qu'elle a pas mal le sens de l'équilibre, celle-là, à force de marcher sur les rails. Une fois qu'elle a su se débrouiller, elle s'est mise à patiner dans toute la pièce sans rien renverser. À ce moment-là, ce fanatique de Simpson s'est mis à applaudir comme s'il avait devant lui une championne de patins à roulettes, tant et si bien qu'elle a fini par se sentir gênée. N'empêche qu'elle s'est bien amusée quand même.

Un peu plus tard, Simpson a commencé à préparer le petit déjeuner. Pendant qu'il faisait cuire les flocons d'avoine et que Sudie faisait des allers et retours et virevoltait tout autour de lui, ils ont chanté *Douce Nuit* et *Ô, petite ville de Bethléem.* Ils ont mangé et joué jusqu'à onze heures, après quoi Sudie a dû rentrer chez elle parce que sa grande sœur devait arriver pour le repas de Noël. Elle n'avait pas du tout envie de partir, mais Simpson lui a dit qu'elle pourrait revenir le lendemain. Elle ne supportait pas non plus l'idée d'abandonner ses patins, mais elle n'avait pas pu trouver un seul mensonge potable à raconter pour expliquer où elle les avait eus. Elle en avait imaginé neuf différents, mais ils étaient tellement nuls qu'elle n'y croyait pas elle-même. Comme finalement elle n'a jamais réussi à en trouver un de bien, elle les a cachés par la suite dans les chevrons du puits.

Donc Simpson a raccompagné Sudie jusqu'à la voie ferrée. Tout en marchant, elle se creusait la tête pour essayer de trouver quelque chose de bien à lui dire pour le remercier. Ce n'était pas facile pour elle, parce que Sudie, elle devient complètement débile quand on lui offre quelque chose. Elle est tellement gênée qu'elle n'arrive même plus à parler. Ça doit être parce que personne ne lui fait jamais de cadeaux, même pour son anniversaire. Moi, je ne sais même pas quand c'est, son anniversaire, et tous les ans je l'apprends quand c'est déjà passé. Personne dans sa famille ne fait attention aux anniversaires, mais une fois je me suis quand même souvenue du sien et je lui ai offert un jeu d'osselets. Et cette andouille, elle n'osait même pas les prendre ou me regarder. Elle n'arrivait même pas à dire merci non plus.

Du coup, quand ils sont arrivés à la voie ferrée, Sudie s'est contentée de lui tapoter le bras. «Merci, Simpson», elle a fait comme ça avant de filer à toute allure.

Il l'a laissée courir un petit moment sur les rails.

«Miss Sudie !» il a crié.

Sudie s'est retournée : «Ouais ?»

«Y a pas de quoi, petite fille», il a dit avant de lui faire au revoir de la main.

*
* *

Voilà, l'histoire s'arrête là pour le moment. C'est ce qu'elle m'a raconté, avec tous les détails, et quand elle a fini son récit, j'étais complètement assommée. Je ne savais pas quoi dire. Vraiment pas. On était toujours assises sur le quai du dépôt. Et la seule chose que je pouvais faire, c'était de rester là comme une andouille, les jambes pendantes. Du moment où Sudie a arrêté de parler, on est bien restées cinq minutes sans rien dire. La seule chose que je me disais, c'était que j'avais passé presque toute ma journée à l'attendre près de ce dépôt, et je m'étais préparée à entendre tout ce qu'elle avait à raconter sur ce nègre, et maintenant que j'avais entendu, c'était tellement énorme que c'était comme si ça ne pouvait pas entrer en une seule fois dans ma tête. Jamais je n'avais entendu une histoire pareille, et je crois bien que j'espère que je n'en entendrai plus jamais. Finalement, je lui ai expliqué que j'étais bloquée et que je ne pouvais rien dire pour le moment. Elle m'a dit qu'elle comprenait.

Elle m'a raccompagnée jusque chez moi, parce qu'il faisait nuit depuis longtemps et que je n'avais pas envie de me faire attaquer par des rôdeurs.

*
* *

Je suppose que quand Dieu décide de mettre quelqu'un à l'épreuve, Il ne fait pas les choses à moitié. Si vous avez cru que ne rien savoir était une épreuve, vous vous êtes trompés. Ne rien savoir, ce n'était rien comparé à tout savoir. J'avais envie de me donner des baffes de lui avoir demandé. J'aurais voulu ne jamais l'avoir vue donner ce cochon à ce nègre.

Il y a des gens dans cette vie qui le font vraiment exprès. Comme elle dit maman, les ennuis, ils les cherchent, et c'est la pure vérité si vous voulez mon avis. Et Sudie, elle est comme ça. Mais moi pas, et Nettie non plus. J'essaie d'être une bonne chrétienne, ce qui est plutôt bien de ma part quand on pense que je n'ai que dix ans. Surtout qu'il ne me reste plus qu'un an et quatre mois avant la responsabilité, ce qui veut dire qu'après douze ans Dieu vous rend responsable de tous vos péchés, et que si à partir de cet âge-là vous mourez sans être racheté, vous allez tout droit en enfer. Mais si vous mourez avant douze ans, ça n'est pas très important d'être racheté ou pas. Vu que vous allez au paradis de toute façon. Sudie disait que c'était débile (vous voyez, elle doutait encore de Dieu), parce que quand on sait que quelque chose est un péché et qu'on le fait quand même, alors l'âge qu'on a, ça ne veut rien dire. Pour elle, une chose est un péché à partir du moment où on sait que c'en est un. En tout cas, Sudie a beau raconter autant qu'elle veut qu'elle n'est pas rachetée et qu'elle passe sa vie à pécher, moi ça me soulage de savoir que si elle mourait aujourd'hui, elle irait au paradis. Ma façon de voir, c'est qu'il lui reste encore deux ans pour être rachetée, et que si elle fiche la paix à ce nègre et qu'elle s'enlève de la tête que c'est un péché de remuer le Truc de Bob Rice, alors elle aura toutes ses chances.

***

Ce qui m'a le plus énervée dans toute cette histoire, c'est que pour une fois qu'on avait une école brûlée et trois semaines devant nous pour s'amuser, moi j'étais folle comme un lapin et je ne savais plus quoi penser. Il faut croire que Dieu ne choisit pas toujours le bon moment. Moi je trouve qu'Il ferait mieux de mettre les gens à l'épreuve en hiver, quand ils n'ont rien de mieux à faire que d'aller à l'école et de rentrer à la maison, mais comme elle dit maman, les voies du Seigneur sont impénétrables.

Pendant toute cette première semaine, j'étais une vraie loque. Je priais tellement qu'à la fin je ne pouvais même plus supporter le son de ma propre voix. Maman m'a même emmenée voir le docteur Stubbs parce qu'elle me trouvait l'air mal fichu et que je passais tout mon temps sur mon lit. Le docteur Stubbs ne m'a rien trouvé, à part peut-être un peu de fièvre du printemps que tout le monde semblait avoir attrapée. J'ai même demandé à maman d'aller me chercher la bible pour tout savoir sur la mise à l'épreuve de Job, et elle m'a apporté la bible de papa. Donc, j'ai lu le passage où Job perd tout son bétail et sa famille, mais comme c'était difficile à lire, je me suis dit que je lirais la suite quand je serais plus en forme. En tout cas, tout ça se passait au temps de la Bible, quand on pouvait encore demander des trucs à Dieu et qu'Il répondait, alors que maintenant on a beau implorer, Il ne daigne même pas vous envoyer un éclair, ce qui rend les choses beaucoup plus difficiles.

Finalement, la seule solution qui m'est venue à l'esprit, ç'a été de demander à maman. Mais il fallait trouver un stratagème pour qu'elle ne devine pas de quoi je parlais vraiment. Donc, je me suis creusé la cervelle, et je me suis dit que j'allais poser la question à maman de la même façon que Sudie l'avait posée à Mlle Marge. Donc, c'est ce que j'ai fait. Je lui ai raconté que je connaissais une fille à l'école qui connaissait une fille qui habitait dans une autre ville qui connaissait une fille qui était amie avec un nègre aussi vieux que son père.

Alors elle a répondu: «Oui?»

J'ai dit: «Oui quoi?»

Elle a dit: «Eh bien, qu'est-ce que tu veux savoir?»

Alors j'ai dit: «Eh ben, si c'est un péché d'être ami avec un nègre?»

«Eh bien, quand j'étais petite fille, il y avait quelques nègres qui travaillaient dans la ferme de mon grand-père, et à chaque fois que j'y allais, je jouais avec leurs enfants.»

«Mais tu étais amie avec eux?» j'ai demandé.

«Oui, je suppose que nous avions des rapports amicaux. Mais on ne peut pas dire que nous étions amis. Du moins pas assez amis pour nous montrer ensemble dans les lieux publics, mais suffisamment pour jouer ensemble chez mon grand-père.»

«Mais, maman», j'ai dit, «vous étiez tous des enfants. Tu n'étais pas amie avec un nègre adulte!»

«Je connaissais quelques nègres et leurs femmes. Ils étaient toujours amicaux, mais bien sûr ils savaient où était leur place.»

«Qu'est-ce que c'était, leur place?»

«Ce que je veux dire, c'est que les nègres savent qu'ils ne peuvent être amis avec les Blancs que dans certaines circonstances.»

«Quelles circonstances?»

«Ça veut dire», elle a répondu, «qu'on peut être amis, mais ils savent que ce sont les Blancs qui fixent les règles, parce que les Blancs sont supérieurs à eux, tu vois.»

«Supérieurs comment?»

«Eh bien, nous sommes des gens plus distingués que les nègres. Les nègres sont même inférieurs aux Blancs les plus pauvres, c'est pourquoi nous ne pourrions jamais nous afficher avec eux en public.»

«Est-ce que ça serait un péché?»

«Ce qu'il y a», elle a continué, «c'est que tout le monde sait que ça ne se fait pas, que ce n'est pas convenable. Est-ce que cette fille dont tu parles se montre en public avec ce nègre?»

«Euh... non... c'est-à-dire, je ne sais pas.»

«Il travaille pour des amis de la famille?»

(Je voyais bien que ça allait trop loin. Il fallait que j'arrête cette conversation, et vite.)

«Oui», j'ai dit, «c'est à peu près ça.»

«Eh bien, tant que leur relation reste dans les limites du convenable... tant qu'il reste à sa place, il n'y a rien de mal à le traiter gentiment. C'est une attitude très chrétienne.»

Qu'est-ce que ça faisait du bien à entendre! C'était exactement l'histoire de Sudie. Je veux dire, Simpson savait où était sa place, ils ne se montraient pas ensemble dans des lieux publics et, rachetée ou pas, elle ne faisait que son devoir de chrétienne. Donc...

J'ai couru aussi vite que j'ai pu jusque chez Sudie mais elle n'était pas là. J'ai croisé Billy devant la quincaillerie. Je lui ai demandé où elle était, mais il m'a tiré la langue sans même s'arrêter. Il n'y avait que deux endroits où elle pouvait être, soit chez Simpson, soit à l'Endroit Secret, mais je ne pouvais aller à aucun des deux. Alors j'ai traîné un peu, puis je suis allée chez Nettie et on a joué aux poupées en papier jusqu'au moment où j'ai cru que j'allais m'endormir, ce qui fait que je suis retournée au dépôt, où je me suis assise pour regarder les gens passer. Joyce Cook et sa mère, Hester, sortaient du salon de coiffure. J'ai cru que j'allais mourir de rire. Elles avaient toutes les deux une de ces permanentes qui vous fait un casque de bouclettes qui ne bougent même pas quand il y a du vent.

Ça ne fait que quelques mois qu'il y a un salon de coiffure à Linlow. Il est installé à côté de chez M. Hogan, dans l'ancien magasin de meubles d'occasion qui avait dû fermer le jour où le marchand s'était rendu compte que les habitants de Linlow avaient tous les meubles d'occasion qu'ils voulaient. Le jour de l'ouverture du salon de coiffure, Sudie et moi on mourait d'impatience de savoir ce qu'on faisait là-dedans. On passait toutes nos journées le nez collé sur la vitrine. Et on a vu de ces trucs, je ne vous raconte pas!

D'abord, ils ont une espèce de grosse machine qu'on met au-dessus de la tête et qui se compose de plusieurs câbles électriques noirs terminés par des petites pinces noires chauffantes. D'abord, Mlle Thomson vous coupe les cheveux qui tombent en petits tas par terre. Après, elle badigeonne du produit sur ce qui vous reste de cheveux, même que Mme Wilson nous a dit que ça sentait tellement mauvais qu'il y avait de quoi mourir étouffé, et elle enroule chaque mèche autour de ces espèces de petits rouleaux auxquels elle fixe les pinces chauffantes de l'espèce de machine. Quand elle a terminé de vous attacher au moins une centaine de ces trucs, on dirait que quelqu'un a planté des graines sur votre crâne et que de longues tiges noires tordues vous sortent de la tête. Sudie et moi, on était sûres que quelqu'un allait se faire électrocuter, ce n'était pas possible autrement. Mais finalement, non. Jamais on n'a autant rigolé de notre vie.

Après ça, on vous rebadigeonne du produit puant sur la tête et on vous met sous le casque. Quand le tout est bien sec, la coiffeuse vous enlève les bigoudis et, avec un peigne, elle enroule bien soigneusement chaque mèche autour de ses doigts, et elle vous fait comme ça des tas de belles petites bouclettes partout. Tout le monde sort avec les mêmes. Et quand on marche dans la rue le samedi, c'est devenu impossible de reconnaître les mères et les filles de dos. Maman, elle dit que la mère de Sudie devrait couper ses cheveux filasse et se faire faire une permanente par Mlle Thomson. Mais moi je suis contente qu'elle n'ait pas d'argent pour le faire, parce que je serais morte de rire, autrement.

Bref, j'ai regardé Joyce et sa mère sortir du salon de coiffure et descendre la rue, après quoi j'ai vu Barbara Hudson qui allait à la poste, sauf qu'elle n'avait pas de courrier. Sur ce, le docteur Stubbs est sorti de son cabinet en courant et m'a fait un grand signe en passant avant de monter dans sa voiture et de se diriger vers la grand-route. Justement, Lilian Graham se baladait en titubant sur la grand-route ; elle faisait des moulinets avec les bras comme si elle voulait éloigner les mouches ou quelque chose comme ça. Quand il l'a vue, le docteur Stubbs s'est arrêté et l'a mise dans sa voiture pour la ramener chez elle. Après ça, M. Bradley s'est garé devant le magasin de nourriture pour animaux et a chargé des sacs sur son chariot. Il était prêt à repartir quand Doris, sa vieille jument, qui, comme dit papa, est têtue comme une mule, a refusé d'avancer. Du coup, il est descendu de son chariot et est allé s'asseoir sur un banc avec le frère de M. Clyde, qui n'a jamais fait un seul travail honnête de sa vie.

Finalement, ce n'est qu'après le passage du train postal et le largage des sacs de courrier que Sudie a fait son apparition sur la voie ferrée. Tout de suite, je lui ai raconté comment j'avais feinté maman, mais tout ce qu'elle a trouvé à dire, c'est: «J'espère pour toi que tu l'as vraiment feintée!» Je lui ai dit que je ne me faisais plus de souci, maintenant, et que si elle voulait continuer d'être amie avec Simpson, je m'en fichais pas mal tant qu'il savait où était sa place et que personne ne les voyait jamais ensemble.

À peu près au moment où on devait recommencer l'école, le docteur Stubbs a dit à maman de rester au lit parce qu'autrement elle risquait de perdre le bébé. Moi, je ne comprenais pas très bien, parce que même si elle le perdait, elle ne mettrait pas longtemps à le retrouver. Son ventre était presque aussi gros qu'un ballon de basket et elle avait les pieds tout enflés. Le bébé ne devait pas arriver avant la fin mai, et j'ai dit à maman que je voulais le voir sauter de son ventre, mais elle a rigolé, parce que les bébés, ça saute pas du ventre, elle a dit, sauf qu'elle n'a pas voulu m'expliquer ce que ça faisait.

Je voulais que le bébé soit une fille. Je me serais bien passée d'un autre frère si ça ne tenait qu'à moi. Papa, il voulait un garçon. Mais c'est toujours comme ça avec les pères : ils préfèrent les garçons aux filles. C'est vraiment un truc que je ne comprendrai jamais. En tout cas, je vais vous dire une chose ! Si j'avais un frère et qu'il devenait comme Billy, je me barrerais de la maison tellement vite que vous n'auriez pas le temps de me voir passer.

Sudie a dit que si le bébé était une fille, elle lui ferait un beau cadeau. Je mourais de curiosité de voir ce qu'elle lui offrirait, mais je me disais qu'avec ma chance, ça serait sûrement un garçon, et Sudie avait prévenu qu'elle ferait pas de cadeau à un garçon, et ce n'était certainement pas moi qui aurais pu lui reprocher ça.

Le pasteur est venu à la maison et il a prié pour que maman ne perde pas le bébé. Du coup, j'ai prié aussi. Le pasteur est resté pour dîner, ce qui fait que maman a dû se lever (il faut dire que ma sœur est nulle en cuisine) pour faire du poulet, des biscuits et du pudding à l'ananas. Mmm, ce que c'était bon ! Ce soir-là, Sudie est passée et on a pris deux bols de pudding qu'on a mangé dehors sur le banc à côté du puits. Après ça, on a fait la chasse aux moucherons. J'en ai attrapé onze et Sudie neuf, et on les a enfermés dans un pot à confiture. Tout en les regardant, on a inventé des histoires de fantômes pour se faire peur, et ça a tellement bien marché qu'on est retournées dare-dare sur la véranda s'asseoir sur la balancelle. Alors là, on s'est balancées en chantant des chansons. On a chanté *Anchors Away* trois fois, *Off We Go into the Wild Blue Yonder* deux fois, *Gimme that Old Time Religion, Over There, Jesus Loves Me, My Sweet Little Alice Blue Gown* et plein d'autres encore.

Cette nuit-là, maman a perdu le bébé, mais pas très longtemps, vu qu'il était à côté d'elle dans le lit. Le docteur Stubbs et papa ont mis maman et le bébé, qui était une saleté de garçon, dans la voiture du docteur, qui les a emmenés à l'hôpital de Canter, parce que le bébé n'était pas assez gros; du coup, maman est restée neuf jours à l'hôpital, mais le bébé beaucoup plus, le temps qu'il prenne du poids. Papa a décidé d'appeler le bébé Nathan en souvenir de son père, c'est-à-dire de mon grand-père. De toute ma vie je n'avais jamais vu un bébé aussi maigre et aussi laid. À part un duvet roux, il était quasiment chauve. À mon avis, s'ils lui avaient donné le nom de grand-père, ça devait être parce qu'il était aussi ridé que lui.

Nathan était toujours malade et passait tout son temps à hurler. Moi, ça me rendait folle. C'était toujours comme ça avec les garçons. J'aurais pu leur dire. Sudie trouvait Nathan mignon pour un garçon, mais je savais qu'elle disait ça seulement parce qu'elle aimait bien les bébés. Et finalement elle lui a fait un cadeau quand même. C'était un dessin qu'elle avait fait elle-même: un gros ballon en caoutchouc bleu avec des étoiles blanches, qui était posé sur l'herbe à côté de Clabber (qui n'était pas très ressemblant) avec, dans le ciel, une grosse lune et des tas d'étoiles, comme sur le ballon. On a montré le dessin à Nathan, mais ça ne lui a pas remonté le moral du tout, et il a continué à hurler autant qu'il pouvait.

*
* *

On a recommencé l'école trois semaines et trois jours après l'incendie. Les hommes avaient construit des cloisons dans les bâtiments existants, et ils avaient fait cinq pièces dans la salle de gym et deux dans la cantine.

Pendant les travaux, il est arrivé un truc à Lem Coker qu'il faut que je vous raconte. Lem aidait les hommes, et ils avaient décidé de profiter de l'absence des gosses pour désinfecter les latrines. C'est un truc facile à faire sauf quand on est à moitié soûl comme l'était Lem Coker ce jour-là. Ce qu'on fait, c'est qu'on jette des boules de papier journal dans la fosse, puis on en enflamme une dernière qu'on jette dedans aussi. Quand ça commence à brûler, on va rajouter un peu d'essence de temps en temps pour activer le feu. Vous voyez, c'est simple. Mais Lem Coker, qui ne voulait pas perdre autant de temps, a versé dans la fosse vingt litres d'essence d'un coup. À ce moment-là, il a eu envie de faire ses besoins, du coup il a baissé sa salopette et s'est accroupi. Et pendant qu'il était en train, il s'est dit qu'il fumerait bien une petite cigarette, ce qui fait qu'il a craqué une allumette qu'il a jetée dans la fosse après avoir allumé sa cigarette.

M. Wilson se trouvait à peine à une cinquantaine de pas des latrines. Il a raconté plus tard qu'il avait eu l'impression que c'était la fin du monde et que le Seigneur revenait. L'explosion a soufflé le toit du cabinet où se trouvait Lem Coker, et M. Wilson s'est dit que le malheureux n'en réchapperait jamais. Il s'est précipité vers les latrines, mais à ce moment-là, Lem Coker est sorti en sautant comme un lapin et en vociférant contre la Terre entière, le tout avec la salopette au niveau des genoux et couvert de crotte de la tête aux pieds. Papa a ri à s'en décrocher la mâchoire quand il a appris ça, encore plus que la fois où l'oncle de M. Bradley s'est fait piquer par l'araignée, sauf que cette fois maman ne lui a pas donné de coups de louche sur la tête, vu qu'elle riait encore plus fort que lui.

À partir de ce jour-là, Sudie et moi, on a décidé d'appeler Lem «Crotter», pour Crotte et Coker, et c'est même le seul nom qu'on ait inventé qui soit devenu à la mode à Linlow. Maintenant, presque tout le monde l'appelle Crotter et même lui trouve ça drôle.

*
* *

On a dû faire trois semaines d'école de plus que d'habitude pour rattraper le temps qu'on avait perdu, ce qui fait qu'en juillet on allait encore en cours. Juste avant la fermeture de l'école, le principal a annoncé qu'il avait du travail pour tous les gosses qui voulaient gagner un peu d'argent. Il avait calculé que ça reviendrait moins cher de faire nettoyer les vieilles briques brûlées que d'en racheter des neuves pour reconstruire l'école. Il proposait un penny pour deux briques nettoyées. Tout le monde était surexcité, parce qu'il faut dire que c'est pas tous les jours que quelqu'un sur cette Terre vous donne l'occasion de devenir riche en nettoyant des briques. Et en travaillant le temps qu'il fallait, il y avait sûrement moyen de gagner au moins cent dollars! Vous imaginez! Cent dollars! Moi, je suis prête à parier qu'il n'y a pas beaucoup de grandes personnes qui aient déjà vu autant d'argent. Alors, un enfant, vous imaginez! Bobby Turner m'a raconté qu'une fois, il avait vu cent vingt-sept dollars et trente-six cents, mais pas pendant longtemps. C'était un jour où il était allé chez le docteur Stubbs, et que le docteur Stubbs était en train de compter son argent qu'il avait étalé sur la table de la cuisine. Bobby a demandé au docteur Stubbs de laisser les billets un petit moment sur la table pour qu'il puisse les regarder, mais le docteur Stubbs avait refusé du fait qu'il était pressé ce jour-là comme tous les autres.

Le docteur Stubbs, c'est l'homme le plus pressé de Linlow. Il passe tout son temps à courir. Je ne l'ai jamais vu s'asseoir sur un banc et discuter avec quelqu'un, même pour une minute. Comme elle dit maman, il va finir par se tuer s'il n'y va pas mollo, même si de toute façon c'est impossible, vu qu'il n'y a pas d'autre médecin dans les parages. En tout cas, j'espère que ça n'arrivera jamais, parce que moi, la seule personne devant qui j'accepte de me déshabiller, ça ne pourrait pas être quelqu'un d'autre que le docteur Stubbs. La fois où j'ai attrapé la varicelle, le docteur Stubbs est venu à la maison, et quand il m'a examinée et qu'il a vu ma poitrine, il n'était même pas mort de rire en voyant les bosses de mes nénés! Il n'a même pas souri ou cligné de l'œil ou rien du tout. Je le sais parce que j'ai surveillé tous ses mouvements. Même qu'un jour, il a vu le derrière de Sudie et qu'il n'a pas rigolé non plus. C'était quand elle avait attrapé la teigne sur les fesses, un truc incroyable, déjà, parce que moi je n'avais jamais entendu parler d'une teigne ailleurs que dans le cou, sous les cheveux. Ce jour-là, en sortant de chez le docteur, Sudie a essayé de piquer une boîte de baume qui était sur une étagère. Elle croyait qu'il ne regardait pas, mais il l'a surprise. Elle n'en menait pas large, mais il lui a demandé gentiment: «Tu as besoin de ce baume pour quelque chose de particulier, Sudie?»

Mais Sudie regardait par terre, alors il a ajouté : « Si tu as besoin de ce baume, tu peux le prendre. Ça ne me dérange pas. »

Sudie était toujours trop terrorisée pour répondre, alors il a essayé une troisième fois : « Quelqu'un s'est blessé ? Tu en as besoin pour quelqu'un qui s'est blessé ? Tu peux me le dire, Sudie. Je ne te punirai pas. Je ne le raconterai pas à ta mère. Tu veux bien m'expliquer ? »

Sudie regardait toujours par terre, mais elle a répondu : « C'est pour un opossum. Il a une blessure au cou. »

Alors, le docteur Stubbs lui a soulevé le menton pour voir ses yeux, et, sans sourire du tout, il lui a demandé : « Cet opossum est un de tes amis ? »

« Oui, monsieur », Sudie a répondu.

« Tu aimerais me l'apporter pour que j'examine sa blessure ? »

« Non, monsieur, je sais comment le soigner », elle a dit.

Le docteur Stubbs a souri et lui a tapoté l'épaule. Puis, il est allé prendre deux autres boîtes de baume sur l'étagère. Il les a mises dans un petit sac et il l'a tendu à Sudie. Il est incroyable, non ?

Un jour, j'ai dit à maman que le docteur Stubbs, c'était rien qu'un gros richard, et vous savez ce qu'elle m'a dit ? Qu'il pourrait être encore plus riche s'il voulait. Elle m'a expliqué qu'une fois sur deux il ne faisait même pas payer des gens comme les Coker, les Harrigan et les Reeves. Elle m'a raconté qu'une fois, il y a longtemps, quand les sœurs de Sudie étaient encore petites et que son frère venait de s'engager dans la marine, toute la famille à part Billy, qui est trop méchant pour attraper quoi que ce soit, avait attrapé la fièvre, même qu'il y en avait qui étaient restés malades pendant presque deux semaines, et que le docteur Stubbs était venu les voir au moins dix fois, tout ça sans accepter d'autre salaire qu'un pot de pêches en conserve et deux dollars.

C'était à l'époque où Sudie habitait juste à côté du pont, avant que M. Greason ne jette les meubles des Harrigan et tout ce qu'ils possédaient sur la route parce que ça faisait trois mois qu'ils n'avaient pas payé leur loyer. Ils lui devaient vingt-quatre dollars, vu que le loyer était de huit dollars par mois, mais comme le père de Sudie avait nettoyé la grange de M. Greason et réparé sa véranda, il ne restait plus que quatre dollars à payer. Alors là, le père de Sudie avait piqué une de ces crises! Il avait empoigné M. Greason comme un sac d'avoine et il l'avait jeté, blam! en plein milieu de la route, mais seulement parce que la mère de Sudie l'avait empêché de le balancer au-dessus du pont. Après ça, M. Greason l'avait fait enfermer dans la pièce qui sert de cellule dans la cave de la station-service de Puckett, même que ça n'avait servi à rien du tout, vu que le père de Sudie avait défoncé la porte illico.

Comme elle dit maman, s'il y a des gros richards dans cette ville, ce n'est pas les Stubbs: c'est les Cofield qui habitent dans une maison blanche à côté de l'église méthodiste, même qu'ils ont un cabinet à un trou rond à l'intérieur de leur maison et une vraie baignoire qui est longue. Moi, je n'ai jamais vu de cabinet à trou rond, Sudie oui, mais quand même pas à l'intérieur d'une maison. Elle m'a raconté que le cabinet de M. Wilson, qui est le mieux de tout Linlow, il avait *deux* trous ronds. Moi, je n'ai jamais vu de cabinet à deux trous, mais comme elle dit maman, ça doit être bien pratique quand on est constipé, parce que comme ça on peut aller au cabinet avec quelqu'un de vraiment marrant qui vous fait rigoler un bon coup pendant qu'on fait ses besoins, et hop, plus de problèmes. Il paraît que ça marche à tous les coups.

Tout ça pour dire que tous les gosses de la ville ont commencé à parler des trucs qu'ils voulaient acheter quand ils seraient riches. Moi, je voulais acheter une voiture de poupée, une vraie radio, un vélo, plein de crème glacée et des bonbons. Sudie voulait acheter un vélo, de quoi faire des bandages, une robe jaune avec de la dentelle sur le devant comme celle de Valérie Still et des chaussures à boucles, et pour Simpson, une chemise, une nappe et une nouvelle binette.

Le premier jour des vacances, il devait bien y avoir quarante gosses qui avaient envahi la cour de l'école dès neuf heures du matin pour nettoyer les briques. On nous avait dit d'apporter un marteau et un petit burin. Presque tout le monde en avait. Ceux qui avaient un marteau mais pas de burin avaient soit un morceau de tuyau en cuivre soit une sorte de lame. Sudie avait un marteau et une vieille lame de hachette rouillée qui ne valait pas un clou.

Gratter des briques, c'est atroce! Moi qui croyais qu'on allait devenir riches en une journée, à midi je n'en avais gratté que vingt-trois! Le lendemain, seulement dix-neuf gosses sont revenus. Le surlendemain, douze. Moi, j'ai gagné quatre-vingt-un cents en tout avant d'arrêter. Sudie a emprunté le burin de M. Wilson et elle a travaillé tous les jours pendant douze jours sauf le dimanche. Elle a gagné six dollars et onze cents. Mais c'est Jamey Davis, le cousin de Nettie, qui a tenu le coup le plus longtemps avec vingt-deux jours et treize dollars et quarante cents. Il faut dire qu'il a quinze ans et qu'il avait le burin le mieux aiguisé.

À la fin, Sudie ressemblait à une vraie négresse et elle avait les mains tellement écorchées qu'elle a dû se les recouvrir entièrement de baume noir. Avec l'argent, elle s'est acheté de quoi faire des bandages, du sparadrap et trois pots de baume noir pour ses animaux. Elle a donné trois dollars à sa mère, et elle a acheté une toile cirée verte et blanche pour Simpson. Elle a aussi acheté une boîte d'aquarelles, un petit pinceau et deux glaces au chocolat pour elle et moi. Mmm, ce que c'était bon!

*
* *

Ça faisait trois semaines que Sudie n'avait pas vu Simpson, ce qui fait qu'elle était tout excitée à l'idée de lui donner son cadeau. On a trouvé une vieille boîte à chaussures pour la toile cirée. On est allées demander à M. Hogan du papier kraft, et comme il en a un rouleau entier sur un dévidoir, il nous en a déchiré un morceau qu'on a collé autour de la boîte à chaussures avec un mélange de farine et d'eau bien collant. Après ça, Sudie a dessiné plein de pâquerettes sur des feuilles de bloc-notes, et elle les a peintes en jaune. On les a découpées et on en a collé un peu partout sur l'emballage marron, même en dessous. Elle a découpé deux longues bandes de papier, et après avoir dessiné des pâquerettes dessus, elle en a fait un gros nœud qu'on a collé sur le dessus de la boîte. Je devais bien admettre que c'était le plus beau cadeau que j'aie jamais vu.

Je l'ai accompagnée sur la voie ferrée jusqu'au pont, mais après ça j'ai escaladé le remblai et je suis rentrée chez moi.

Quand Sudie est arrivée chez Simpson, il n'était pas encore rentré, alors elle a décidé de faire un peu de ménage. Elle a ouvert la porte et la fenêtre pour faire entrer plein d'air frais. Et après avoir balayé le plancher, elle est allée tirer plusieurs seaux d'eau qu'elle a répandus par terre et épongés. Puis elle a refait le lit et a remis les livres bien droit. Comme il n'arrivait toujours pas, elle a couru aussi vite que possible jusqu'à la voie ferrée, puis jusqu'à un champ de carottes sauvages qu'elle connaissait. Elle en a cueilli une énorme brassée (un truc que maman et moi, on ne pourrait jamais faire, vu que ça nous fait éternuer sans arrêt, pleurer et enfler les yeux comme si on s'était fait piquer par une guêpe). Une fois revenue chez Simpson, elle a mis de l'eau dans le vase rose qu'elle a garni avec les fleurs sauvages. Elle a posé le vase au milieu de la table, et son cadeau juste à côté.

Elle ne savait plus combien de temps elle avait dû attendre. Elle commençait à s'inquiéter, parce que le ciel s'était couvert. Le soleil avait disparu et on entendait des roulements de tonnerre au loin. Il n'était toujours pas là quand elle a commencé à entendre des gouttes de pluie éparses s'écraser sur le toit de tôle. Quand enfin elle l'a vu arriver, elle est vite allée se cacher sous la véranda. En sifflotant, Simpson a remonté le chemin et il est entré dans la maison.

Il a dû rester à l'intérieur pendant une éternité, après quoi il est ressorti sur la véranda en criant à la ronde : «Je parie qu'il y a une princesse des fées cachée quelque part dans ma maison. Où est-elle ?»

Sudie n'a pas pu s'empêcher de rigoler.

«Parlez-moi, Princesse des fées. J'ai cru entendre une petite princesse des fées rigoler sous ma véranda. Est-ce possible ?»

«Surprise, Simpson!» Sudie s'est écriée en sortant de sa cachette.

Il a sauté de la véranda, il l'a attrapée et il l'a fait virevolter dans tous les sens. Puis, la gardant dans ses bras, il a remonté les marches et s'est arrêté sur le seuil.

«Regardez-moi cette pièce, Miss Sudie ! Regardez-moi ça ! Je crois bien qu'une princesse est entrée ici en secret et qu'elle en a fait une pièce magique. Vous ne trouvez pas que c'est la plus belle pièce que vous ayez jamais vue ?»

«Faut pas exagérer, Simpson», elle a fait en rigolant.

«Et arrêtez de me dire que j'exagère, Miss. Vous croyez que nous pouvons poser le pied dans une pièce magique comme ça ? J'ai peur qu'elle disparaisse quand nous toucherons le sol.»

«Allez, Simpson, on rentre, maintenant. Je vous ai apporté un cadeau !»

«J'ai bien vu ce cadeau, Miss Sudie. Pour sûr que je l'ai vu. C'est le cadeau le plus chic et le plus beau que j'aie jamais vu.»

Il l'a portée jusqu'à la table. Sudie s'est tortillée pour qu'il la pose et elle s'est mise à faire des bonds autour de la table.

«Allez-y, ouvrez, Simpson ! Ouvrez !»

«Mais, petite fille, je ne peux pas. Je vais l'abîmer. Il est bien trop beau pour que je l'ouvre !»

«Vous devez l'ouvrir, Simpson ! C'est juste des trucs dessinés. C'est même pas du vrai papier-cadeau. Allez-y, Simpson, ouvrez !»

Simpson a sorti son canif de sa poche et, très soigneusement, il a découpé le dessus de la boîte, ce qui fait que le papier n'était même pas froissé et que le nœud était toujours aussi joli. Il a posé le couvercle sur la table, puis il a sorti de la boîte la toile cirée à carreaux verts et blancs qu'il a laissée se déplier en la tenant devant lui.

«Miss Sudie !» il s'est exclamé. «C'est une nappe ! Une vraie nappe ! Une nappe toute neuve ! Mais je ne peux pas accepter. Je ne peux pas vous laisser...»

«Bien sûr que si, vous pouvez», elle a dit, «j'ai gagné l'argent moi-même en grattant des briques à l'école. Craché, juré ! J'ai gagné six dollars et onze cents en deux semaines. C'est beaucoup, hein? Moi, j'avais jamais vu autant d'argent, et vous?»

Tout à coup, le visage de Simpson a perdu son sourire. Avec un air vraiment grave, il s'est accroupi devant elle et l'a serrée dans ses bras. Elle sentait l'odeur de sa transpiration sur sa vieille chemise bleue. Il a gardé Sudie contre lui pendant un moment sans parler, rien qu'en lui tapotant le dos. Après ça, il s'est relevé et a retiré le vase de la table pour le poser par terre. Il a installé la toile cirée sur la table très soigneusement, jusqu'à ce qu'il y ait une longueur égale de chaque côté, après quoi il l'a lissée avec les mains pour aplatir les faux plis. Il a reposé le bouquet de carottes sauvages au milieu de la table, et il s'est reculé pour admirer l'ensemble.

Sudie m'a raconté que c'était tellement joli qu'elle en explosait presque de fierté. Toutes ces couleurs! La toile cirée brillante à carreaux verts et blancs. Le vase rose pâle et l'immense bouquet de petites fleurs blanches. C'était beau comme un tableau.

Ils sont restés tous les deux en admiration pendant un bon moment, puis comme Simpson ne disait rien, elle a levé les yeux vers lui. De grosses larmes coulaient sur son visage et s'écrasaient sur sa chemise. En voyant ça, elle a bien cru qu'elle allait mourir sur place. De toute sa vie elle n'avait jamais vu un homme pleurer, à part aux enterrements, ce qui ne compte pas vraiment. Elle ne savait plus quoi dire ou quoi faire. Elle restait plantée là sans oser le regarder, les yeux rivés sur la table. Elle avait envie de lui tapoter le dos, mais elle ne savait pas si c'était une chose convenable à faire ou pas. Une fois, elle avait vu Mme Wilson tapoter le dos de M. Higgens quand son père était mort, mais Mme Wilson est une grande personne. En écoutant le crépitement des gouttes de pluie, maintenant beaucoup plus lourdes et rapides, elle s'est souvenue de cette fois où elle avait demandé au pasteur Miller si les gouttes de pluie étaient les larmes de Dieu ; il avait éclaté de rire, et elle s'était sauvée en courant tellement elle était gênée.

D'ailleurs, elle commençait à être pas mal gênée à force de rester plantée là sans rien faire, sans rien dire ; alors elle a repensé à l'odeur de transpiration sur la chemise de Simpson. Elle aurait voulu qu'il la garde plus longtemps dans son odeur. Elle se sentait bien quand il la tenait dans ses bras. C'était la première fois qu'elle éprouvait une chose pareille. C'était bon comme quand on se met au lit dans une chambre glacée et qu'on se pelotonne sous la pile de couvertures. Au début, le drap est glacé, mais au bout d'un petit moment on commence à se réchauffer, et on finit par avoir tellement chaud qu'on a l'impression d'être devant un feu de cheminée, et on se blottit, et on a sommeil, et on est tellement bien qu'on n'a même pas envie de s'endormir.

Pendant qu'elle réfléchissait, toujours debout, Simpson a pris une profonde inspiration et a essuyé ses larmes du revers de la main. Il a sorti un vieux chiffon de sa poche et s'est mouché. Comme il fallait dire quelque chose, elle a demandé :

« Ça ne vous plaît pas, Simpson ? »

Il s'est mouché encore une fois avant de ranger le chiffon dans sa poche. Puis, il lui a fait un énorme sourire. Des larmes coulaient encore sur ses joues.

« C'est une merveille, petite fille ! Une pure merveille ! »

« Ça vous plaît, alors ? »

« Miss Sudie », il a répondu, « si ça me plaisait plus, je ne pourrais pas le supporter. »

Simpson est allé chercher le marteau et a cloué le couvercle de la boîte et le nœud décoré de pâquerettes jaunes à côté du dessin que Sudie lui avait offert pour Noël. Après quoi, il a pris la boîte et s'est dirigé vers l'étagère de la cuisine. Il a enlevé les deux cuillères du pot à confiture et les a mises dans la boîte avant de la poser sur la table à côté du vase.

«Miss Sudie», il a dit, «on dirait que finalement j'ai trouvé quelque chose d'assez beau pour ranger mes cuillères. J'avais déjà essayé avec une boîte à cigares et une boîte de conserve, mais ce n'était pas assez bien. Vous ne trouvez pas que cette boîte avec ces pâquerettes, c'est exactement ce qu'il faut pour mes cuillères?»

Sudie trouvait que cette grande boîte à chaussures avait l'air un peu bête avec ces deux cuillères posées à l'intérieur, mais elle ne lui aurait jamais dit pour tout l'or du monde. «Ça fait très joli», elle a répondu.

Alors, il s'est approché d'elle et a posé la main sur sa joue et, la regardant dans les yeux, il a dit: «Petite fille, c'est un magnifique cadeau. Je vous remercie, Miss Sudie.»

Elle lui a tapoté le bras: «Y a pas de quoi», elle a répondu.

À ce moment-là, il y a eu un énorme claquement, un éclair, puis un coup de tonnerre violent comme une explosion. Sudie a sursauté. Simpson s'est précipité pour la prendre dans ses bras.

«Oh, petite fille», il a dit, «vous avez peur de l'orage, c'est ça? Je suis désolé. J'étais tellement sur mon petit nuage que je n'ai même pas remarqué. Je suis désolé.» Il lui a tapoté le dos. «Ce n'est rien. N'ayez pas peur, Miss Sudie.»

Pendant qu'il la tenait, elle enfouissait sa tête dans son épaule. Sudie n'avait jamais eu peur de l'orage, mais c'était pas ce jour-là qu'elle allait le lui dire. Elle était trop heureuse de fourrer le nez dans la chemise bleue.

Quand l'orage s'est calmé et qu'on n'entendait plus qu'un léger crépitement de pluie sur le toit de tôle, ils se sont assis et ils ont discuté longtemps. Simpson lui a parlé d'orages qu'il avait vus au Texas, et elle d'un énorme cyclone dont sa mère et ses sœurs lui avaient parlé. Simpson avait déjà essayé de la faire parler de sa famille, mais cette fois encore, elle a changé de sujet. Elle a parlé un peu de l'école et de quelques gosses.

Quand Sudie a commencé à poser des questions à Simpson sur sa femme, il a eu l'air d'hésiter, mais finalement elle a réussi à le lancer, et une fois parti, il lui en a raconté un bon morceau.

Sa femme avait été institutrice. Elle était plus jeune que lui. C'était une femme aussi douce que belle, et quand elle est morte, il a cru que sa vie était finie, et quand sa petite fille est morte, il a su que sa vie était vraiment finie. Après ça, il lui a décrit dans les moindres détails la maison qu'il leur avait construite sur un terrain de quatre hectares, à dix kilomètres de Birmingham, qu'il avait acheté. Il y avait quatre pièces et deux cheminées. Il avait coupé presque tous les rondins lui-même et avait construit la maison de ses mains. Il lui a parlé des rideaux, des draps et des courtepointes que sa femme avait confectionnés elle-même. Celle avec les anneaux de mariage était la première qu'elle avait faite. Il lui a parlé du fumier qu'ils étaient allés chercher dans les bois et qu'ils avaient transporté par brouettes entières jusque chez eux pour le mélanger à la terre, et de leur potager où poussaient les légumes les plus délicieux qu'il ait jamais mangés. Ils étaient retournés chercher du fumier dans les bois et du sable dans le lit des ruisseaux, et avec tout ça ils avaient fait un jardin sur le devant, presque aussi grand que la maison. Dans ce jardin, sa femme avait planté des pétunias qui sentaient tellement bon que, lorsque le vent poussait le parfum vers la maison, il allait s'asseoir devant la fenêtre de la cuisine ou de la chambre rien que pour le respirer, et il avait les larmes aux yeux en pensant aux bienfaits que le Bon Dieu lui avait donnés.

Sa femme lui rapportait des livres de classe parce qu'il devait étudier pour son diplôme de fin d'études, mais finalement elle était morte avant qu'il ne l'ait passé. Quand il a raconté ça à Sudie, il s'est effondré et s'est mis à sangloter comme un bébé, et cette fois, Sudie a pleuré avec lui et lui a tapoté l'épaule, le dos et la main.

À ce moment-là, il a remarqué toutes les écorchures que Sudie avait sur les mains, même qu'il a failli refondre en sanglots quand il lui a demandé si c'était en grattant les briques qu'elle s'était fait ça. Elle lui a expliqué qu'elle voulait gagner encore plus d'argent, comme ça elle pourrait s'acheter des tas d'autres trucs comme un vélo et une robe jaune, et pour lui une chemise et une binette. Sur ce, il lui a fait promettre de ne plus jamais dépenser d'argent pour lui, et il l'a harcelée jusqu'à ce qu'elle ait juré. Après ça, il lui a fait décrire le genre de robe qu'elle voulait, alors elle lui a parlé de la robe de Valérie Still qui avait de la dentelle sur le devant et qui la rendait tellement jolie que Sudie la détestait, et de la fois où Valérie lui avait piqué son amoureux.

Il lui a dit qu'elle était aussi jolie que Valérie ou que n'importe quelle autre fille (ce qui n'est pas vrai du tout) et qu'il était persuadé qu'un de ces jours, elle aurait sa belle robe jaune et que quand elle sortirait avec dans la rue, tout le monde se dirait qu'une vraie princesse était arrivée à Linlow.

Plus tard, ils ont mangé de la soupe qu'il avait faite avec des jeunes légumes de son potager et des beignets de maïs qu'il a réchauffés dans la poêle. Puis il l'a raccompagnée jusqu'à la voie ferrée.

Cinquième partie

La grande découverte mondiale de Sudie
et
la malédiction d'Ève

Comme elle a dit maman, ça devait faire au moins vingt ans qu'on n'avait pas eu un été aussi chaud. Il n'a pratiquement pas plu, du coup tous les jardins se sont desséchés, tous sauf celui de Simpson. Et si son jardin ne s'est pas desséché, c'est parce qu'il avait étudié la question. Sudie racontait qu'il savait comment fabriquer un système pour faire couler l'eau du ruisseau directement dans son jardin. Il lui avait montré des dessins dans un livre. Tout ce qu'il y avait à faire, c'était de construire un barrage sur le ruisseau, le plus près possible du jardin. Puis, du côté du ruisseau qui est en pente, il fallait creuser un fossé jusqu'au jardin. Après ça, on creusait des fossés plus petits entre les rangées de légumes et on mettait une grosse planche, une bûche ou quelque chose comme ça, à l'entrée du fossé principal, côté ruisseau. Et tout ce qu'il restait à faire quand on voulait arroser le jardin, c'était de mettre en place la grosse planche pour faire dévier l'eau jusqu'au jardin. Vous voyez? C'est simple comme bonjour. J'ai raconté à papa qu'à l'école j'avais entendu parler d'un nègre qui avait fait ça dans son jardin, et il a répondu que c'était inquiétant pour un nègre d'être aussi malin.

Simpson a donné à Sudie un énorme sac rempli de haricots verts, de courges, de tomates, de poivrons et d'oignons. À quatre heures du matin, il avait trimballé le sac jusque chez elle et s'était glissé dans le jardin où il avait déposé le sac à côté du puits. Sudie m'a raconté que sa mère avait loué le Seigneur, et qu'elle avait dit que c'était un miracle et que Dieu avait exaucé ses prières, vu qu'ils étaient tous à moitié en train de mourir de faim. Et c'est comme ça que Dieu a exaucé ses prières tout au long de l'été et de l'automne, et à chaque fois Sudie et moi on rigolait comme des folles parce que ç'aurait été vraiment un truc à se tordre de rire par terre si sa mère avait pris Dieu sur le fait et qu'elle s'était rendu compte qu'Il était noir !

Quand Simpson a installé son barrage, il en a profité pour creuser une adorable petite mare. Elle n'était pas assez grande pour nager, mais Sudie pouvait s'y plonger tant qu'elle voulait pour se rafraîchir. Sur le bord, il y avait un vieux chêne qui étendait ses grosses branches au-dessus de l'eau comme une maman poule protégeant ses petits sous son aile. Simpson avait attaché une corde à l'une des branches, ce qui fait que Sudie pouvait se balancer et se laisser tomber dans l'eau. Comme Sudie adorait cet endroit, ils y sont allés tous les jours pendant la canicule.

C'est un jour qu'ils étaient à la mare que Sudie a fait sa grande découverte mondiale. C'était elle qui n'arrêtait pas d'appeler ça comme ça. À chaque fois, je lui disais que c'était impossible, vu qu'une découverte vraiment mondiale, ça voulait dire que tous les gens du monde entier devaient être mis au courant. Cette enragée me répondait qu'elle était vraiment mondiale, sa découverte, puisqu'elle avait l'intention de mettre au courant le monde entier. Alors finalement, je lui ai juste expliqué que ça ne serait pas du gâteau, vu qu'elle n'avait jamais fichu un pied hors de Linlow, sauf une fois pour aller à Hog Mountain.

Bref, ça faisait quelque chose comme deux heures qu'ils étaient là-bas et, appuyé contre le chêne, Simpson regardait Sudie jouer dans l'eau. Elle commençait à être crevée à force d'essayer de faire la planche et de ne pas réussir. Entre parenthèses, je voudrais dire que moi, je sais. Et Sudie, elle ne comprend pas pourquoi je flotte comme un poisson mort, alors qu'elle, le seul truc qu'elle sait faire, c'est couler. Je lui ai dit que c'était parce qu'elle était trop maigre, mais elle, elle trouve que ça n'a rien à voir. Du coup, au bout d'un moment, elle en a eu marre. Simpson l'a aidée à sortir de l'eau et elle s'est allongée sur le bord.

Elle est restée comme ça un moment à regarder le ciel à travers les branches. Toujours appuyé contre son arbre, Simpson somnolait. Du coup, se tournant sur le ventre, elle a posé la tête sur son bras histoire de faire une petite sieste aussi. À ce moment-là, elle a senti qu'elle avait du sable sec collé à l'intérieur du bras, là où elle est moins bronzée. Elle a levé la tête, et elle allait se frotter le bras quand elle s'est aperçue que si elle n'avait pas repéré le sable tout de suite, c'était parce qu'il était exactement de la même couleur que sa peau. Elle trouvait que c'était un truc super intéressant de pouvoir se dire qu'elle avait la peau couleur sable. Elle était là à regarder son bras et à caresser du doigts les grains de sable quand elle s'est rendu compte qu'elle était allongée sur de la terre. Cette terre était presque noire. Elle s'est retournée pour regarder autour d'elle. La terre du jardin était du même noir que celle qui bordait la mare. Elle a jeté un coup d'œil à Simpson: la terre était exactement de la même couleur que lui.

Comme elle n'avait jamais pensé au fait qu'il existait différentes couleurs de terre, elle a réfléchi à la question un petit moment. Un pivert martelait un tronc d'arbre. Il existait aussi différentes couleurs d'oiseaux, toutes plus jolies les unes que les autres. C'était la même chose pour les animaux. Et les fleurs. Et aussi bien pour les oiseaux, les animaux que les fleurs, c'était impossible de dire qu'une couleur était mieux qu'une autre. Un rouge-gorge, ça n'était pas mieux qu'un geai bleu. Un chien marron, ça n'était pas mieux qu'un chien noir. Une rose rouge, ça n'était pas mieux qu'une rose jaune.

Et puis elle a pensé à Dieu, qui avait donné des couleurs différentes à toutes ces choses qu'Il avait créées. Comment avait-Il décidé de donner telle couleur à telle chose, surtout en un jour ? À sa place, ça lui aurait au moins pris un an pour choisir entre toutes ces couleurs, et Lui, Il avait fait ça en un jour. Il avait fait les créatures, les plantes et les fleurs, le tout en un jour. C'était tellement énorme comme idée qu'elle n'arrivait pas à la faire tenir dans sa tête. Il devait y avoir des milliards et des milliards de plantes et d'animaux : et Il avait fait tout ça en un seul jour. Après ça, Il s'était reposé. « Ce qui est sûr », elle se disait, « c'est qu'à sa place, je me serais reposée aussi si j'avais fait tout ça. »

Elle a arrêté d'y penser une minute. Elle était toujours allongée, et elle s'est remise à regarder la terre. « Non », elle s'est dit brusquement, « Il ne s'est pas reposé, après ça. Puisqu'Il a créé Adam. » Ça n'avait pas dû être évident, comme truc. Une fois, elle avait essayé de se fabriquer une poupée en chiffon avec une vieille chaussette, qui était devenue le machin le plus raté qu'elle ait jamais vu. Il faut dire qu'elle avait toujours été nulle en couture. Elle imaginait Dieu fabriquant Adam avec une de ses vieilles chaussettes et se piquant le doigt avec l'aiguille, sauf que Lui, bien sûr, Il ne disait jamais de jurons.

En entendant la plainte d'un engoulevent, elle s'est demandé pourquoi Dieu avait fait le cri de cet oiseau aussi triste. Et puis Adam lui est repassé par la tête. En tout cas, Dieu avait dû mettre beaucoup plus de temps à fabriquer Adam qu'un engoulevent. C'était à partir de la poussière qu'Il avait modelé Adam; c'était inimaginable le temps que ça avait dû lui prendre de coller un à un tous ces grains de sable. Elle a pris une poignée de sable qu'elle a laissé couler entre ses doigts. Il y avait de quoi rendre quelqu'un aveugle à force! Elle a pris une poignée de terre noire qu'elle a laissée couler entre ses doigts. C'est à ce moment-là qu'elle a fait sa découverte. «Simpson, ça y est, j'ai trouvé!» elle a hurlé en sautant sur ses pieds.

Le pauvre Simpson était à moitié endormi, et elle lui a fichu une de ces trouilles! Il a fait un de ces bonds! On aurait dit qu'il venait de se faire tirer dessus.

«Quoi!» il a beuglé.

Pendant qu'il secouait la tête comme pour essayer de s'éclaircir les idées, Sudie lui a fourré une poignée de terre en plein sous le nez.

«Simpson, regardez! Regardez! J'ai trouvé, Simpson! Oh, Simpson, c'est sûr que c'est ça! Ça y est!»

Simpson a regardé la terre, puis le visage de Sudie.

«Petite fille», il a dit, «ne me faites pas des peurs pareilles. J'ai cru que vous étiez en train de vous noyer!»

Sudie cabriolait autour de Simpson sans lâcher sa terre. «J'en reviens pas!» elle braillait, tellement fort qu'on devait l'entendre jusqu'à Canter.

La bouche à moitié ouverte, Simpson restait assis à la regarder avec des yeux ronds.

«Vous allez voir quand je vais dire ça au pasteur! Quand je vais dire ça à Mary Agnès! Quand je vais dire ça... Oh, Simpson... oh!»

Sur ce, partant en vol plané, elle a atterri en plein dans l'eau. Elle a trifouillé au fond de l'eau une minute avant de remonter sur le bord les deux mains remplies de sable. Les levant au-dessus de sa tête, elle a laissé couler le sable sur ses cheveux, son visage et ses épaules. «Regardez, Simpson», elle a fait en lui tendant ce qu'il lui restait de sable, «vous voyez? C'est exactement la même couleur que moi! Regardez! Exactement la même! Vous voyez?!»

Simpson avait l'air un peu perplexe. Il a secoué la tête et a posé son menton sur sa main. «Je vois, petite fille», il a fait en souriant.

«Mais Simpson, vous ne voyez pas de quoi je parle? Vous ne voyez vraiment pas?»

«Je crois bien que non», il a répondu.

Sudie a sauté dans l'eau en faisant des éclaboussures partout. «Oh, Simpson!» elle a hurlé. «C'est ce que Dieu a fait! C'est tout! C'est simple! Simpson! C'est simple comme bonjour! Comment ça se fait que vous ne m'avez jamais rien dit?» Elle a replongé dans l'eau pour émerger en brandissant deux poignées de sable. «C'est de cette couleur qu'Il m'a faite, moi! C'est ça!» Elle a fait plusieurs tours sur elle-même avant de s'arrêter en tendant le doigt vers la terre du bord. «Et c'est de cette couleur qu'Il vous a fait, vous! C'est exactement la même!»

Simpson voulait dire quelque chose, mais elle était déchaînée.

«Simpson! Et les Indiens, Simpson! Vous ne savez pas? Il a fait les Indiens avec de l'argile rouge! Qu'est-ce que vous en dites? Il a fait les Indiens avec de la poussière d'argile rouge! Facile!» Là-dessus, elle s'est mise à frapper des mains et à chanter à tue-tête: «Ouiii, Simpson, de l'argiiile rouououge, de l'argiiile rouououge! Vous comprenez, maintenant?»

Maintenant, Simpson était mort de rire. Il ne l'avait jamais vue dans cet état. Il ne comprenait rien à ce qu'elle racontait, mais il ne voulait pas l'interrompre, ce qui fait que quand elle s'est mise à chanter, il a entonné «Ouiii, argiiile rouououge!» avec elle en frappant dans ses mains.

«Vous comprenez, maintenant? Oh, Simpson, c'est simple! Dieu nous a tous fabriqués avec des poussières de couleurs différentes! C'est marqué dans la Bible! Vous comprenez, maintenant? Dieu ne vous a pas fait noir pour vous punir d'aucun péché! Dieu n'a pas fait les gens d'une certaine couleur pour les punir de rien du tout! C'est tellement simple! Dieu a donné telle ou telle couleur aux gens, parce qu'à tel moment Il se trouvait sur telle ou telle couleur de poussière!»

Jusque-là, le délire de Sudie avait bien fait rigoler Simpson. Mais ça lui a soudain coupé le sifflet quand elle a dit ça. Toujours assis, il regardait avec des yeux ronds Sudie cabrioler et s'égosiller. Finalement, il s'est levé et, traversant la terre noire du bord, il est entré dans cette eau boueuse tout habillé. Il l'a prise dans ses bras et l'a serrée très fort contre lui. Après ça, il a pris Sudie dans un bras et a agité sa main libre bien haut au-dessus de sa tête. Et, de sa grosse voix tonitruante, il a déclamé: «Vous avez entendu cette enfant, Seigneur?! Seigneur, je crois bien qu'elle a trouvé l'explication! Vous entendez cette enfant, Seigneur? Écoutez, Seigneur! Si ce n'est pas ça la bonne explication, alors je ne veux pas la connaître!»

*
* *

Le 13 août, je suis devenue une femme. Blam! Sans crier gare. Jamais je n'avais été aussi gênée et aussi catastrophée. Devenir une femme, c'était le dernier truc qui m'intéressait, mais on ne m'a pas demandé mon avis. Ce n'est pas juste ! Je suis encore trop petite pour devenir une femme. Je ne voulais pas devenir une femme avant d'être vieille. Maman, elle a toujours dit qu'être une femme, c'était un fardeau trop lourd à porter, et je peux vous dire maintenant que c'est la pure vérité. De toute façon, maman dit toujours la vérité, sauf des fois, quand elle est obligée de mentir à papa. Le truc le plus horrible, c'est que je ne savais même pas que j'étais devenue une femme. Ça m'est tombé dessus comme ça, exactement comme Russell Hamilton quand il pique sa crise. Jusqu'ici, j'étais une fille, et une minute plus tard, je suis devenue une femme. Blam !

Ça m'est arrivé trois jours après mon onzième anniversaire. Jamais je n'oublierai ça même si je dois vivre cent ans, sauf que j'espère bien que non, parce que moi, je n'ai pas envie de me farcir cette crasse aussi longtemps. C'est arrivé un jour où Sudie et moi, on était à l'Endroit Secret parce qu'il n'y avait que là qu'il faisait frais. On avait amené deux seaux d'eau pour les animaux et on était crevées de les avoir trimbalés jusque-là. Quand on a émergé dans la grande pièce, on s'est laissées tomber sur le tapis de branches de pin, les bras en croix comme deux mortes. Au bout d'un long moment, Sudie s'est levée en disant qu'elle allait donner à boire aux animaux. En se penchant pour prendre le seau, elle m'a demandé : « Tu t'es fait mal ? »

« Hein ? » j'ai fait, à moitié endormie.

« Tu t'es fait mal ? » elle a répété.

« Non », j'ai répondu.

« Je te jure que si. »

« Je te dis que non. »

« Tu saignes. »

Je me suis assise et j'ai examiné mes bras et mes mains, et puis mes jambes. « Mais non », j'ai dit.

«Tu as dû te couper à la fesse ou quelque chose comme ça. Tu as du sang sur ta culotte.»

«Oh?» j'ai dit. J'ai regardé ma culotte: elle était toute tachée de sang. J'étais à moitié morte de peur, il y avait vraiment beaucoup de sang. J'ai sauté sur mes pieds, j'ai enlevé ma culotte et je me suis retournée pour lui montrer mon derrière.

«Alors?» j'ai demandé.

«Non, tu as pas de coupure sur le derrière. Ça doit être ton Truc, alors.»

Je me suis baissée plus bas.

«C'est pas ça non plus. Je vois rien sur ton Truc.»

Je me suis accroupie comme pour faire pipi et j'ai regardé mon Truc. Quelle horreur! C'était plein de sang!

«Mais si, j'ai une coupure là!» j'ai braillé, de plus en plus terrorisée.

«Si c'était une grosse coupure, tu aurais vachement mal, non?»

«Mais ça fait pas mal du tout!»

«Écoute, je vais aller chercher un chiffon et tu vas t'essuyer. Comme ça on pourra la voir, cette coupure.»

«D'accord. Dépêche-toi.»

Elle est revenue avec un chiffon blanc et j'ai essuyé le sang du mieux que je pouvais. Puis, je me suis penchée la tête jusque par terre pour regarder. Ça saignait toujours!

«C'est pas possible! Ça doit être énorme comme coupure!» j'ai hurlé en éclatant en sanglots.

«Mais enfin», elle a dit, «comment tu pourrais avoir une coupure pareille sans avoir mal? Écoute, arrête de pleurer. Si tu as pas mal, c'est que c'est pas si grave que ça. Je vais aller chercher le baume et les bandages et on va te bander ça. Maintenant arrête de pleurer!»

J'ai essayé de me contrôler. Comme je ne sentais vraiment rien et qu'il n'y avait même pas de coupure, c'est qu'elle devait avoir raison. Ça ne pouvait pas être si grave que ça. Elle m'a passé le baume, mais j'ai dû encore essuyer le sang avant de pouvoir en mettre. Après ça j'ai mis une compresse entre mes jambes, et Sudie l'a attachée avec du sparadrap. Sauf que ça ne tenait pas du tout! Quand je bougeais, j'avais la compresse qui sortait de mon Truc.

«Tiens», elle a dit en me tendant un long morceau de sparadrap. «Colle ça au-dessus de ton Truc, passe-le entre tes jambes et colle le bout sur ton derrière.» J'ai fait ce qu'elle a dit, mais c'était horrible comme impression! Mais bon, ça tenait quand même un peu mieux.

«Je crois que ça bougera plus quand tu remettras ta culotte», elle a dit.

J'ai remis ma culotte et j'ai eu l'impression que ça allait tenir. Mais en fait, non. Du coup, on a dû tout recommencer, sauf qu'il ne restait plus qu'un tout petit morceau de sparadrap. Cette fois, on a mis deux compresses et on a collé le morceau de sparadrap en travers, sur mon Truc. Après ça, on a découpé deux longues bandes dans des chiffons, on les a passées entre mes jambes et on a essayé de les attacher, mais il n'y avait rien à faire. Ça tombait quand même. J'étais vraiment désespérée, maintenant. À bout de nerfs, aussi. Je me suis remise à pleurer.

«Arrête, Mary Agnès», elle a dit. «Viens, on va aller prévenir ta mère, comme ça elle t'emmènera voir le docteur Stubbs.»

«Oh non!» j'ai braillé. «Moi, je veux pas montrer mon Truc au docteur Stubbs!»

«On va juste prévenir ta mère, alors.»

«C'est pas possible. Elle va me fouetter!»

«Pourquoi?» elle a demandé. «C'est pas de ta faute si tu as une coupure à ton Truc!»

«Je peux pas te dire pourquoi», j'ai répondu en sanglotant.

«Qu'est-ce que c'est que ces histoires? Moi, je t'ai toujours tout raconté. Tu parles d'une meilleure amie!»

«Mais tu vas me détester, après!»

«Je te jure que non!»

«Je te jure que si!»

«Je te jure que non!»

«Tu diras rien, alors?»

«Tu sais bien que non.»

«Ben...» j'ai commencé en me retournant pour qu'elle ne voie pas ma tête. «Ben... euh... maman va me fouetter parce que je chatouille mon Truc!» j'ai dit à toute vitesse avant de changer d'avis. Sur ce, je me suis jetée par terre en sanglotant.

Elle n'a rien répondu. Elle s'est assise par terre à côté de moi en attendant que je me calme. Au bout d'un moment, j'ai dit: «Tu vois! Tu me détestes, maintenant!»

«Mais enfin, je te jure que non! Mais je vois pas pourquoi ta mère devinerait que tu chatouilles ton Truc, tout ça parce tu t'es coupée à cet endroit-là.»

«Justement, peut-être que c'est pas une coupure!»

«Mais forcément que si! Autrement tu saignerais pas comme un cochon!»

«Oh, Sudie», j'ai hurlé, «peut-être que ça saigne parce que je chatouille mon Truc!»

«Oh là là, Mary Agnès! Arrête tes bêtises! Le Truc de Billy, il saigne jamais, et je te jure qu'il joue avec tout le temps.»

«L'autre jour, c'est toi qui m'as dit que le Truc des filles, c'était le pire des péchés!»

«Et toi je te signale que tu disais le contraire!»

«Justement: si c'était toi qui avais raison?»

Elle commençait vraiment à avoir l'air dégoûtée parce qu'à ce moment-là elle a dit: «Mary Agnès, tu écoutes jamais rien ou quoi? Le Truc des filles, c'est un péché parce que c'est un péché, et puis voilà! C'est juste parce que les hommes, ça les rend fous à cause de la tentation et parce qu'ils peuvent pas se retenir. Maman, elle a jamais rien dit sur les filles qui chatouillaient leur Truc. Elle a juste parlé des garçons.»

«Tu as regardé dans les Dix Commandements?» j'ai demandé en arrêtant de pleurer un peu.

«Non, et toi?»

«Non.»

«Maintenant, tu essaies de me croire et tu arrêtes d'avoir peur. Écoute, on a fait tout ce qu'on a pu. On a mis du baume dessus. Et c'est du bon. Le docteur Stubbs s'en sert tout le temps, et c'est un vrai docteur, lui.»

«Tu jures de jamais en parler à personne de toute ta vie?»

«Bien sûr.»

«Alors, vas-y: jure!»

«Je jure de jamais le dire à personne.»

«Croix de bois, croix de fer, si tu mens, tu vas en enfer?»

«Ouais.»

On est encore restées là un petit moment pour voir si ça s'arrangerait. Mais comme ça ne s'arrangeait pas, Sudie a proposé d'aller chez elle parce qu'il y avait plein de chiffons et qu'on trouverait bien un moyen de les attacher. Donc, c'est ce qu'on a fait. Arrivées chez Sudie, on s'est enfermées dans les toilettes avec un tas de chiffons. Comme ça avait l'air de moins saigner, Sudie croyait que c'était parce que ça allait déjà mieux. On a essayé toutes les sortes de bandages possibles, mais il n'y avait rien qui tenait.

Finalement, Sudie m'a conseillé de prendre plusieurs épaisseurs de chiffon et de les coller au fond de ma culotte. C'est ce que j'ai fait, sauf que c'était horrible! Je pouvais à peine marcher tellement ça me faisait les jambes arquées. On est allées s'asseoir un moment sous le poirier.

Je savais qu'il fallait faire quelque chose. Je ne pouvais plus supporter ce truc. Alors j'ai décidé d'en parler à ma sœur quand je rentrerais à la maison. C'est ce que j'ai fait, et quand je lui ai dit, cette folle m'a éclaté de rire au nez avant de courir à la cuisine prévenir maman, qui a éclaté de rire aussi. Elles sont revenues toutes les deux, et c'est là qu'elles m'ont dit que ce n'était pas grave: simplement, je venais de devenir une femme et c'était tout à fait naturel. C'est une malédiction que toutes les femmes doivent supporter depuis le péché d'Ève dans le jardin d'Éden. J'en revenais pas de tout ce qu'elles me racontaient.

«Qu'est-ce qui est naturel?» j'ai demandé.

«De saigner», ma sœur a répondu.

«Ça s'appelle les menstruations», maman a expliqué. «C'est vrai que toi, tu commences plutôt jeune, mais ça arrive. Ça veut seulement dire que tu es en train de devenir une femme. Toutes les filles ont des menstruations.»

J'ai regardé ma sœur: «Et toi, tu en as?»

«Ben oui», elle a dit. «Depuis l'année dernière.»

«Tu saignes? Il y a du sang qui sort de ton Truc?»

«Toutes les femmes saignent», elle a répondu.

«Tout le temps? Tu saignes tout le temps?»

C'est là qu'elles m'ont expliqué, et j'ai bien cru que j'allais vomir. C'était dégoûtant! Jamais je n'avais été aussi épouvantée de ma vie. Je n'en revenais pas! Maman m'a montré une espèce de ceinture-culotte cousue à la main, avec au fond deux épingles à nourrice. Elle a plié un chiffon en deux, l'a fixé au fond de la culotte avec les épingles. Quand j'ai mis la culotte, j'ai cru que j'allais mourir sur place! Je n'arrivais pas à croire que j'allais devoir me balader avec un truc pareil entre les jambes quatre ou cinq jours par mois jusqu'à la fin de mes jours!

Les deux jours qui ont suivi, j'ai refusé de sortir, ce qui ne m'a pas du tout dérangée vu que je n'en avais pas du tout envie. J'avais mal au ventre, mal à la tête, mal à l'endroit où j'avais les nénés qui poussaient. C'était horrible! Vraiment horrible!

Le troisième jour, Sudie est venue me voir. Quand elle est arrivée, j'étais assise sur la balancelle de la véranda.

«Salut», elle a dit.

«Salut, Sudie.»

Elle est montée s'asseoir à côté de moi.

«Tu étais où?» elle a demandé.

«Nulle part.»

«Et ton Truc, ça va mieux?»

«Pas encore.»

«Dis donc, ça devait être une sacrée coupure!»

«C'était pas une coupure.»

Elle m'a regardée, l'air un peu bête.

«C'était quoi, alors?»

«C'est juste que je suis devenue une femme.»

Elle n'a pas répondu tout de suite. Puis elle a demandé: «Qu'est-ce que tu as dit?»

«Maman dit que je suis devenue une femme. C'est une malédiction.»

«Pourquoi elle a dit ça?»

«Parce que j'ai commencé à avoir du sang qui sortait de mon Truc.»

Elle avait l'air complètement embrouillée.

«Elle a deviné que tu chatouillais ton Truc?»

«Nan», j'ai répondu. «Elle dit que saigner, ça fait qu'on devient une femme.»

«Tu délires ou quoi?»

«Non, je te jure.»

Elle a frappé du pied par terre.

«Maintenant, tu arrêtes avec tes histoires et tu m'expliques ce que tu veux dire!»

Je lui ai expliqué. Quand j'ai terminé de raconter tout ce que maman m'avait dit, elle s'est écriée: «Dieu du ciel!»

«Tu vois, c'est horrible», j'ai dit, «et ça va t'arriver à toi aussi.»

«Alors ça, pas question!»

«Tout le monde a ça. Toutes les filles du monde ont ça», j'ai expliqué, «depuis le jour où Ève a mangé la pomme.»

«Dieu du ciel!» elle a répété. Après, on s'est balancées un peu sans rien dire.

«Et les garçons?» elle a demandé.

«Eh ben, les garçons, ils ont pas ça. Ils ont rien à faire du tout!»

«Alors ça, c'est dingue», elle a fait.

«Et encore, je t'ai même pas dit le pire.»

«Ça peut pas être pire, quand même?»

«Si. Approche. Sens-moi.»

«Quoi?»

«Tu sens pas?»

Elle a arrêté la balancelle pour me sentir. Elle a penché la tête au-dessus de mon ventre. Tout de suite, elle a retiré la tête.

«Seigneur! Mais tu pues!»

«Voilà, c'est ça le pire», j'ai dit. «Et en plus de ça, on peut pas se laver les cheveux, on peut pas nager, on peut pas prendre de bain, on peut pas courir, on peut pas jouer. On peut rien faire!»

Elle m'a regardée comme si je venais de lui annoncer la fin du monde.

«J'arrive pas à le croire», elle a fait, doucement.

«C'est dur, la vie, pour les femmes», j'ai dit. «C'est un fardeau. Il faut le porter, et c'est tout.»

*
* *

De toutes les choses que Sudie et Simpson ont faites, je crois que la plus dangereuse, ç'a été la fois où Simpson a emmené Sudie à Middelton par le car Greyhound. Vous voyez, Sudie n'avait jamais été dans une grande ville où il y avait plus d'une rue, et Middelton en a quatre qui se rencontrent au tribunal et quatre autres qui vont ailleurs, je ne sais pas où. Moi, j'y suis déjà allée deux fois avec papa, et aussi une fois à Canter. C'est pour ça que je sais des tas de choses sur les grandes villes.

À Middelton, il y a un cinéma où ma sœur a déjà été deux fois! Même qu'une fois, il y avait Gene Autry sur son cheval qui essayait de rattraper une diligence où se trouvaient un bandit et une jolie dame, qui, elle, était une gentille. À la fin du film, la jolie dame voulait épouser Gene, mais lui, il n'était pas du genre à se marier. Maman, elle dit que bien que Gene soit une grande personne, il n'a jamais embrassé une fille de sa vie. Normalement, on peut commencer à embrasser quand on devient grand, à condition bien sûr de le faire en cachette. Une fois, la sœur aînée de Sudie embrassait son fiancé sous le poirier. Il faisait nuit noire, mais sa mère l'avait surprise et elle avait demandé à son père de lui donner une bonne raclée au ceinturon pour que ça lui fasse une bonne leçon.

Moi, je n'ai jamais embrassé un garçon, et encore moins un homme adulte. D'ailleurs, je me déciderai à embrasser quelqu'un seulement quand je me sentirai prête à le faire, parce que les baisers, non seulement ça donne tout un tas de microbes qui se baladent dans la bouche, mais en plus ça énerve. La mère de Sudie, elle lui a raconté qu'embrasser des garçons, ça donnait des maladies. Mais pour les hommes adultes, je n'en sais rien. Moi, j'ai expliqué à Sudie que ce n'était pas vrai, que ça refilait des microbes, c'est tout. En tout cas, moi je sais un truc : ma cousine Elsie, elle a embrassé son mari avant de l'épouser. Je l'ai vu parce que ça s'est passé chez nous, sur les marches, mais je n'ai rien dit à maman parce que Elsie m'a donné deux pennies et un vieux poudrier pour que je me taise. Une fois, j'ai vu papa embrasser maman, et je peux vous dire que c'était un sacré gros baiser, même que pendant qu'il l'embrassait il agrippait un de ses nénés, ce qui fait que maman a tourné la tête pour vérifier que personne ne regardait. Quand elle m'a vue, elle a donné une tape sur la main de papa et elle m'a dit d'aller jouer dehors.

Les deux bosses où j'ai les nénés qui poussent ne sont pas de la même taille. J'en ai une beaucoup plus grosse que l'autre. Moi, ça m'embête parce que je n'ai pas envie d'avoir les nénés de traviole quand je serai grande. J'ai demandé à Sudie si elle avait des bosses qui lui poussaient, mais elle m'a dit qu'elle en avait seulement sur les genoux. Je lui ai répondu qu'elle était bête comme ses pieds, et que les genoux, c'était tout sauf des bosses, ce qui fait qu'elle m'a jeté du sable dans les cheveux.

Bref, ça faisait au moins mille fois que Sudie demandait à Simpson de l'emmener à Middelton ou à Canter. Et comme il allait tout le temps à Canter, il s'est décidé pour Middelton. Pour dire la vérité, ce qui était plutôt marrant quand il lui a dit que ça serait vraiment dangereux qu'ils y aillent ensemble du fait qu'elle était blanche, c'est qu'il ne se rendait pas compte que Sudie, elle est tout sauf blanche. Surtout qu'à ce moment-là, c'était la fin de l'été, et qu'elle était noire comme une négresse. Ça doit être pour ça qu'elle a eu l'idée de se faire passer pour une petite négresse. Comme ça ils passeraient inaperçus. Simpson était mort de rire à cette idée, mais plus elle l'implorait, plus il hésitait. Mais elle l'a tellement tanné que je parie qu'elle a dû le rendre fou. Déjà que Sudie est douée pour ça avec les Blancs, alors je ne vous dis pas avec les nègres ! Ce qui fait qu'il a fini par céder. Et il lui a dit qu'ils devraient faire ça un jour de la semaine parce qu'il y avait trop de monde à Middelton le samedi.

Ils ont discuté longtemps des différentes façons de la faire passer pour une négresse, et ils ont décidé que la meilleure chose, c'était qu'elle soit couverte le plus possible, surtout la tête à cause de ses mèches blondes. Donc, elle est allée piquer une salopette et une chemise à manches longues de Billy et un vieux foulard que sa mère se mettait sur la tête pour faire le ménage. Revenue chez Simpson, elle a enfilé la salopette au-dessus de sa robe. Elle a remonté ses cheveux en chignon et elle s'est attaché le foulard autour de la tête : pas une mèche ne dépassait. C'était parfait. Sauf que Simpson trouvait maintenant qu'elle avait les oreilles trop blanches, et que du coup il a tiré sur le foulard pour les cacher. À la fin on ne voyait plus que son visage, ses mains et ses pieds, qui étaient tous suffisamment noirs.

Simpson se tordait de rire en la regardant ; il disait qu'elle était le portrait d'une négrillonne tout craché. Ils ont marché jusqu'à la grand-route et ils ont fait signe au bus de douze heures quinze, qui s'est arrêté. Ils sont montés et Simpson a payé leurs places au chauffeur. Pendant ce temps-là, Sudie regardait par terre les mains vissées dans les poches de la salopette de Billy.

Ils ont avancé jusqu'au fond, là où les nègres ont le droit de s'asseoir, mais il n'y avait pas de place et ils ont dû rester debout. Simpson tenait fermement la main de Sudie pour qu'elle ne tombe pas, et ils ont fait un petit bout de route comme ça. Sauf qu'à un moment, une grosse négresse a demandé à Sudie si elle voulait s'asseoir sur ses genoux ! Sudie et Simpson n'avaient pas du tout prévu que Sudie pourrait avoir besoin de parler, et il pouvait y avoir un risque que son accent ne la trahisse, mais finalement elle a répondu « Non, m'dame », et la négresse n'a pas eu l'air de trouver ça anormal, ce qui voulait dire qu'il n'y avait pas de problème. Agrippée à la main de Simpson, Sudie a donc voyagé debout jusqu'à Middelton. Middelton, c'est à douze kilomètres de Linlow, ce qui fait que Sudie et Simpson ont dû rester debout longtemps.

Sudie a adoré Middelton. Sauf qu'au début elle n'a pas vu grand-chose tellement elle avait la tête rentrée dans les épaules, mais après, Simpson lui a dit qu'à son avis, personne n'irait penser qu'elle était blanche et qu'elle pouvait regarder autour d'elle. Il lui a fait visiter le tribunal avec l'endroit où les juges s'asseyaient. Ils ont fait trois fois le tour de la place pour qu'elle puisse regarder les vitrines de tous les magasins. La vitrine qu'ils ont regardée le plus longtemps, c'était celle de Gallent-Belks où il y avait plein de robes pour petites filles qui étaient belles à mourir. Il y en avait une rose avec des manches bouffantes et un col fermés par des rubans rose plus foncé. Il y avait aussi une jupe plissée avec une large ceinture fermée derrière par un long nœud. Elle espérait voir une robe jaune, mais il n'y en avait pas.

Après toutes ces déambulations, ils sont allés aux toilettes dans la gare des bus. Sudie est entrée dans les toilettes Dames, mais pour les Noires, et là, elle était excitée comme un pou, parce que c'était la première fois qu'elle voyait des vraies toilettes en porcelaine. Après ça, Simpson a acheté deux paquets de biscuits au beurre de cacahouète, deux jus de raisin et deux Baby Ruth, et ils ont emmené tout ça dans la cour du tribunal. Là, ils se sont assis sur un banc en dessous d'un érable et ils ont regardé les gens passer. Sudie m'a raconté qu'elle avait vu trois nègres, mais qu'aucun ne s'était arrêté pour parler à Simpson. Ils ont vu aussi un monsieur vraiment important dans sa grosse voiture qui portait un costume du dimanche et un beau chapeau.

Après ça, Simpson lui a montré le cinéma, sauf qu'ils ne sont pas entrés. Puis ils sont passés devant cette belle maison. C'était une énorme maison blanche avec une galerie tout autour, sur laquelle il y avait sept fauteuils à bascule, deux balancelles, trois espèces de canapés en rotin blanc et plein de grandes fougères dans des pots en terre. Jamais elle n'avait vu un endroit aussi joli. Après ça, ils sont retournés au tribunal s'asseoir sur un banc parce qu'il faisait trop chaud et qu'ils étaient fatigués.

Ils étaient là à se reposer et à s'éventer avec des morceaux de carton qu'ils avaient trouvés dans une poubelle à côté du tribunal, quand Sudie a commencé à se dire que ça serait bien agréable d'être assis sous les ventilateurs du drugstore. Du coup, elle a demandé à Simpson s'il ne pensait pas qu'une glace serait la bienvenue, et il a répondu que ça serait une très bonne idée.

«Il vous reste de l'argent?» elle a demandé.

«Un peu, Miss Sudie.»

«À votre avis, ce drugstore, il a des grands ventilateurs comme celui de Linlow?»

«Oui», Simpson a répondu, «je crois.»

Sudie a sauté sur ses pieds et a attrapé la main de

Simpson. «Alors, venez. On va aller s'asseoir au frais.»
Simpson a tapoté la main de Sudie: «Ça serait vraiment agréable, petite fille, mais voilà: on ne peut pas y aller.»
«Vous n'avez pas assez d'argent?»
«Ce n'est pas ça. On ne peut pas aller s'asseoir dans ce drugstore, c'est comme ça.»
«On ne peut pas? Mais pourquoi?»
«Parce qu'on ne peut pas, c'est tout.»
Sudie n'avait jamais pu supporter ce genre de réponses. Et elle lui a dit: «Simpson, c'est pas une réponse!»
«Je sais bien», il a dit.
«Alors pourquoi on peut pas y aller?»
«Petite fille, il est interdit aux Noirs de s'asseoir dans les lieux publics où les Blancs s'assoient.»
Sudie n'était pas sûre d'avoir bien entendu.
«Hein?»
«On ne peut pas s'asseoir là où les Blancs s'assoient.»
«Alors, ça! J'ai jamais entendu un truc aussi stupide. Où est-ce qu'ils ont le droit de s'asseoir, les nègres, alors?»
«Pratiquement nulle part.»
«Ils doivent rester debout?»
«Quand on nous laisse entrer, on doit rester debout.»
«Vous devez rester debout pour manger?»
«Quand on mange, oui.»
Sudie faisait les cent pas devant Simpson. Elle est allée le rejoindre sur le banc et l'a regardé:
«Je vous crois pas», elle a dit. «C'est trop stupide. Vous me racontez des histoires.»
«Je vous assure que non, petite fille. C'est la pure vérité.»
«Mais Simpson, et si on était en train de mourir de faim?»
«On n'est pas en train de mourir de faim. On vient de

manger plein de biscuits et de bonbons», il a dit en fixant le sable sous ses pieds comme s'il en étudiait chaque grain. Avec son pied, il faisait bouger un petit monticule de sable d'avant en arrière.

«Je le sais, ça», elle a continué, «mais si on mourait vraiment de faim?»

Simpson continuait de faire bouger le sable. Il ne lui répondait pas.

«J'ai dit: et si on mourait vraiment de faim?» elle a répété, plus fort.

Finalement, Simpson l'a regardée.

«Miss Sudie», il a répondu, «vous n'avez pas à vous soucier de ça, alors si on parlait d'autre chose?»

Jamais Sudie ne s'était sentie aussi impuissante. D'habitude, dans n'importe quelle situation, elle arrivait toujours à trouver quelque chose à faire ou à dire. Cette fois-là, elle est restée assise comme une idiote. Elle ne pouvait plus regarder Simpson dans les yeux. Elle a détourné la tête. Finalement, Simpson lui a touché l'épaule.

«Je suis désolé, petite fille», il a dit.

Sudie est restée assise un moment à donner des coups de pied dans le sable, puis elle s'est levée pour contourner le banc. Elle a regardé le cou et les épaules de Simpson. Il était tellement baraqué qu'il prenait la moitié du banc à lui tout seul, et elle se disait que si elle était un nègre aussi costaud que lui, elle mangerait où elle voudrait et que si des gens avaient essayé de l'en empêcher, elle les aurait tués. Oui, c'est ça, elle les aurait tués. Elle a regardé son cou noir et elle a levé la main. En comparant son cou et sa main, elle s'est rendu compte à quel point c'était horrible. Tout ça pour une toute petite différence de couleur. Oui, une toute petite différence.

Simpson ne disait rien. Il savait qu'elle était derrière lui et il avait senti sa main contre son cou. Mais il ne se retournait pas. Alors elle s'est assise par terre, les yeux toujours rivés sur le dos de Simpson. Elle était tellement triste que les larmes coulaient sur ses joues et s'écrasaient sur la salopette de Billy. Elle est restée là longtemps, et à la fin elle avait envie de hurler. Elle s'est essuyé le visage sur la manche de chemise de Billy et elle s'est approchée de Simpson.

«Je peux avoir cinq cents, s'il vous plaît?»

Simpson a pris la main de Sudie dans la sienne et a fouillé sa poche de l'autre. Il en a sorti de la monnaie et la lui a donnée.

«Allez demander à la caisse, petite fille. Je crois qu'ils vous donneront une glace.»

«Vous en voulez une?»

«Oui. À la fraise, tiens. Vous voulez que je vienne avec vous?»

«Non», elle a répondu. «Je ne veux pas.»

Il lui a pressé la main. «Je suis désolé qu'on ne puisse pas rentrer s'asseoir au frais.»

«Maintenant vous arrêtez de dire que vous êtes désolé, Simpson! Vous arrêtez, vous m'entendez?»

«D'accord, Miss Sudie.»

«Et puis d'abord, appelez-moi Sudie! Sudie tout court! Pas Miss Sudie. Je peux pas supporter ça. Alors vous arrêtez, hein?»

Simpson n'a pas répondu. Il lui tenait toujours la main.

«Parce que moi, autrement, je vais vous appeler Mister Simpson! Vous m'entendez! Et puis d'abord, pourquoi je vous appellerais pas Mister Simpson? Puisque j'appelle tout le monde comme ça. Hein, pourquoi pas vous?»

Simpson l'a forcée à s'asseoir sur le banc. «Écoutez voir, petite fille», il a commencé, «la façon dont on s'appelle vous et moi, ça ne me gêne pas du tout. Vraiment pas du tout. Vous comprenez ça, au moins ?»

«Nan, je comprends pas !»

«Ça viendra», il a dit en lui tapotant le bras. «Un de ces jours, vous comprendrez. Vous comprendrez tout quand vous serez une grande fille.»

«Je veux pas comprendre quand je serai grande», elle a dit. «Je veux comprendre maintenant.»

Simpson a eu l'air triste. Il a pris une profonde inspiration et il a dit : «Miss Sudie, vous allez acheter ces glaces, d'accord ?»

Sudie a sauté sur ses pieds et a couru à toute vitesse jusqu'au drugstore. La première chose qu'elle a vue quand elle a ouvert la porte, c'étaient des ventilateurs qui tournaient à plein régime au plafond. Puis les petites tables et les chaises. Son cœur battait tellement vite qu'elle l'entendait. Elle se disait que peut-être l'homme assis sur un tabouret, l'autre derrière le comptoir et les deux femmes assises à une table devaient l'entendre eux aussi. L'homme derrière le comptoir lui a jeté un regard quand elle est entrée, ce qui fait qu'elle s'est approchée de la caisse exactement comme Simpson lui avait dit. Elle est restée là un moment sans bouger. Mais l'homme ne la regardait pas. Il y avait une horloge au fond du magasin. Il était quatre heures moins huit. À quatre heures moins deux, il ne l'avait toujours pas regardée. Elle a fait quelques pas vers les tabourets. Elle se tenait maintenant entre la caisse et les tabourets. Il ne regardait toujours pas. Alors elle a toussé, dans le genre vraiment incroyable, comme si elle avait la coqueluche.

L'homme derrière le comptoir n'a même pas levé les yeux, et pourtant il n'y avait que dix pas entre eux. Elle a raconté que ça lui avait donné l'impression d'être invisible. Elle était tellement folle de rage qu'elle avait envie de grimper sur ce tabouret et de lui sauter sur la tête.

C'est là que sa méchanceté naturelle a pris le dessus. Quittant le comptoir, elle a marché droit sur une table, elle a tiré une de ces petites chaises en grillage et plof! elle s'est assise dessus. Tout simplement. Je peux vous dire que cette fois, il l'a remarquée. Il a jailli de son comptoir à la vitesse de l'éclair et s'est arrêté juste à côté d'elle: «Tu ne peux pas t'asseoir ici!»

Sudie n'a pas bougé.

«Tu m'as entendu, sale négresse? Tu sais que tu ne peux pas rentrer t'asseoir dans ce drugstore!»

Sudie devait s'agripper aux bras de sa chaise pour ne pas se lever et la lui abattre sur la tête. Puis, aussi calmement que possible, elle a dit: «Je voudrais une glace à la vanille et une à la fraise.»

L'homme s'est penché un peu pour la regarder dans les yeux.

«Tu es sourde ou quoi? Tu as entendu?»

«Pour vous entendre», elle a répondu, «ça, je vous ai entendu!»

Il l'a regardée de plus près. Soudain, il a eu l'air perplexe.

«Tu es bien une négresse, hein?»

«Ouais», elle a répondu, les yeux rivés dans les siens. «Je suis une négresse.»

À ce moment-là, l'homme a eu une sorte de gloussement.

«Ah ça, ma petite», il a dit, «tu m'as sacrément mené en bateau! J'aurais juré que tu étais une négresse, avec ce déguisement. Quel parfum de glace tu voulais? Tu vas à une espèce de surprise-partie, c'est ça? En tout cas, c'est un bon déguisement. Tu as failli me bluffer.»

Sudie ne quittait pas l'homme des yeux. Comme il était accroupi devant elle, elle ne pouvait rien faire d'autre que de le dévisager. Il avait une grande bouche et des dents jaunes. Et des poils qui lui sortaient du nez. À ce moment-là, elle a cessé de fulminer. Sa colère s'était envolée. Maintenant elle était complètement abattue et c'était comme si elle pesait une tonne. Et puis il y avait l'écœurement. Comme elle avait peur de se mettre à vomir si elle ne fichait pas le camp de cet endroit, elle a dit à l'homme d'une voix calme, presque dans un murmure : «Je veux pas de glace. Ça m'a donné envie de vomir rien que de regarder votre sale tronche.»

Sur ce, elle s'est levée et elle est sortie en trombe. Elle avait tellement mal au ventre qu'elle avait l'impression qu'elle allait exploser. Alors elle s'est mise à courir comme une dératée autour du pâté de maisons, puis jusqu'à la grande maison et le cinéma où elle était allée plus tôt. Elle voulait se laver de cet écœurement avant d'aller retrouver Simpson. Les gens lui lançaient des regards bizarres, mais elle s'en fichait. Elle a continué de courir jusqu'à ne plus tenir sur ses jambes. Puis elle est retournée lentement au tribunal.

Quand il l'a vue, Simpson a sauté sur ses pieds et s'est précipité vers elle. «Miss Sudie !» il s'est écrié. «Je me faisais du souci pour vous. Je suis passé devant le drugstore et je ne vous ai pas vue.» Il lui a touché la tête. «Qu'est-ce que vous avez fait ? Pourquoi vous n'êtes pas revenue tout de suite ? Qu'est-ce qui s'est passé, Miss Sudie ? Dites-moi.»

Il l'a prise par la main et l'a conduite jusqu'au banc. Ils se sont assis et elle a levé les yeux vers lui. Elle a eu l'impression de rester comme ça pendant une éternité. Elle n'arrivait plus à sortir un son. Finalement, elle a réussi à dire : «Je suis désolée, Simpson.» Puis, cachant son visage dans ses mains, elle s'est mise à pleurer. Tout bouleversé, Simpson lui a passé un bras autour des épaules.

«Qu'est-ce qui s'est passé? Quelque chose de grave? Quelqu'un vous a fait mal, petite fille? Dites-moi, Miss Sudie. Je vous en prie.»

Elle a enlevé ses mains et a levé les yeux vers lui. En regardant ce visage qu'elle avait appris à connaître aussi bien que le sien, elle se disait en elle-même que c'était le plus beau visage du monde. Oui, le plus beau. À ce moment-là, elle a posé ses deux mains sur les joues de Simpson. Il n'a pas fait un mouvement. Il restait là à regarder les larmes qui dégringolaient des joues de Sudie. Elle le dévisageait toujours. Très vite, des larmes se sont mises à couler des yeux de Simpson. Et à dégringoler entre les doigts de Sudie. Elle n'a pas enlevé ses mains. Puis, elle a commencé à essuyer les larmes de Simpson avec ses doigts. Quand elle a eu fini, il s'est mis à faire la même chose. Et plus il passait les doigts sur les joues de Sudie, plus les larmes semblaient continuer de couler.

C'est là qu'elle s'est rendu compte que ça ne servirait à rien de parler. Que raconter à Simpson ce qui s'était passé ne changerait rien. Alors elle s'est mise à penser à leurs larmes, ce qui lui faisait chaud au cœur, parce qu'au moins, elles étaient exactement de la même couleur. C'était comme si en s'essuyant mutuellement les joues, ils avaient fait la seule chose un peu sensée à faire dans ce monde.

***

En tout cas, moi je trouvais ça vachement dangereux, le truc que Sudie avait fait! Et je lui ai dit qu'elle devait être complètement timbrée dans sa tête pour faire un truc pareil. Mais elle, elle était contente de l'avoir fait. Elle disait que si les gens de Linlow pensaient avoir des problèmes parce qu'ils étaient pauvres, ils n'avaient qu'à essayer d'être noirs, pour voir. Pire, ils n'avaient qu'à essayer d'être noirs et pauvres. Des gens qui n'avaient jamais eu l'impression d'être invisibles et de ne pas faire partie du monde en allant acheter quelque chose quelque part, eh bien, ces gens-là n'avaient jamais eu de problème.

Après ça, j'ai expliqué à Sudie que sa soi-disant grande découverte mondiale ne voulait rien dire. Le pasteur disait que les nègres étaient punis par le Seigneur, et c'était comme ça. Ce n'était pas la faute des Blancs, c'était la leur. Elle m'a répondu que c'était un mensonge, et elle voulait que j'aille chercher la bible pour que je lui montre tout de suite où j'avais lu ça. Alors moi, je lui ai dit de se mettre le doigt dans l'œil. Non, c'est vrai ! Déjà que je n'arrivais pas à trouver les Dix Commandements toute seule, j'avais encore moins de chances de trouver un truc dont je ne connaissais même pas le nom.

« Tu peux pas le trouver », elle a dit, « et tu le trouveras jamais parce que c'est pas dedans ! »

« Qu'est-ce que t'en sais, d'abord ? »

« C'est pas dedans parce que ça a pas intérêt à être dedans ! » elle a répondu.

« Qu'est-ce que c'est que ces trucs débiles que tu me racontes ? »

« Tu sais quoi, Mary Agnès ? » elle a fait. « Toi, moi et tous les gosses de cette ville, ça fait depuis qu'on est nés qu'on croit que les nègres sont des rôdeurs qui sont là pour nous tuer et nous manger tout crus. C'est pas vrai, peut-être ? »

« Si, si, c'est vrai. »

« Et qui est-ce qui nous les a racontés, tous ces trucs-là ? »

« Eh ben, ta mère, la mienne, surtout. Et nos pères, aussi. »

«Et à ton avis, ils nous ont raconté ça pourquoi?»

«Ben, ils nous ont dit ça... euh... parce que... euh... ils voulaient qu'on se méfie des nègres», j'ai répondu.

«Eh ben moi je vais te dire: c'est pas pour ça. Parce que comme il y a pas de nègres dans cette ville, il y a pas de raisons de se méfier. Raconter ça, c'est pareil que de raconter que Yankeetilde la sorcière habite dans le grenier de M. Smith. C'est pour nous faire peur, pour nous forcer à être des bons enfants. Nous, on sait tous que Yankeetilde, c'est seulement cette espèce de folle de Mme Smith, eh ben c'est pas pour ça qu'on a arrêté de croire que les nègres étaient des tueurs d'enfants.»

«C'est pas parce que Simpson c'est pas un tueur que les autres le sont pas», j'ai dit.

«Simpson, il dit qu'il y a pas plus de tueurs chez les nègres que chez les Blancs. Qu'il y a des Blancs méchants et des Noirs méchants.»

«Ah, tu vois!» j'ai dit. «De toute façon, toi, tu préfères croire un nègre plutôt que ta mère! Et si ça c'est pas un péché, c'est que vraiment j'y connais rien!»

«Je m'en fous des péchés», elle a dit. «Moi, je crois ce que Simpson m'a dit.»

«Plus que ta mère?»

«Plus que toutes les mères», elle a répondu. «Nos mères, c'est des menteuses.»

«Sudie Harrigan, *ma* mère, c'est pas une menteuse. Alors tu retires ça tout suite!»

«Ta mère», elle a dit, «c'est la pire menteuse de toutes!»

Si elle le voulait, elle allait l'avoir! Je lui ai dit qu'elle ferait mieux de retirer ce qu'elle venait de dire, parce qu'autrement j'irais raconter toute son histoire avec Simpson. Elle m'a lancé un regard meurtrier et elle m'a répondu que si j'avais le malheur d'aller bavasser avec ma grande bouche, elle me ferait passer un tellement sale quart d'heure qu'à la fin je n'aurais même plus de bouche du tout pour appeler au secours. Alors, moi je lui ai dit: «Ah ouais? Parce que tu crois que tu me fais peur?» À ce moment-là, elle m'a attrapé le bras et elle a commencé à me tirer.

«Hé! Ho! Qu'est-ce que tu fabriques, là?»

«Je t'emmène voir ta mère. Je veux t'entendre tout lui raconter sur Simpson. Comme ça, quand tu auras fini, je lui dirai que Bob Rice te donne du fric pour remuer son Truc!»

«Mais c'est immonde comme mensonge!» j'ai hurlé. «Tu sais très bien que j'ai jamais touché à son Truc! La seule fois où il m'a donné de l'argent, c'était pour que j'aille pas raconter que c'était Clara May qui le remuait!»

«C'est encore pire», elle a dit. «Au moins, Clara May, elle gagne son fric honnêtement. Toi, tu acceptes l'argent d'un chantage!»

«Quel argent d'un chantage?»

«Ben, il t'a payé pour la boucler, non?»

«En tout cas, moi je suis pas comme toi: j'ai jamais touché son sale Truc.»

«Tu veux que je te dise», elle a fait en me tordant le bras, «c'est pas comme ça que ta mère va comprendre les choses!»

Qu'est-ce que vous voulez que je fasse avec une fille pareille? Une fille qui est prête à aller raconter n'importe quoi, vraiment n'importe quoi! Alors je lui ai dit d'accord, que je ne dirai rien. Mais qu'un de ces jours, le Seigneur allait s'occuper d'elle, qu'elle ne pourrait rien faire contre ça, et vous savez ce qu'elle a répondu? Elle a répondu que son Seigneur à elle était plus fort que le mien! Vous vous rendez compte? Un blasphème pareil! Alors j'ai dit à cette sorcière : «Il n'y a qu'un seul Seigneur, et toi tu es une sorcière !»

«Dans la Bible», elle a continué, «il est écrit que Dieu est Amour. Et si c'est vrai, ça veut dire qu'il y a des tas de gens dans cette ville qui parlent de quelqu'un d'autre !»

«Tu me rends malade !» j'ai dit en commençant à m'éloigner.

«Je te rends rien du tout, moi !» elle a hurlé. «Oublie pas que c'est pas moi qui t'ai pondue, c'est ta mère, et s'il y a quelqu'un ici qui te rend malade, c'est elle.»

J'ai continué à marcher et j'ai hurlé : «Le Seigneur va s'occuper de toi ! Attends, tu vas voir !»

J'ai attendu qu'elle réponde, mais quand je me suis retournée pour regarder, elle était partie.

*
* *

Cette fois-là, je lui en ai voulu pendant presque toute une semaine. Mais au bout d'un moment, je me suis dit : Zut ! Ce n'est pas parce qu'elle pense que les mères sont des menteuses que c'est vrai. Ce qui fait que le jour de la rentrée des classes, je suis allée la voir et je lui ai dit que j'étais toujours son amie. Mais elle n'a même pas voulu me regarder. Elle a continué à marcher comme si je n'étais pas là. J'ai réessayé le lendemain. Mais elle ne me voyait toujours pas. J'ai attendu une semaine et j'ai réessayé encore une fois. Mais ça n'a pas marché non plus. Cette fois, je me suis dit que j'allais lui laisser le temps de se calmer. Sauf qu'avec tous les trucs qui se sont passés après, je n'ai plus jamais retrouvé l'occasion de me réconcilier avec elle.

Sixième partie

Fièvre de cheval
et
buttes à pommes de terre

Juste après la rentrée des classes, Simpson est tombé gravement malade. Un jour, Sudie est allée chez lui et l'a trouvé qui gisait sur son lit, brûlant de fièvre et tremblant de la tête aux pieds. Elle s'est assise auprès de lui et lui a baigné le visage avec des compresses froides, mais ça n'a servi à rien. Elle l'a supplié de lui dire ce qu'elle devait faire, mais il a répondu qu'il n'y avait rien à faire sinon transpirer pour que la fièvre tombe.

«Je vous en supplie, Simpson», elle a dit, «dites-moi ce que je peux aller vous chercher, alors.»

«Miss Sudie, je ne connais pas d'autre remède que de transpirer.»

«Mais vous êtes gelé, Simpson! Vous voulez que je fasse du feu?»

«J'en avais fait un, mais il s'est éteint hier.»

«Oh, Simpson! Vous êtes malade depuis quand?»

«Ça fait trois jours maintenant, je crois. Miss Sudie, il y a un tas de vieux sacs de jute sous la véranda. Vous voulez bien aller les chercher et les mettre sur moi?»

Sudie a couru chercher les sacs et les a empilés au-dessus de la courtepointe avec les anneaux de mariage. Puis elle a couru au tas de bois et elle a rapporté une brassée de brindilles et de bûches. Elle a étalé les brindilles et du papier dans la cheminée puis elle a posé les bûches dessus. Après avoir trouvé les allumettes, elle a allumé le papier, et le feu a commencé à prendre lentement. Elle a rentré cinq autres brassées de bûches qu'elle a entassées à côté de la cheminée. Après quoi, elle est allée tirer un seau d'eau fraîche au puits, qu'elle a posé près du lit. Pour soigner la fièvre, Sudie ne connaissait que la méthode de sa mère, qui consistait entre autres à boire beaucoup d'eau ou de jus. Elle a tendu la louche à Simpson. Elle a rempli la louche trois fois, et Simpson l'a vidée à chaque fois. Elle lui a demandé s'il avait mal quelque part et il lui a répondu qu'il avait mal partout.

« Vous avez mal à la gorge, Simpson ? »

« Un peu, Miss Sudie. »

« Vous toussez ? »

« Un peu. »

« Vous crachez ? »

« Non, pas encore », il a répondu. « J'entends bien que ça racle dans ma poitrine quand j'inspire profondément, mais il n'y a rien qui sort. »

La pièce se réchauffait ; Simpson tremblait moins et Sudie commençait à se sentir plus rassurée. Elle n'arrêtait pas de lui poser des compresses froides sur le front et il disait que ça lui faisait du bien.

« Vous avez mangé quelque chose, Simpson ? »

« Non. Mais je ne crois pas que je pourrais avaler quelque chose. »

« Mais il faut que vous mangiez », elle a dit. « Si je vous fais de la soupe aux pommes de terre, vous essaierez d'en manger un peu ? »

« Oui, je... » il a fait en se mettant brusquement à tousser.

Sudie lui a donné de l'eau pour calmer sa toux. Puis elle est allée voir dans la pièce de devant s'il y avait des pommes de terre dans l'armoire, mais il n'y en avait plus. Elle est retournée auprès de Simpson pour le prévenir qu'il était à court de pommes de terre.

« Bah, tant pis, Miss Sudie », il a dit.

« Simpson, écoutez-moi », elle a commencé en lui touchant le visage. « Je vais aller à la maison chercher de quoi vous soigner. Je ne serai pas longue. Je reviens tout de suite. »

« Mais vous avez école », il a dit. « Qu'est-ce que vous faites ici ? »

« Simpson », elle a répondu, « c'est dimanche aujourd'hui. »

« Dimanche ? Mais c'est impossible... »

« Simpson, vous êtes malade depuis plus de trois jours ? »

« Je ne sais pas, Miss Sudie. Je n'en sais vraiment rien. »

Sudie était effarée. « Je vais chercher le docteur Stubbs », elle a dit.

Simpson s'est redressé brusquement. « Non, Miss Sudie ! Ne faites pas ça. Vous savez bien qu'il ne faut pas. Promettez-moi de ne pas faire ça. »

« Mais Simpson, vous êtes trop malade ! »

« Écoutez-moi, je vous en prie. Allez chercher vos médicaments. Pour le reste, ça ira. Promettez-moi seulement de revenir tout de suite. »

« Oh, Simpson... D'accord, d'accord, je promets. Bon, ne bougez surtout pas, Simpson. Restez bien au chaud. Je reviens tout de suite ! »

Sa mère était à la maison, ce qui fait que Sudie devait agir aussi normalement que possible. Le problème, c'était que les médicaments qu'elle voulait étaient rangés dans le garde-manger, et que sa mère était justement dans la cuisine. Elle a fait plusieurs fois le tour de la maison et de la cour, croyant qu'elle allait devenir folle, mais sa mère ne bougeait toujours pas. En désespoir de cause, elle est allée lui raconter une craque, comme quoi elle venait de voir Mme Wilson sur sa véranda qui lui avait demandé de l'appeler parce qu'elle ne se sentait pas bien. Je peux vous dire que plus tard Sudie s'est pris une belle raclée pour ce mensonge-là ! Quand Mme Harrigan est sortie, Sudie a pris un sac et l'a rempli de Vicks, de sirop pour la toux, d'aspirines, d'oignons et de pommes de terre. Puis elle est passée par sa chambre, où elle a arraché la courtepointe de son lit avant de sortir par la porte de derrière. Sudie n'a rapporté cette courtepointe qu'une semaine plus tard, mais sa mère n'a jamais remarqué qu'elle avait disparu.

Quand elle est arrivée chez Simpson, il avait recommencé à trembler alors qu'il faisait toujours chaud dans la pièce.

« C'est pire, hein, Simpson ? »

« Bah, pas plus que tout à l'heure. Je suis bien content que vous soyez là, petite fille. »

Sudie a jeté les sacs de jute par terre et a posé sa courtepointe au-dessus de celle de Simpson avant de remettre les sacs sur le tout. Après avoir activé le feu et donné de l'eau à Simpson, elle a vidé son sac. Elle lui a fait prendre deux aspirines et deux cuillères de sirop. Elle a allumé un feu dans la cheminée de la pièce de devant, puis elle a épluché les pommes de terre et les oignons avec le canif de Simpson. Elle a mis de l'eau dans la marmite, elle a jeté les pommes de terre et les oignons dedans, et après avoir couvert la marmite, elle l'a accrochée au-dessus du feu. Puis elle s'est assise par terre à côté de Simpson et a continué de lui mettre des compresses. Simpson a fini par s'endormir. Il ne tremblait plus.

Plus tard, elle a retiré les oignons de la marmite pour les poser sur une assiette. À l'aide de la cuillère en bois, elle a écrasé les pommes de terre dans l'eau de cuisson pour faire une soupe bien épaisse dans laquelle elle a rajouté les oignons après les avoir découpés. Elle est allée réveiller Simpson et a réussi à lui faire manger presque toute la soupe.

«Maintenant, je vais vous mettre un cataplasme sur la poitrine, Simpson», elle a annoncé.

«Avec quoi, Miss Sudie?»

«Du Vicks, c'est tout», elle a dit.

Il a rigolé. «C'est vous l'infirmière», il a dit faiblement.

Elle a déboutonné sa chemise pour dégager sa poitrine. C'était la première fois qu'elle le voyait sans chemise, ce qui fait qu'elle était un peu gênée, mais elle a quand même appliqué le Vicks avant de recouvrir le tout d'une première compresse chaude, puis d'une seconde encore plus chaude mais pas brûlante. Puis elle a remonté les couvertures. L'odeur du Vicks emplissait toute la pièce.

Simpson dormait par intermittence. Au coucher du soleil, elle lui a fait prendre trois autres aspirines et elle lui a appliqué un peu de Vicks sur le front et sous le nez. Régulièrement, elle remettait une compresse chaude sur le cataplasme. Peu après la tombée de la nuit, elle a fini par s'endormir devant la cheminée. Réveillée par un accès de toux de Simpson, elle a allumé une bougie et a jeté un œil à sa montre de gousset qu'il avait posée sur la malle à côté des livres. Il était presque onze heures et demie, et elle savait qu'elle allait s'en prendre une belle quand elle rentrerait, si sa mère était encore debout. Elle a bordé Simpson et a posé la main sur son front. Il était toujours aussi brûlant, mais elle devait rentrer. Après l'avoir réveillé pour lui faire reprendre des aspirines, elle est partie. Quand elle est arrivée chez elle, sa mère dormait.

*
* *

L'école commence à huit heures. À sept heures, Sudie était cachée près des marches du collège. Quelques professeurs ont commencé à arriver. Mlle Lorraine, Mlle Marie puis Mlle Emily. Accroupie à côté des marches, Sudie avait envie de hurler tellement elle était énervée. Finalement, juste avant la première sonnerie, Mlle Marge est apparue, courant vers le bâtiment. Au moment où elle posait le pied sur les marches, Sudie a jailli de sa cachette: «Mlle Marge?»

«Sudie! Tu m'as fait une de ces peurs!»

«Oh, Mlle Marge, j'ai besoin d'aide, tout de suite!» Sudie s'est écriée en fondant en larmes.

Mlle Marge a accouru vers elle. «Que se passe-t-il? Explique-moi, Sudie.»

«Oh, je vous en supplie, Mlle Marge, aidez-moi! Venez derrière le bâtiment, comme ça je pourrai vous parler. Oh, je vous en supplie, m'dame.»

«Derrière le bâtiment? Mais Sudie, ma chérie, tu te sens bien? Tu es malade?»

«Non, m'dame. C'est pas moi qui suis malade. C'est quelqu'un d'autre.»

Sudie a attrapé la main de Mlle Marge et a commencé à l'entraîner.

«Quelqu'un qui va mourir si je ne trouve pas de l'aide! Venez, je vous en supplie.»

Mlle Marge s'est laissé emmener derrière le bâtiment, là où se trouvent les bacs à ordures.

«Sudie, je crois que tu ne te sens pas bien», Mlle Marge a commencé en lui posant la main sur le front. «Tu as dormi?»

«Mlle Marge, écoutez-moi. Il faut qu'on se dépêche!

Vous êtes la seule personne à qui je peux parler – la seule. J'ai un ami qui va mourir!»

«Quel ami? Les parents de ton ami n'ont pas appelé le docteur Stubbs?»

«Mon ami, il a pas de mère, pas de père... Mon ami, il est vieux, et on ne peut pas appeler le docteur Stubbs!»

Mlle Marge a eu un air incrédule. «Mais ma chérie», elle a dit en posant la main sur l'épaule de Sudie, «je n'ai pas entendu parler d'une personne âgée malade... Et qu'est-ce que tu veux dire par "On ne peut pas appeler le docteur"? Je vais appeler le docteur Stubbs tout de suite...»

Sudie a agrippé le bras de Mlle Marge. «Oh, non! Non, m'dame, ne faites pas ça. Essayez de me croire: c'est impossible!»

«Sudie, si tu veux que je t'aide, il faut que tu me dises où se trouve ton ami et pourquoi on ne peut pas appeler le docteur.»

Croisant les doigts, Sudie a pris une profonde inspiration et s'est écriée: «Que le Seigneur nous vienne en aide!» Puis, regardant Mlle Marge droit dans les yeux, elle a dit: «Mon ami, c'est un nègre. Un homme nègre!»

Mlle Marge l'a regardée avec des yeux ronds et a murmuré: «Oh, mon Dieu...»

Le plus rapidement possible, Sudie a raconté l'histoire à Mlle Marge qui, figée sur place, hochait la tête et ponctuait le récit de «Oui», de «Oh là là», de «Mmm», de «Ça alors, c'est incroyable», de «Oh, Seigneur» et d'autres choses encore.

«Je vous en supplie, Mlle Marge. Vous allez m'aider ou non?»

«Oui, Sudie, je vais t'aider.»

Mlle Marge est allée prévenir M. Etheridge, le principal, qu'elle ne se sentait pas bien, qu'elle allait rentrer chez elle et qu'il devait demander à Mme Buice de venir la remplacer. Dès qu'elle est ressortie du bureau, Sudie et elle sont montées dans sa voiture et elles ont pris la direction de la grand-route, qui longeait les rails.

«Dis-moi quand il faudra tourner, Sudie», elle a dit.

«Il n'y a pas de route. On ne peut pas tourner.»

«Comment est-ce qu'on arrive là-bas, alors?»

«Il faut se garer au bord de la route et traverser les rails à pied.»

«D'accord. Tu me diras où je dois me garer, alors.»

Quand Sudie a aperçu le champ où elle avait cueilli son bouquet de carottes sauvages, elle a dit à Mlle Marge de s'arrêter. Après avoir traversé le champ, descendu le remblai, elles sont arrivées à la voie ferrée. Sudie devait aider Mlle Marge du fait qu'elle portait des chaussures à talons assez hauts. Elles ont traversé les rails et Sudie a trouvé le chemin. Elle a tendu le doigt en direction du bouquet d'arbres recouvert de kudzu qu'on apercevait de loin.

«C'est par là», elle a dit.

«Mais Sudie, je ne vois pas de maison.»

«Il y en a une», Sudie lui a assuré. «Vous allez voir.»

Elles ont contourné ce bouquet de pins et sont arrivées en vue de la maison enfouie sous les vignes. Mlle Marge s'est arrêtée, interdite.

«Tu veux dire qu'il vit vraiment ici?»

«Oui, m'dame. Venez, faut qu'on se dépêche!»

Quand elles sont entrées dans la chambre, Simpson était réveillé et il était en train de boire une louche d'eau. Il avait enlevé le cataplasme de Vicks, qui était par terre à côté du lit. Toute la maison sentait le bois brûlé, l'oignon et le Vicks. Quand il a vu Mlle Marge, ça lui a fait un tel choc qu'il a laissé tomber la louche à côté du seau et qu'il s'est emparé d'un sac à farine pour se couvrir le torse.

«Tout va bien, Simpson», Sudie l'a rassuré, en s'accrochant à la main de Mlle Marge. «Tout va bien. C'est une prof, et elle s'appelle Mlle Marge. C'est une yankee. Elle aime les nègres.»

Simpson la regardait avec des yeux ronds.

«Mlle Marge», Sudie a continué, «voilà, c'est Simpson.»

Mlle Marge regardait Sudie en souriant. Puis elle a tendu la main et s'est approchée de Simpson.

«M. Simpson», elle a dit, «comment vous sentez-vous?»

Au lieu de lui serrer la main, Simpson s'est mis à regarder par terre: «Ça va mieux, m'dame. Merci, m'dame. Oui, je crois que ça va mieux.»

Sudie a posé la main sur son front.

«Simpson! Oh, Simpson, vous êtes moins chaud. On dirait que la fièvre tombe. Tâtez-le, Mlle Marge. Il était brûlant la nuit dernière... Là, il est moins chaud.»

Mlle Marge s'est approchée du lit et a posé la main sur le front de Simpson, qui a eu un haut-le-corps.

«Oh, Simpson!» Sudie s'est écriée en rigolant. «Elle ne va pas vous mordre!»

«Oui, m'zelle», Simpson a répondu.

«Je vous préviens, Simpson, si vous arrêtez pas de parler comme un pauvre petit nègre, je vous vide ce seau d'eau sur la tête!»

En entendant ça, Mlle Marge a éclaté de rire. Et en la voyant éclater de rire, Simpson a éclaté de rire aussi. Après ça, tout le monde a commencé à parler en même temps, ce qui fait qu'ils ont éclaté de rire à nouveau.

Simpson allait mieux. Beaucoup mieux. Sa fièvre était tombée pendant la nuit et il avait commencé à cracher. Sudie est allée chercher les deux chaises fabriquées par Simpson dans la pièce de devant et les a installées de chaque côté du lit près du feu. Pendant que Simpson et Mlle

Marge n'arrêtaient pas de parler, Sudie a ramassé le cataplasme puis elle est allée remettre du bois dans la cheminée, où il restait encore des braises. Elle a fait reprendre à Simpson un peu de sirop pour la toux et de l'aspirine. Après quoi, elle lui a réchauffé le reste de soupe aux pommes de terre.

Elles ont passé comme ça toute la journée à discuter et à soigner Simpson. Sudie a déposé près du lit une vieille boîte de saindoux pour qu'il puisse cracher et un vieux seau rouillé comme pot de chambre.

Vers une heure, Mlle Marge a proposé à Sudie d'aller faire deux ou trois courses chez M. Hogan. Malgré les protestations de Simpson, elles sont parties quand même. Mlle Marge a acheté une boîte de porc aux haricots, des biscuits, cinq litres de jus de raisin, un poulet et trois barres de chocolat. Elle voulait prendre des pommes de terre, mais Sudie lui a expliqué que Simpson en avait plein son jardin; simplement, il n'avait pas pu en arracher parce qu'il était trop malade. De retour chez Simpson, elles ont préparé une marmite entière de bouillon de poulet. Elles ont donné à Simpson du bouillon, des biscuits et du jus de raisin; et elles, elles ont mangé du porc aux haricots, des biscuits, du jus de raisin et une barre de chocolat. Mlle Marge a donné à Sudie la troisième barre de chocolat pour qu'elle l'emporte chez elle. Après ça, Sudie a emmené Mlle Marge au potager en passant par le bois. À l'aide d'un bâton, elles ont déterré six pommes de terre, qu'elles ont ramenées chez Simpson et qu'elles ont mises sous les braises pour que Simpson ait de quoi manger plus tard. Simpson disait qu'il se sentait beaucoup mieux. Sudie et Mlle Marge n'arrêtaient pas de lui tâter le front, et Mlle Marge croyait que la fièvre était pratiquement tombée.

Au coucher du soleil, Sudie a guidé Mlle Marge jusqu'à

la grand-route et elles sont rentrées ensemble en voiture. Pendant qu'elles étaient garées devant chez Sudie, Mlle Marge lui a parlé pendant longtemps. Elle a dû lui dire des choses gentilles, parce que Sudie ne me raconte jamais rien quand les gens lui font des compliments. Sudie a demandé à Mlle Marge de promettre de ne jamais rien dire. Mlle Marge a fait un grand sourire et a serré Sudie dans ses bras. Après quoi, elle s'est assise bien droite sur son siège et a posé la main sur son cœur en disant: «Croix de bois, croix de fer, si je mens, je vais en enfer.»

Après ça, Mlle Marge et Sudie sont retournées deux fois ensemble chez Simpson. Sudie disait que Mlle Marge trouvait Simpson très sympathique et qu'ils aimaient discuter ensemble. À mon avis, ça devait être à cause des tas de bouquins qu'il avait lus. Finalement, ils ont décidé qu'il était plus prudent que Mlle Marge arrête d'aller là-bas parce qu'une fois le docteur Stubbs avait vu sa voiture au bord de la grand-route et qu'il était venu lui demander ce qu'elle faisait là parce qu'il avait cru qu'elle était en panne.

*
* *

Un mardi après-midi, après que Mlle Marge a vu Simpson pour la dernière fois, elle a envoyé Sue Haney avec un mot pour me demander de passer la voir dans sa classe après l'école. Quand je suis arrivée là-bas, elle était assise à son bureau en train de noter des copies.

«Bonjour, Mary Agnès, c'est gentil à toi d'être venue», elle a dit en tapotant la chaise à côté de son bureau. «Viens donc t'asseoir, ma chérie.»

Je me suis assise, mais je me tortillais dans tous les sens tellement j'étais nerveuse. Je ne voyais pas ce qu'une prof de collège pouvait me vouloir.

«Ne t'inquiète pas», elle a fait en souriant. «Ce n'est pas pour des histoires d'école.»

«Oh», j'ai dit.

«Mary Agnès, j'ai eu une longue conversation avec Sudie il y a quelques jours. Je suis inquiète pour elle. Elle m'a parlé de M. Simpson, ma chérie, et elle m'a dit que tu étais au courant.»

Je devais avoir un air effaré parce que tout de suite elle a ajouté: «Elle m'a dit aussi qu'il y avait eu entre vous une sorte de... de malentendu.»

«Oui, m'dame», j'ai répondu, «c'est vrai.» Tout de suite, j'ai ajouté: «Mais c'était pas ma faute, M'zelle Marge, je vous jure. J'ai tout fait pour me réconcilier avec elle, mais elle voulait même pas me parler. J'irai jamais rien raconter pour Simpson; j'ai jamais rien dit et je dirai jamais rien. Je vous jure.»

Mlle Marge s'est levée pour aller fermer la porte.

«Je crois que Sudie sait que tu ne diras jamais rien. Je pense que tu te rends compte à quel point il est important que tout ceci reste secret», elle a dit.

«Oui, m'dame.»

En se rasseyant, elle a fait tourner sa chaise pour se mettre face à moi.

«Si je comprends bien, il n'y a que toi et moi qui soyons au courant de ce secret?»

«Oui, m'dame.»

Elle s'est encore rapprochée. Je ne l'avais jamais vue d'aussi près. Elle est vraiment jolie, je me disais. Elle avait les cheveux presque aussi blonds que les miens et des yeux brun doré. Elle sentait bon, aussi, un peu comme un parfum de fraise écrasée.

Elle a souri: «Tu aimes les secrets, Mary Agnès?»

«Non, m'dame.»

Elle s'est redressée brusquement sur sa chaise. «Ça alors! Je croyais que toutes les petites filles adoraient les secrets!»

Je n'ai rien répondu.

«Pourquoi tu n'aimes pas les secrets? Explique-moi ça», elle a dit.

«Eh ben, euh...» j'ai répondu en regardant ma main posée sur mes genoux, «c'est-à-dire qu'avant j'aimais bien les secrets, mais j'aime pas ceux de Sudie.»

Elle s'est rapprochée à nouveau pour me tapoter la main. «Je comprends pourquoi le secret de Sudie te tracasse. Il me tracasse aussi, tu sais.»

Ce que j'étais contente d'entendre ça! «C'est vrai?» j'ai demandé en la regardant à nouveau.

«Oui, c'est vrai. Ça me tracasse.»

«J'ai expliqué à Sudie des millions de fois qu'elle ne devrait pas avoir un nègre comme ami. Vous pouvez me croire! Elle sait que c'est pas bien, mais elle m'écoute jamais!»

Mlle Marge s'est accoudée au bureau et a posé son menton sur sa main. «Mary Agnès», elle a dit, «ce n'est pas le fait que Sudie et Simpson soient amis qui me tracasse. Ce qui me tracasse, c'est que je sais – comme toi – que ça serait extrêmement grave si les gens l'apprenaient.»

«Oui, m'dame», j'ai dit.

«Ce qui veut dire que tu ne peux en parler à personne.»

«Non, m'dame.»

«Pas même à tes parents, ma chérie. Tu comprends?»

«Oui, m'dame.»

On est restées silencieuses une minute ou deux, puis elle a demandé: «Ça t'ennuie si je te pose quelques questions sur Sudie?»

«Euh... non, m'dame, je crois pas.»

Après avoir réfléchi un moment, elle a repris: «Est-ce

que Sudie a beaucoup d'amis... euh... je veux dire, à part toi ?»

«Non, m'dame, pas de vrais amis.»

«Et pourquoi ça, à ton avis ?»

«Euh... j'en sais rien. Elle en a pas, c'est tout.»

«Elle joue parfois avec Nettie ?»

«Non, m'dame. Sauf peut-être à l'école.»

«Depuis combien de temps es-tu amie avec Sudie ?»

«Depuis longtemps, depuis qu'on va à l'école primaire, en gros... à part quand on se dispute.»

Se levant pour prendre l'éponge, Mlle Marge s'est mise à effacer le tableau.

«Vous vous disputez souvent ?»

«Bah, pas trop, sauf quand on s'énerve.»

Elle s'est retournée en souriant : «Tu connais les parents de Sudie ?»

«Oui, m'dame.»

«Tu les vois souvent ?»

«Non, m'dame.»

«Et son père ?»

«Son père ? Je le vois jamais. Il est jamais là. Il travaille loin d'ici.»

«Et Billy ?»

«Eh ben quoi, Billy ?»

«Tu le connais bien ?»

«Je le connais assez comme ça», j'ai répondu.

Mlle Marge a posé l'éponge et s'est assise sur le bord du bureau. Elle avait l'air perplexe. «Tu n'aimes pas Billy ?»

«C'est-à-dire que...» j'ai fait en agitant les jambes, parce que j'aime pas trop quand on me pose des questions, «il est sympa... mais en fait... pour dire la pure vérité, c'est un monstre.»

«Un monstre!» elle a fait en rigolant.

«Oui, m'dame, c'est une vraie teigne. Il démolit tout ce qu'il touche et il nous tape tout le temps.»

«Oui», elle a dit, «je crois que je comprends. Les petits frères sont comme ça, parfois.»

«Pourquoi est-ce que vous me posez toutes ces questions?»

Elle a rigolé à nouveau. «Je suis désolée, ma chérie. Je ne voulais pas être indiscrète. Simplement, je m'inquiète pour Sudie.»

Quand elle s'est rendu compte que je ne savais pas grand-chose sur la famille de Sudie, elle a arrêté de me questionner et, pensant qu'elle en avait terminé, je me suis levée pour partir.

«Tu aimes les glaces, Mary Agnès?»

«Ça oui, j'adore ça, m'dame.»

«Alors, viens», elle a dit en me prenant par la main, «on va s'en payer une double au drugstore. Qu'est-ce que tu en dis?»

Je suppose que vous savez ce que j'en ai dit.

*
* *

En septembre, tous ceux qui ont des patates dans leur jardin les buttent pour l'hiver. Simpson avait surtout des irlandaises, mais aussi deux rangées de patates douces que Sudie l'avait persuadé de planter. Simpson avait décidé de faire ses buttes à pommes de terre plus près de la maison, et il avait déjà déversé plusieurs seaux de terre et un tas de tiges de maïs derrière le puits. Il avait promis à Sudie qu'elle pourrait l'accompagner à son potager pour l'aider à arracher les patates et les transporter à travers bois jusqu'à leur nouvel emplacement.

Le samedi qui a suivi la guérison de Simpson, Sudie s'est

levée avant tout Linlow pour aller chez lui. Pour le petit déjeuner, il y avait du lard avec de la sauce et des gâteaux que Simpson avait mis sur la table avant l'arrivée de Sudie. Simpson a bu trois tasses de café, mais Sudie de l'eau, parce qu'elle avait toujours trouvé son café trop fort. Tout de suite après le petit déjeuner, ils sont allés au potager. Sudie a demandé à Simpson si ça n'irait pas plus vite si, au lieu d'arracher les patates avec lui, elle commençait à les transporter jusqu'au puits. Il trouvait que ça risquait d'être un peu lourd pour elle, mais elle lui a dit que si c'était trop lourd, elle n'aurait qu'à vider un peu les seaux. Donc, c'est ce qu'ils ont fait, sauf que finalement c'est Simpson qui a eu raison, parce qu'au bout de six ou sept voyages en courant à travers bois avec un seau rempli de patates, Sudie était complètement lessivée. En la voyant revenir en titubant du dernier voyage, il lui a dit de s'asseoir un moment, et qu'il allait la remplacer.

«Bof, je suis pas fatiguée», elle a dit en s'effondrant par terre à côté de l'endroit où il travaillait.

Simpson s'est mis à rire: «Petite fille, vous êtes tellement fatiguée que vous n'arrivez même plus à bouger. Pourquoi vous ne voulez pas l'admettre?»

«Je suis pas si fatiguée que ça.»

Plantant sa bêche dans la terre, Simpson est venu s'asseoir à côté d'elle.

«Vous pesez combien, Miss Sudie?» il a demandé.

«J'en sais rien.»

«Vous voulez travailler comme un homme. Mais vous n'êtes qu'une petite fille. Les petites filles ont le droit d'être fatiguées d'avoir porté des pommes de terre.»

Sudie a souri et, prenant une poignée de terre noire humide, elle l'a plaquée sur son pied.

«Vous avez déjà fait un château de terre, Simpson?»

Simpson a réfléchi une minute.

«Je crois bien que non.»

Sudie l'a regardé en plissant le nez.

«Mais enfin, Simpson! Tout le monde a déjà fait des châteaux de terre!»

«Je n'en suis pas si sûr.»

«Vous voulez en faire un?»

«J'ai des patates à butter, petite fille.»

«Allez, Simpson. C'est pas difficile. Ça dure pas longtemps. De toute façon, vous devez vous reposer.»

«Vous croyez que ça repose de faire des châteaux de terre, vous?»

«Bien sûr. Vu qu'il y a besoin que d'un seul pied», elle a répondu en se levant d'un bond. «Maintenant, vous enlevez vos chaussures.»

Simpson s'est exécuté, rangeant ses chaussettes à l'intérieur de ses chaussures.

«Qu'est-ce que je fais, maintenant?» il a demandé.

Sudie a tapoté la terre devant elle.

«Venez ici, près du tas.»

Simpson s'est approché.

«Maintenant, vous posez votre pied bien à plat: je vais le recouvrir de terre.»

Il a suivi ses instructions. Elle a recouvert son pied en tassant soigneusement la terre tout autour.

«Bon», elle a dit, «maintenant, c'est le plus difficile. Tout ce que vous avez à faire, c'est de retirer votre pied très, très lentement. Allez-y et faites bien attention!»

Lentement, Simpson a retiré son pied du monticule. Mais pof! la terre s'est effondrée.

«Oh, zut!» Sudie s'est écriée. «C'est pas assez humide.»

Simpson s'est mis à rire. «Vous y tenez vraiment, à votre château, hein?»

«Ben ouais.»

«N'oubliez pas qu'il y a de l'eau plein le ruisseau», il a dit.

Sudie s'est levée d'un bond en battant des mains. «Ah, bien sûr! J'avais oublié!»

«Il en faut beaucoup?» Simpson a demandé en ramassant le seau.

Ils sont allés chercher deux seaux d'eau au ruisseau qu'ils ont remontés jusqu'au tas de terre. Simpson s'est rassis et ils ont recommencé toute l'opération.

«Posez les deux pieds, Simpson, comme ça, on pourra faire deux pièces en même temps», Sudie a expliqué.

Pendant que Sudie garnissait les pieds de Simpson de terre, il restait assis les bras autour des genoux. Puis, prenant de l'eau dans le creux de ses mains, elle a aspergé le monticule avant d'en tasser la terre pour la rendre bien compacte et bien lisse.

«Okay. Maintenant, enlevez vos pieds. Un à la fois.»

Simpson s'est penché en arrière et a ôté son pied droit: le monticule a tenu bon.

«Hé!» il s'est écrié en claquant des doigts. «Vous avez vu ça, petite fille? Ça vous plaît?»

«Ouais, c'est parfait! Maintenant, enlevez l'autre.»

Il a enlevé son pied gauche et le deuxième monticule a tenu aussi. Simpson s'est approché pour les examiner de près.

«Et combien de pièces ça doit avoir, un château de terre?» il a demandé en recommençant à ensevelir son pied.

«Oh, une centaine, à peu près.»

«Une centaine! Miss Sudie, on finira jamais ce buttage!»

«Mais si, on y arrivera», elle a dit. «On a toute la journée.»

Simpson a arrosé ses deux monticules. Sudie s'est assise à côté de lui et, à son tour, s'est recouvert les pieds.

«Je propose qu'on fasse un château de vingt pièces», il a dit en tapotant la terre.

«Vingt pièces, c'est pas un château. C'est juste un manoir.»

Simpson a soulevé son pied gauche. Le monticule a tenu. Il a enlevé le droit, et le monticule a tenu aussi.

«Eh bien, je vais... Regardez-moi ça. Ça tient vraiment bien maintenant, Miss Sudie.»

Elle a extrait son pied. «Regardez», elle a dit.

Montrant du doigt les minuscules cavités que faisaient les pieds de Sudie, Simpson s'est mis à glousser.

«On va dire que je fais les chambres, et vous les cabinets, d'accord?» il a fait.

Sudie a regardé les trous. «Simpson! Vous avez des pieds géants!»

«Je dois dire que oui, Miss Sudie.»

Sur ce, ils se sont remis au travail, Simpson construisant les chambres dans une direction, et Sudie construisant les cabinets dans l'autre. Simpson avait tellement bien pris le coup qu'il n'a dû en recommencer que deux. Au bout d'un moment, Simpson s'est levé pour examiner le travail.

«Miss Sudie?»

«Hein?»

«Je crois bien que je n'ai jamais vu de château qui n'avait qu'un rez-de-chaussée.»

«Je sais. Il faudrait deux étages au moins.»

Explosant de rire, Simpson a failli démolir ses chambres.

«Et comment on fait pour faire tenir deux étages là-dessus?»

«Ben, on fait pareil.»

«Mais, petite fille, on va écraser le rez-de-chaussée.»

«Oh, Simpson, vous êtes vraiment trop bête. On va rien écraser du tout.»

«Et si on ne faisait que des cabinets pour le premier et le deuxième? Hein? Qu'est-ce que vous en dites? Les cabinets, c'est très pratique dans un château.» Sudie a rigolé. «Oh, Simpson», elle a dit, «ce que vous êtes marrant!»

En souriant, il a regardé Sudie faire le premier cabinet du premier étage. En équilibre sur son pied droit, elle a posé délicatement le gauche au-dessus des chambres que Simpson avait faites. Elle s'est penchée pour prendre de la terre et s'est recouvert le pied. Simpson a aspergé le monticule. Elle a bien tassé le tout, et quand elle a enlevé le pied, ça a tenu.

«Ça alors! C'est quand même formidable!» Simpson s'est exclamé.

«Bon, maintenant, à votre tour.»

Se plaçant à côté du château, il a soulevé le pied droit et l'a posé au-dessus d'une autre pièce du rez-de-chaussée. On aurait dit qu'il marchait en équilibre sur les rails à la façon dont il étendait les bras. Mais son pied a frôlé la terre du rez-de-chaussée, et aussitôt le monticule s'est effondré.

«Bon sang!» il a fait. «Je suis désolé, petite fille, j'ai tout démoli.»

Sudie l'a regardé avec des yeux ronds. «Ça alors, Simpson», elle a dit, «c'est la première fois que je vous entends jurer.»

Simpson lui a pincé le nez. «C'est parce que je ne jure que quand je démolis des châteaux.»

«Ça vous arrive de jurer?»

«Vous êtes sérieuse, petite fille?»

«Je vous ai jamais entendu jurer.»

«Je ne jure jamais devant les dames.»

«Je suis pas une dame. Je suis une fille.»

«Je proteste, Miss Sudie: vous êtes une dame!»

Gênée, elle a regardé par terre.

«Miss Sudie, vous êtes une vraie dame.»

«Mais pour être une dame, il faut être une grande personne.»

«Ça n'a rien à voir, petite fille.»

Elle a levé les yeux vers lui. «Vous voulez dire qu'une fille peut être une dame?»

«Certaines, oui. Vous, par exemple.»

Comme elle ne savait plus quoi répondre, elle s'est remise à la construction du château.

Pendant que Sudie faisait le premier étage, Simpson en a profité pour déterrer ses patates et les transporter jusqu'à la maison. Après quoi, il est venu l'aider pour le deuxième étage. Elle s'appuyait sur son épaule pendant qu'il lui ensevelissait le pied et tassait soigneusement la terre. Il ne leur restait plus que quatre pièces à faire quand soudain, ils ont entendu du bruit dans les bois, du côté du ruisseau. Simpson s'est levé d'un bond. Ni l'un ni l'autre ne bougeait. Ils écoutaient. C'étaient des voix d'hommes. Sur ce, Sudie a détalé aussitôt pour plonger derrière un bouquet d'ellébores blancs au bout du potager. Tapie par terre, elle respirait à peine.

Simpson n'a pas eu autant de présence d'esprit. Il était sur le point de filer quand il les a aperçus. Deux hommes. Juste en face, de l'autre côté du ruisseau. L'un d'eux avait un fusil. Quand ils ont vu Simpson, ils se sont arrêtés net. Ils sont restés plantés là à le dévisager pendant une minute ou deux, puis celui qui était armé a braqué le fusil sur Simpson. Ils ont échangé quelques mots à voix basse, puis l'autre homme a demandé: «Qu'est-ce que tu fiches ici, négro?»

Simpson ne bougeait pas un muscle. «J'étais juste en train de butter des patates, boss.»

«D'où tu sors?»

«Oh, je reste chez des gens que je connais à Canter, boss.»

«Qu'est-ce que tu fabriques ici, alors?» a demandé l'homme au fusil.

«Je butte ces patates, c'est tout.»

Après avoir échangé quelques mots à voix basse avec son comparse, l'homme au fusil a repris: «Et tu les sors d'où, tes patates?»

«Je vous jure, boss, elles sont à moi.»

«Comment ça se fait que tu as un potager dans ce coin perdu?»

«Beh, euh...» Simpson a commencé, «M. Sims, il est de Canter. Je travaille pour lui. Il m'a dit qu'il avait un terrain tout près du ruisseau. Personne l'utilise. Il a dit que si je voulais, je pouvais le prendre comme potager.»

Les deux hommes se sont regardés. Celui qui tenait le fusil a demandé: «Tu connais, toi, Sims de Canter?»

«Ouais», l'autre a répondu. «J'ai entendu parler de lui. Il a un terrain à Hog Mountain et un autre à Braselton.»

«Et ici?»

L'autre a haussé les épaules: «Bah, j'en sais rien. Ça se peut.»

«Tu as de la famille à Canter, négro?» l'homme au fusil a demandé.

«Non, boss.»

«Elle est où, ta famille?»

«Au Texas, boss. Je viens du Texas.»

«Qu'est-ce que tu fiches à Canter, alors?»

«Ben, comme j'ai dit, je connais des gens là-bas.»

«Et pourquoi t'es pas resté au Texas?»

«Ben, euh… je suis parti justement, euh… à cause de ces gens que je connais. Ils m'ont dit qu'il y avait beaucoup de travail ici, en Georgie.»

L'homme a émis une sorte de grognement et n'a rien dit pendant quelques instants. Brusquement, il a armé son fusil. Sudie a cru qu'elle allait mourir sur place quand elle a entendu le déclic. Elle était sur le point de se lever pour intervenir quand l'homme a dit: «J'aime pas ça, moi, les négros qui racontent des histoires!»

«Oh, je raconte pas d'histoires, boss», Simpson a dit. «Je vous jure. C'est la pure vérité.»

«Qu'est-ce que c'est que ces histoires de travail en Georgie?»

Simpson a bougé les pieds.

«Tu bouges pas! Tu m'entends?» l'homme a vociféré.

Maintenant raide comme un piquet, Simpson n'a pas répondu.

«Explique-toi ou je te troue la paillasse, négro!»

Après avoir réfléchi quelques instants, Simpson a répondu: «Eh ben, mes amis, ils ont parlé d'une grosse usine de bombardiers tout près d'ici.»

«Tu parles de Bell Bomber?»

«Oui, boss. C'est bien ce nom-là.»

«Pourquoi tu travailles pas là-bas, alors? Elle est à Marietta, cette usine. Qu'est-ce que tu fiches à Canter?»

«Euh… je suis tombé malade. Bien malade, boss. Quand j'ai été guéri, je suis allé à l'usine mais, pour vous dire la vérité, boss, j'ai pas trouvé de travail… Ils ont pas voulu m'en donner.»

Les deux hommes se sont regardés. «Tu crois qu'il dit la vérité?» a demandé l'homme au fusil.

Une fois de plus, l'autre a haussé les épaules.

Ils sont restés plantés là un moment à scruter les alentours. Puis, ils ont à nouveau échangé quelques mots à voix basse. Finalement, celui qui était armé a dirigé son fusil vers le château de terre.

«Qu'est-ce que c'est que ce truc?» il a demandé en s'approchant du ruisseau.

«Quoi, boss?»

«Ces tas de terre avec des trous dedans.»

Simpson a raconté plus tard qu'il avait eu vraiment peur à ce moment-là. Il avait complètement oublié le château! Heureusement, il a répondu: «Oh, ça! C'est mes buttes à pommes de terre, boss, c'est tout.»

Échangeant un regard, les deux hommes ont éclaté de rire avant d'enjamber le ruisseau. Avec le fusil, ils ont fait signe à Simpson de reculer de quelques pas. Arrivés près du château, ils se sont remis à rire de plus belle. Quand ils ont fini par se calmer, l'homme au fusil a donné un coup de pied dans le château, faisant voler la terre de tous les côtés.

«Qu'est-ce que c'est que ces buttes-là? Tu as déjà fait pousser des patates, négro?»

«Non, boss. C'est la première fois.»

Une fois de plus, les deux hommes ont éclaté de rire. «Tu comptais butter tes patates avec ça?» l'homme au fusil a demandé.

«Pourquoi, boss? C'est pas comme ça qu'on fait?»

À ce moment-là, l'autre homme a dit: «Seigneur Dieu, Jack, tu vois pas que ce nègre est bête à manger du foin? Pas étonnant que l'usine de bombardiers n'ait pas voulu de lui. Allez, viens, fichons-lui la paix.»

S'éloignant de quelques pas, ils se sont concertés à voix basse. Puis l'homme qui s'appelait Jack a demandé: «Tu viens ici souvent?»

«Oh non, boss, je prends le train de marchandises une fois par semaine, juste pour m'occuper de mon jardin.»

«Eh bien, continue comme ça, tu m'entends?»

«D'accord, boss. Vous pouvez compter sur moi, boss. Pas de problème. Une fois par semaine, pas plus.»

L'autre s'est approché du château pour le regarder de plus près.

«Négro?»

«Oui, boss?»

«Si j'étais toi, je demanderais à quelqu'un de m'expliquer comment on butte les pommes de terre.»

«D'accord, boss. Je demanderai. Pas de problème.»

Sur ce, l'homme a tourné les talons et a fait signe à Jack de le suivre. Alors, seulement, Jack a baissé son fusil. Ils ont traversé le ruisseau; immobile, Simpson les a regardés s'éloigner juqu'à ce qu'ils soient hors de vue.

*
* *

Sudie avait tout entendu, et elle était restée plaquée au sol, immobile comme une morte. De toute sa vie elle n'avait jamais eu aussi peur. Elle avait imploré Dieu d'empêcher ces hommes de tuer Simpson. Elle avait voulu se dresser et crier à ces hommes que Simpson était son ami et qu'elle avait pourtant la peau aussi blanche que la leur. Mais elle savait que ça n'aurait été pour eux qu'une raison supplémentaire de l'abattre. Elle n'avait pas reconnu les voix des deux hommes, même si le moins bavard des deux lui avait rappelé Eugène Clyde, mais elle n'en était pas sûre, vu qu'elle ne l'avait jamais vu chasser ou aller dans les bois. La seule chose qu'elle savait de lui, c'était qu'il passait toutes ses journées à la station-service de Puckett où, assis sur un tonneau d'huile, il chiquait et crachait par terre. En plus de ça, s'il était tombé nez à nez avec un nègre dans les parages, il aurait eu tôt fait d'arracher le fusil des mains de l'autre homme et de faire sauter la cervelle de ce nègre, blam ! sans poser une seule question.

Pendant qu'elle était allongée là, des fourmis avaient escaladé ses bras et ses jambes, et en plus de ça, elle avait la joue pressée contre un petit rocher. Mais elle n'avait pas bougé, pas même un doigt, et à son avis, elle n'avait pas dû respirer non plus. Moi, je lui ai dit que c'était impossible, vu qu'autrement elle serait morte.

Quand les hommes ont disparu, Simpson a ramassé sa bêche et s'est remis à déterrer ses patates. À voix basse, il a dit : « Miss Sudie, ne bougez surtout pas. Restez exactement où vous êtes et attendez que je vous dise quoi faire, vous entendez ? »

« J'entends », elle a répondu.

« Ça va ? »

« Ça va. »

Sur ce, Simpson s'est approché du château de terre et, prenant un air complètement idiot, il s'est mis à se gratter la tête. Il a même ramassé quelques patates qu'il a mises dans les quelques trous qui restaient avant de les recouvrir de terre. Après ça, il a dit à Sudie : « Écoutez attentivement, petite fille. Je vais me diriger vers la voie ferrée comme si j'allais attendre le train. Quand j'arriverai à l'endroit où commence le kudzu, je me cacherai et je vous regarderai. Vous resterez exactement là où vous êtes jusqu'à ce que j'aie dépassé le kudzu. À ce moment-là, vous attendrez encore quelques minutes, puis vous courrez à toute vitesse jusqu'à la maison. Vous avez compris ? »

« J'ai compris, Simpson. »

« N'ayez pas peur. Je suis tout près et je ne vous quitte pas des yeux. »

« D'accord. »

« Vous avez peur, Miss Sudie ? »

« Ouais. »

« Tout va bien se passer. Faites-moi confiance. Tout va bien se passer. Maintenant, je vais y aller. Vous me voyez ? »

Sudie a levé la tête. « Je vous vois. »

Simpson a fait cinq pas avant de s'immobiliser. Sans se retourner, il a dit :

« Petite fille ? »

« Oui ? »

« Je vais dire quelque chose. Peut-être que vous n'allez pas comprendre. Mais je vais le dire quand même. »

« Quoi ? »

« Je vous aime, Miss Sudie, je vous aime comme si vous étiez mon enfant. »

Ça lui a fait un de ces chocs quand elle a entendu ça ! Elle était gênée, aussi. Au début, elle ne voulait pas répondre, mais finalement elle a dit : « Moi aussi, je vous aime, Simpson. »

Il s'est dirigé lentement vers le kudzu, les deux seaux dans une main et la bêche sur l'épaule. Sudie a attendu qu'il se cache ; alors, elle s'est levée et s'est mise à courir, comme elle n'avait jamais couru de sa vie, jusqu'à la maison, où elle s'est enfermée dans la pièce de devant. Simpson n'a pas réapparu avant un bon moment. Pratiquement une heure. Elle pensait qu'elle allait devenir folle quand finalement elle l'a vu émerger du kudzu. Quand il est entré, il n'était plus lui-même. Tout son corps était avachi comme s'il était tellement fatigué qu'il était incapable de faire un pas de plus. Sudie a couru vers lui et a jeté ses bras autour de sa taille.

« Oh, Simpson ! J'étais morte d'inquiétude. Je croyais que vous n'alliez pas revenir ! Qu'ils vous avaient fait du mal ! »

Simpson l'a prise dans ses bras. Il lui a tapoté le dos et caressé les cheveux.

«Miss Sudie... Oh, petite fille, je n'aurais jamais dû vous laisser venir avec moi au potager. Je le savais, pourtant. Je n'aurais jamais dû faire ça. C'est trop dangereux. Je le savais!»

Il l'a écartée de lui quelques instants pour regarder son visage. «Ça va? Vous avez toujours peur? Miss Sudie, ça va?»

Elle a reposé la tête sur son épaule. «Ça va.» Sa voix s'est brisée: «Mais j'ai eu tellement peur qu'ils vous tirent dessus. Oh, j'avais tellement peur qu'ils le fassent. Ils étaient horribles. C'étaient les hommes les plus horribles que j'aie jamais vus. C'étaient les hommes les plus horribles du monde.» À ce moment-là, elle s'est mise à pleurer.

Simpson l'a serrée plus fort dans ses bras. Il l'a laissée pleurer. Il est resté comme ça sans bouger jusqu'à ce qu'elle arrête de sangloter. Puis, il l'a assise sur la chaise et s'est accroupi devant elle. Elle avait les joues sales et toutes barbouillées de larmes.

«Vous avez plein de terre sur la figure et dans les cheveux, petite fille», il a dit doucement.

«La terre, c'est rien», elle a murmuré.

«Vous êtes sûre que ça va? Vous êtes sûre?»

Elle a regardé ses yeux: ils avaient changé. On aurait dit des yeux morts. C'étaient les yeux d'un animal battu laissé pour mort.

«Miss Sudie», Simpson a commencé, «Miss Sudie, écoutez-moi.»

Elle a étendu la main pour toucher le bras de Simpson.

«J'écoute», elle a dit.

«Petite fille, je suis vraiment désolé de vous avoir fait subir tout ça. Je suis désolé. Jamais je ne me pardonnerai de vous avoir laissé voir ça. Les enfants ne devraient jamais voir ces choses-là.»

«Je suis contente de les avoir vues.»

Il lui a pris la main. «Non, petite fille. Ne dites jamais ça. Ne soyez jamais contente d'assister à un spectacle pareil. Jamais.»

Au-delà des yeux tristes, la pancarte était toujours au-dessus de la cheminée. Elle a repensé à ce jour où elle l'avait décrochée de l'arbre. Elle avait trouvé ça drôle à l'époque. Oui, drôle, et c'est tout. Comment avait-elle pu être assez bête pour trouver ça drôle? À nouveau, elle a regardé les yeux de Simpson.

«Je suis contente de l'avoir vu», elle a répété.

Simpson s'est levé et s'est assis sur la chaise à côté d'elle puis, posant ses coudes sur ses genoux, il a enfoui son visage dans ses mains. Il est resté assis dans cette position un long moment. Sudie était tellement triste pour lui qu'elle avait envie de mourir. Elle ne trouvait rien à dire qui puisse le consoler. Rien. Finalement, elle s'est dit que ça l'aiderait peut-être de savoir qu'elle n'avait jamais vu les deux hommes de tout à l'heure.

«Simpson», elle a dit en lui effleurant l'épaule. «Je les ai pas reconnus, les hommes de tout à l'heure. Ne vous en faites pas. Ils ne sont pas du coin.»

Ôtant les mains de son visage, Simpson a dit d'une voix fatiguée: «Ça ne change rien, Miss Sudie. C'était trop dangereux que vous soyez là-bas. D'ailleurs c'est tout aussi dangereux que vous veniez ici. Il y a beaucoup de gens dans ce monde, Miss Sudie – c'est peut-être difficile pour vous de l'imaginer – de gens qui tuent les Noirs pour rien. Uniquement parce qu'ils sont noirs. Et s'ils vous avaient vue avec moi, ils vous auraient peut-être tuée.»

Sudie voulait dire quelque chose, mais Simpson a repris doucement: «Chut, petite fille, laissez-moi finir. Il y a beaucoup de choses que vous ne comprenez pas, et parfois, j'en remercie le Seigneur. Parfois, je prie pour que vous puissiez grandir et mourir sans avoir à comprendre. Si ça ne tenait qu'à moi, je cacherais tous les enfants, noirs et blancs. Je les cacherais quelque part jusqu'à ce que les adultes meurent, jusqu'à ce que la haine et la cruauté meurent avec eux.»

«Mais, Simpson...»

«Ce n'est pas juste maintenant et ça n'a jamais été juste. Nous mettons des enfants au monde. Ils ne savent pas ce que c'est que la haine; ils ne savent pas ce que c'est que la cruauté. Si nous les laissions tranquilles, jamais ils n'auraient à savoir ce que nous leur apprenons.»

Simpson s'est levé pour déplacer sa chaise et se mettre en face de Sudie.

«Miss Sudie, j'ai été élevé pour haïr les Blancs, pour craindre les Blancs, pour duper les Blancs. J'ai été élevé pour ramper devant eux, pour être d'accord avec tout ce qu'ils disaient. À vos ordres, boss. D'accord, boss. Tout ce que vous voudrez, boss. Et vous, Miss Sudie, on vous a appris que les Noirs étaient des rôdeurs, qu'ils pouvaient vous tuer ou pire encore. On vous a appris à craindre et à haïr. Oui, on vous a appris tout ça, et le jour où je vous ai rencontrée sur la voie ferrée, tout votre visage le proclamait. Comme si vous aviez une pancarte de la taille de cette pièce au-dessus de la tête marquée PEUR.»

Frappant du poing sur son genou, Sudie s'est levée d'un bond et a regardé Simpson bien en face.

«Je m'en fiche de tout ça. Je m'en fiche, vous entendez! Ça change rien! Vous dites que je ne comprends pas. Mais je comprends! Je comprends des tas de choses. Vous pouvez pas savoir le nombre de choses que je sais. Je ne suis ni aveugle ni sourde!» Elle a frappé du pied par terre. «Et je ne suis pas bêt non plus!» elle a hurlé en laissant les larmes couler sur ses joues. «Et... vous voulez que je vous dise autre chose... *Mister* Simpson? Moi, les vieilles vermines comme on a vu tout à l'heure, ça me fait pas peur. Vous entendez? Pas peur du tout! Mais on a déjà parlé de tout ça il y a longtemps. Je croyais que c'était réglé. J'ai la peau aussi blanche que la leur. Je vis ici, à Linlow, et tout le monde me connaît. Tout le monde! L'important, c'est vous. J'ai eu tellement peur, Simpson! J'ai cru qu'ils allaient vous tirer dessus, tout ça parce que je vous avais forcé à m'emmener au potager. Tout ça, c'est ma faute. Vous m'avez dit de ne pas y aller. J'y suis allée quand même. Tout est ma faute, pas la vôtre! Vous m'entendez?» Sur ce, elle a éclaté en sanglots.

Simpson l'a attirée sur ses genoux. Il a pressé sa tête contre son épaule et, du mieux qu'il pouvait dans cette chaise de bric et de broc, il l'a bercée. Il l'a bercée et il lui a caressé les cheveux. Il l'a bercée jusqu'au moment où il l'a sentie toute détendue, puis il s'est mis à fredonner une chanson qu'elle ne connaissait pas. Il a continué à la bercer et à fredonner tellement longtemps qu'elle s'est endormie. Là, dans le giron de ce nègre.

*
* *

Sudie a dormi pendant plus d'une heure dans les bras de Simpson. Quand elle s'est réveillée, il était midi passé. Il l'a assise sur l'autre chaise et l'a portée, avec la chaise et tout, jusqu'à la table.

«On va manger, maintenant.»

Il a fait des beignets de maïs, réchauffé un reste de petits pois et mis une pomme de terre dans la braise pour après. Il avait acheté spécialement pour Sudie du lait de beurre qu'il avait mis à rafraîchir dans le ruisseau, mais il n'osait pas aller le chercher, ce qui fait qu'ils ont dû boire de l'eau.

En préparant le repas, il lui a parlé de beaucoup de choses, et elle l'a écouté. D'habitude, Sudie rajoute toujours son grain de sel quand quelqu'un parle, mais cette fois elle était juste trop épuisée pour faire la maligne. Il lui a dit un tas d'autres choses sur les Blancs et les Noirs. Il a parlé des animaux, de ceux qui avaient suffisamment récupéré pour qu'ils les laissent partir avant l'hiver. Il a aussi parlé de sa femme et de sa petite fille.

Quand il s'est arrêté de parler, Sudie n'a rien répondu, ce qui fait qu'ils sont restés assis tous les deux sans rien dire. Au bout d'un moment, Sudie est sortie pour aller aux toilettes. Quand elle est revenue, Simpson lui a demandé si elle voulait faire un autre château de terre.

«En faire un maintenant?» elle a demandé, surprise.

«Oui, oui. Maintenant.»

«C'est-à-dire que...» elle a continué, «je pensais que vous... bah, je sais pas.»

«Comme on n'a pas eu l'occasion de finir le premier, je me disais que vous aviez peut-être envie d'en faire un autre. On pourrait le faire juste à côté du puits, là où j'ai mis mon tas de terre.»

Sudie n'a pas répondu. Elle est sortie s'asseoir sur les marches de devant. Elle se sentait horriblement mal. Exactement comme la fois où des gens s'étaient mis à raconter toutes ces histoires de chiens enragés et qu'elle avait compris que son père allait abattre Penny. Elle savait que Simpson allait lui dire de ne plus revenir. Elle le savait aussi sûrement qu'elle savait que la nuit allait tomber.

Il est sorti la rejoindre sur les marches et s'est assis à côté d'elle. Ils ne se sont rien dit pendant un moment, puis il lui a redemandé si elle voulait faire un château. Elle lui a répondu que non, qu'elle en avait marre des châteaux de terre. Il lui a tapoté la main: «Miss Sudie», il a dit, «il nous reste à peu près cinq heures jusqu'à la tombée de la nuit. Je veux que vous disiez ce que vous avez envie de faire.»

«Ce que j'ai envie? Vous voulez savoir?» elle s'est écriée. «J'ai envie de hurler! C'est tout!»

Simpson a ramassé une poignée de sable et l'a jetée au loin.

«Je crois bien que moi aussi, petite fille.»

«Alors pourquoi vous hurlez pas? Vous hurlez jamais? Les Noirs hurlent jamais?»

«Si, j'ai déjà hurlé. Il y a très longtemps.»

«Moi, je hurle tout le temps», elle a dit.

Simpson a eu un grand sourire. «Ça ne m'étonne pas. Je suis sûr que vous hurlez très bien et très fort.»

«Ça oui. Vous voulez m'entendre?»

Simpson a eu l'air surpris quand elle lui a demandé ça; il a réfléchi une minute puis il lui a dit: «Miss Sudie, je vais faire un petit pari avec vous. Je vous parie que je hurle plus longtemps et plus fort que vous. Qu'est-ce que vous en dites?»

«On parie quoi?»

«Voyons voir... Ça y est, j'ai trouvé: si je gagne, vous devrez aller tirer de l'eau au puits et m'en faire boire une louche. C'est d'accord?»

«Ouais. Mais si c'est moi qui gagne?»

«À vous de décider. Dites-moi ce que je devrai faire.»

«Okay», elle a dit en posant son menton sur une main. «Ça y est! Si je gagne, vous me prenez sur votre dos, on va jusqu'à la voie ferrée et on revient. Deux fois!»

Il a tendu la main. «Marché conclu.» Et ils ont échangé une poignée de main.

«On commence tout de suite?»

«Justement, je me demandais», il a répondu. «D'habitude, j'aurais dit oui, mais là je ne sais pas si les hommes de tout à l'heure sont assez loin.»

Sudie était déçue. «Ouais, c'est vrai, je vois ce que vous voulez dire.»

«Ça ne veut pas dire qu'on ne va pas hurler. On peut attendre le passage du prochain train. Hein? Qu'est-ce que vous en pensez?»

«D'ac! On n'a qu'à faire ça! Il passe quand?»

Simpson a regardé sa montre-gousset. «Le train du Sud doit passer dans à peu près vingt-deux minutes.»

«Ça fait long.»

«Bah, pas si long que ça. On n'aura pas le temps de dire ouf que ça sera déjà passé. On peut en profiter pour se détendre et parler un peu.»

«Moi, je reste pas assise ici si c'est pour parler! Parce que moi, votre parlotte, j'en ai soupé!»

«Vous avez sûrement raison», il a dit. «Très bien, petite fille: vous êtes capable de rester sans parler pendant vingt-deux minutes?»

«Ouais. Et vous?»

«Moi aussi.»

Donc, c'est ce qu'ils ont fait. Vous voyez le tableau? Ils sont restés assis côte à côte sans rien dire jusqu'au moment où ils ont entendu le sifflet du train. Alors, Simpson s'est levé.

«Bon. Maintenant, Miss Sudie, je vais compter jusqu'à vingt-cinq, et quand je dirai vingt-cinq, vous commencerez à hurler. Vous êtes prête?»

Elle s'est levée d'un bond.

«Je suis prête», elle a dit.

Simpson s'est mis à compter, lentement, le temps que le train approche, pour qu'il y ait le plus de bruit possible. À vingt, il lui a fait un clin d'œil: vingt et un... vingt-deux... vingt-trois... vingt-quatre... vingt-cinq! À ce qu'elle m'a raconté après, ç'a été le boucan le plus abominable qu'elle ait entendu de sa vie. Le problème, c'est qu'elle, elle s'est mise à hurler normalement, mais que cet idiot de Simpson a commencé à pousser des cris de Peau-Rouge et à se tapoter la bouche en bondissant et en tournant en rond plié en deux. Puis, brusquement, agitant des mains griffues au-dessus de sa tête, il s'est mis à pousser des lamentations de fantôme, avant de commencer à crier comme un fou: «Ho! La! Ho! Silver!» Il était tellement drôle à voir qu'elle s'est mise à rire et à le frapper, et qu'elle a dû arrêter de hurler.

Ce qui fait qu'il a gagné, même si elle lui a dit que jamais de sa vie elle n'avait vu un tricheur pareil. Donc, elle est allée tirer de l'eau au puits, mais il s'était tellement égosillé qu'elle a dû lui en donner trois louches pleines qu'il a bues jusqu'à la dernière goutte, sauf qu'il a eu le visage tout éclaboussé du fait qu'au moment où il avait arrêté de crier, il était étalé par terre sur le dos, et que pendant qu'elle tenait la louche au-dessus de sa tête pour lui verser l'eau dans la bouche, ils se tordaient de rire tous les deux. Après ça, il a quand même reconnu qu'il avait triché et il a félicité Sudie pour son hurlement, qui était le plus magnifique qu'il ait jamais entendu. Et comme il pensait qu'il n'avait pas vraiment gagné son pari, il lui a fait faire les deux allers-retours sur son dos.

*
* *

Simpson a pratiquement attendu jusqu'au coucher du soleil pour dire à Sudie la pire de toutes les choses qu'elle pouvait entendre. La chose qu'elle avait toujours su devoir entendre un jour, et contre laquelle il n'y avait rien, strictement rien à faire.

Sudie cherchait Veinard dans la cour de derrière quand Simpson l'a appelée. Elle l'a rejoint. Il était assis sur les marches.

« Venez ici, petite fille », il a dit.

Sudie est venue s'asseoir à côté de Simpson. Elle avait toujours envie de hurler et de pleurer ; elle avait l'impression d'avoir reçu un coup de couteau et de s'être vidée de son sang et de sa vie. Elle a fermé les yeux très fort et a supplié Dieu de ne pas avoir à entendre ça tout de suite. Pas tout de suite, Dieu.

« Miss Sudie », Simpson a commencé, « il faut que je vous parle. Je sais que vous ne voulez pas que je le fasse. Je le sais bien. »

Sudie a ouvert les yeux pour le regarder. « Pourquoi vous voulez le faire, alors ? »

Simpson s'est penché pour ramasser une brindille avec laquelle il s'est mis à tambouriner les marches.

« Il va falloir que vous arrêtiez de venir ici, petite fille », il a dit d'une voix brisée. Il regardait le sol.

« Mais Simpson, je ferai attention, beaucoup plus attention, je le jure. Croix de bois, croix de fer ! Oh, je vous en supplie », elle s'est écriée, « je n'irai plus jamais au potager. Je me cacherai dans la maison, même. Oh, je vous en supplie, ne dites pas ça ! »

« Il le faut, petite fille. Maintenant, écoutez-moi, je vous en prie. Je vous l'ai dit, il y a dans ce monde beaucoup de gens méchants. Je crois que vous ne vous en rendez pas compte. Je ne veux pas dire des assassins, mais des gens qui penseraient des choses horribles s'ils découvraient que nous sommes amis, vous et moi. Je sais que ce n'est pas normal, mais c'est comme ça. Peut-être même que certains hommes essaieraient de vous faire du mal s'ils apprenaient que vous fréquentez un nègre de mon âge. »

Sudie s'est levée d'un bond en se bouchant les oreilles. «J'écoute pas ! Je m'en fiche ! Je m'en fiche complètement !»

Simpson l'a laissée faire. Il n'a rien dit. Finalement, elle a enlevé les mains de ses oreilles et elle est revenue s'asseoir. En soupirant, Simpson a brisé la brindille et après avoir fixé un moment les deux morceaux, il a repris : «Je veux plus prendre de risques, Miss Sudie, et je voudrais que vous restiez assise et que vous m'écoutiez jusqu'au bout. Vous voulez bien, petite fille ?»

Sudie était incapable de répondre. Si elle ouvrait la bouche, elle sentait qu'elle se mettrait à pleurer. Elle s'est contentée de hocher la tête. Posant la main sur son épaule, Simpson a continué : «Je ne peux pas supporter l'idée que quelqu'un puisse vous faire du mal. Si ça arrivait, je n'aurais plus qu'à tuer cette personne de mes propres mains. Je ne veux pas prendre le risque que quelqu'un vous fasse du mal à cause de moi. Ce n'est pas raisonnable... Ça ne l'a jamais été. J'ai été égoïste, Miss Sudie. Je savais que ce n'était pas bien que vous veniez ici, mais vous...»

Il s'est interrompu pour se rapprocher d'elle. Il l'a regardée dans les yeux. «Vous m'avez rendu cette force de vivre que j'avais perdue depuis si longtemps. Je vous ai laissée être la petite fille que je n'ai jamais pu élever. En vous, j'ai pu voir ce que c'était que les petites filles. Ce que je n'ai pas eu la chance de voir dans ma fille. Et vous voir courir, crier, rigoler, ç'a été comme une averse rafraîchissante après une journée dans les champs, quand on est mort de chaud et de fatigue.»

Sudie a enfoui la tête contre ses genoux et a passé ses bras autour de ses jambes. Simpson lui a caressé la tête.

«Miss Sudie, vous avez allégé le poids de mes jours. Avec vous, mon vieux cœur engourdi s'est remis à battre plus fort. À ressentir des choses que je ne ressentais plus depuis des années. Ce dessin que vous m'avez offert n'est peut-être qu'un morceau de carton pour certains, mais pour moi, personne n'en a jamais créé de plus beau. À chaque fois que je le regarde, j'oublie un peu de ma souffrance. J'oublie la chaîne de forçats et tout le reste, petite fille. Voilà tout le bien que me fait ce dessin.» Il a soulevé le menton de Sudie; ses joues étaient striées de larmes. «Vous êtes un enchantement, Miss Sudie, et je ne serais pas plus fier de vous si vous étiez vraiment mon enfant. C'est pourquoi je dois vous demander de ne plus venir. Il le faut, petite fille. Je vous en prie, essayez de comprendre.»

Sudie n'a rien répondu.

Finalement elle s'est levée pour aller au bout de la cour. Elle a arraché une poignée d'herbes folles et les a jetées dans la masse de kudzu.

«Quand vous étiez cachée dans le potager», Simpson a repris, «je vous ai dit que je vous aimais. Vous m'avez cru, petite fille?»

Sudie était incapable de répondre. C'est à peine si elle pouvait encore respirer. Elle avait l'impression d'étouffer. Brusquement, elle est revenue en courant vers la maison et s'est jetée sous la véranda. Veinard était là, endormi contre une pierre. Alors, elle a commencé à pleurer tellement fort qu'elle a fait peur au lapin en le prenant dans ses bras et qu'il s'est mis à se débattre pour se sauver. Elle l'a tenu contre elle jusqu'à ce que ses larmes s'épuisent en sanglots secs et en hoquets. Alors, elle l'a posé sur ses genoux pour le caresser. Elle est restée sous la maison un long moment. Quand finalement Simpson l'a appelée, elle est sortie. Elle s'est assise par terre en face de lui, Veinard sur ses genoux.

«Miss Sudie?» a fait Simpson en se penchant pour lui toucher l'épaule.

«Vous avez fini de parler?» elle a murmuré en levant les yeux vers Simpson.

Simpson a soupiré. «Je crois bien, petite fille», il a répondu.

«Alors, vous voulez bien m'écouter un moment?» elle a dit en baissant les yeux vers le lapin.

«Bien sûr, petite fille. Bien sûr.»

«Vous avez pas le droit de vous débarrasser de moi comme ça, Simpson», elle a dit, tellement faiblement que Simpson n'a pas entendu.

«Qu'est-ce que vous dites?» il a demandé.

Elle a abattu son poing par terre. «Je dis que vous avez pas le droit de vous débarrasser de moi comme ça! C'est pas bien! C'est pas bien, c'est tout!» Alors, elle l'a regardé.

Simpson avait l'air choqué. Comme si elle l'avait giflé.

«Mais, Miss Sudie», il a commencé, «je ne me débarrasse pas de vous! Je vous en supplie, ne dites pas des choses comme ça! Je vous en supplie, petite fille!»

«Vous voulez que je les dise comment, alors? Vous croyez qu'il y a une autre façon de les dire?»

Les larmes ont recommencé à couler sur ses joues. Elle les a essuyées de la main.

«Simpson, s'il vous plaît, écoutez-moi! Je n'ai jamais eu de grande personne à qui parler. Jamais, avant vous. J'en ai jamais eu qui disait qu'elle m'aimait, même pas mon père. Oh, Simpson!»

À ce moment-là, elle a soulevé Veinard jusqu'à son visage et a éclaté en sanglots. Simpson est venu s'agenouiller à côté d'elle et il l'a prise par l'épaule. Après l'avoir laissée pleurer un petit peu, il a dit: «Je vous aime, petite fille. C'est pour ça que je dois vous demander de ne plus venir – je vous en prie – j'ai essayé d'expliquer. Je vous en prie, essayez de comprendre.»

Finalement, Sudie a arrêté de pleurer. Pressant Veinard contre sa poitrine, elle a regardé Simpson.

«Ce que vous avez expliqué sur les hommes qui pouvaient faire du mal à une fille qui était amie avec un nègre, eh ben, ça veut rien dire, Simpson. Rien du tout.»

«Ça veut dire beaucoup plus que vous ne pensez.»

«Non, c'est pas vrai!» elle s'est écriée en s'écartant de lui. «Je peux vous raconter une histoire dans ce genre-là tout de suite, si vous voulez, Simpson. Une histoire que j'ai jamais racontée à une seule grande personne de ma vie.» Elle a pivoté sur elle-même dans le sable pour tourner le dos à Simpson. «Vous ne devez pas me regarder! Cachez-vous les yeux!»

«Ils sont cachés», il a dit.

«Vous dites que je me rends pas compte des choses que les hommes peuvent faire aux petites filles...» Elle s'est arrêtée une minute pour réfléchir à ce qu'elle allait dire, puis elle a repris: «Eh ben, vous voyez, Simpson, c'est pas vrai. Parce que je connais un homme qui fait des choses aux petites filles et qui n'a rien à voir avec vous. Mais alors, rien du tout!»

«Qu'est-ce que vous voulez dire?»

«Simpson, il y a un maître d'école à Linlow qui attrape les petites filles pratiquement tous les jours pour leur faire toucher... euh... pour leur faire toucher son Truc. Elles doivent le remuer et après ça, il leur donne une pièce de cinq cents et comme ça elles la bouclent.»

Elle a entendu Simpson prendre une profonde inspiration. Elle a repris: «Moi, il m'a coincée des tas de fois, et je peux pas aller le dénoncer parce que c'est de ma faute... parce que... euh... parce que je suis une fille. Voilà.»

Une demi-seconde plus tard, Simpson était accroupi en face d'elle et la regardait dans les yeux.

«C'est la vérité ce que vous me dites?»

«Oui.»

Il a abattu son poing par terre.

«Ne faites pas ça!» elle s'est écriée, prenant peur. «C'est pas grave.»

«Si, c'est grave! C'est très grave! Il mériterait d'être abattu! Et sans procès, encore! Petite fille, il vous a déjà fait mal? Hein? Dites-moi.»

«Non, jamais, Simpson. Écoutez... Faut pas s'énerver. Je vous en prie. C'est pas si grave.»

Simpson continuait d'aller de long en large devant les marches, abattant son poing dans la paume de sa main.

«Miss Sudie, il y a encore quelque chose que vous voulez me dire?»

Elle a levé les yeux vers lui.

«Oui, Simpson. Plein de choses, si vous promettez de vous asseoir et de ne pas me regarder.»

Simpson est allé se rasseoir sur les marches. Sudie lui tournait toujours le dos. Alors, elle lui a parlé de sa mère, comme quoi elle lui avait raconté que les filles avaient ce sale Truc honteux entre les jambes qui faisait que les hommes devenaient fous, que c'était à cause de ça que le maître d'école faisait ce qu'il faisait; comme quoi elle pouvait prier autant qu'elle voulait, elle savait bien qu'elle n'irait jamais au paradis à cause de ça. Et puis, elle lui a parlé de son père, comme quoi il ne parlait jamais, et que maintenant qu'elle avait Simpson, celui-ci voulait se débarrasser d'elle. À ce moment-là, elle s'est remise à pleurer. Simpson s'est levé.

«Petite fille», il a dit, «je vais devoir rompre ma promesse de ne pas vous regarder. Je vais venir m'asseoir en face de vous parce que j'ai besoin de vous regarder.»

Il s'est arrêté en face d'elle et s'est assis en tailleur dans le sable. Elle n'osait toujours pas le regarder. Elle a enfoui sa tête dans ses mains.

«Que le Seigneur nous vienne en aide», il s'est écrié. «Ce que les adultes font aux enfants est un péché irréparable. Miss Sudie, je ne sais pas quoi dire pour vous faire comprendre que vous n'avez commis aucun péché. Vous m'entendez ? Aucun ! Vous êtes une petite fille et Dieu s'est surpassé quand il a fait les petites filles. Ah ça, oui ! Les petites filles sont précieuses au regard de Dieu, oui, précieuses, des pieds à la tête. Il n'y a pas une seule partie d'elles qui soit un péché.»

Sur ce, il a pris ses deux mains dans l'une des siennes. Veinard est resté sur les genoux de Sudie.

«Vous n'avez pas à avoir honte de me regarder, Miss Sudie. Vous n'avez à avoir honte de rien.»

Elle a fermé les yeux plus fort.

«Écoutez-moi, petite fille, j'ai lu et relu ma Bible, page après page, des centaines de fois. Il y a des passages que je connais par cœur. J'ai exactement la même Bible que votre pasteur et que votre mère, et il faut me croire, petite fille, quand je dis que vous n'avez commis aucun péché. C'est cet homme qui est coupable, pas vous ! C'est un adulte. Il mériterait qu'on le tue sur-le-champ, voilà tout ! Et toutes les parties de votre petit corps, Miss Sudie, sont parfaites au regard de Dieu. C'est Lui qui les a faites, les unes après les autres. Dieu ne fait pas de choses mauvaises. Il n'en fait que des bonnes. C'est ce qui est écrit sur la toute première page de cette Bible. Dieu ne fait pas de choses mauvaises. C'est l'homme qui en fait. C'est nous, les pécheurs. Pas lui. Parce que c'est impossible.»

Simpson s'est interrompu pour lui tapoter la main avant de reprendre : «Donc, vous voyez, Miss Sudie, croire que Dieu vous a donné quelque chose de mauvais, c'est dire que Dieu est mauvais. C'est dire que Dieu n'est rien.»

Il a arrêté de parler pendant une minute. Sudie ne le regardait toujours pas.

«Pour ce qui est de votre père», il a repris, «je crois qu'il vous aime. Je ne vois pas comment il pourrait faire autrement. Mais il faut essayer de les comprendre, les papas. Ils travaillent dur pour nourrir leur famille. Les temps sont durs. Et ils le sont depuis longtemps. Parfois, les papas ne font pas assez attention à leurs enfants parce que la seule chose qui les préoccupe, c'est de savoir d'où viendra le morceau de pain suivant. Et votre papa a eu beaucoup d'enfants à nourrir dans sa vie. Vous comprenez ce que je dis, petite fille?»

«Je crois», elle a répondu, toujours sans ouvrir les yeux.

«En tout cas, je suis prêt à parier que si on demandait à votre papa ce qu'il pense de vous, il dirait que vous êtes la petite fille la plus merveilleuse qu'un père puisse avoir. J'en suis sûr. Parce que c'est vrai. Vous êtes un cadeau du Ciel, voilà ce que vous êtes. Vous êtes spéciale, Miss Sudie. Dieu n'en a fait qu'une comme vous. Et vous croyez que Dieu irait gâcher une aussi exceptionnelle petite créature en lui donnant quelque chose de mauvais? Ah ça, non, Miss Sudie! C'est sûr que non!»

Sudie sanglotait maintenant. Ses épaules tressautaient de façon incontrôlée. Elle ne savait pas quoi penser de tout ce qu'il lui avait dit, et elle ne voulait plus rien entendre. Elle n'aurait pas pu supporter d'entendre un mot de plus! Elle savait qu'elle n'allait pas dire adieu à Simpson. Parce qu'elle ne le pouvait pas et qu'elle ne le voulait pas. Alors, elle a posé Veinard par terre et s'est levée. Elle a levé la tête et a regardé Simpson dans les yeux pendant une seconde.

Puis elle est partie en courant.

Elle a couru aussi vite que ses jambes voulaient bien la porter, remontant le chemin taillé dans le kudzu, traversant les buissons et les herbes folles. Elle a entendu Simpson l'appeler, mais elle a continué de courir jusqu'à la voie ferrée. Elle avait l'impression que sa poitrine allait éclater. Après ça, elle s'est mise à courir sur la voie, sautant deux ou trois traverses à la fois. Enfin, elle est arrivée au pont. Là, elle a escaladé le remblai et elle s'est assise tout en haut, juste en dessous du pont. Elle est restée assise là jusqu'à ce qu'il fasse nuit noire.

Septième partie

Mèche vendue et cœurs brisés

Sudie ne valait plus un clou après ça. Elle passait tout son temps à traîner. Elle ne faisait plus rien; elle a séché l'école pendant quatre jours, et sa mère ne le savait même pas. Elle a passé tout ce temps à réfléchir. À réfléchir à toutes les choses que Simpson avait dites, et finalement elle a commencé à aller mieux. À force de réfléchir, elle avait pris deux décisions. La première, c'était qu'elle savait qu'elle allait revoir Simpson. Et que ce n'était qu'une question de temps. Le temps pour lui d'oublier les deux hommes dans le potager. Si elle en était arrivée à cette décision, c'était parce qu'il avait dit qu'il l'aimait, et que c'était impossible de ne pas voir quelqu'un qu'on aimait. Donc, voilà.

La deuxième chose qu'elle avait décidé de faire, c'était de dénoncer Bob Rice. Elle n'a rien dit à sa mère, bien sûr; il n'y avait pas de danger! Elle la connaissait trop bien. Donc, ce qu'elle a fait, c'est que le cinquième jour, après avoir fini de réfléchir, elle a mis sa robe d'école et elle a filé au collège, où elle est allée frapper directement à la porte de la classe de Mlle Marge. C'était la deuxième heure. Ce n'était même pas la récréation ou quoi que ce soit. Mlle Marge est venue lui ouvrir et avant qu'elle ait pu dire un seul mot, Sudie a lâché:

«Mlle Marge, Bob Rice est un immonde salopard!»

En entendant ça, Mlle Marge était un peu interloquée, c'est le moins qu'on puisse dire ; elle a fermé la porte derrière elle, et en voyant les lèvres pincées de Sudie, elle s'est dit qu'elle ferait peut-être bien de l'écouter. Ce qui fait que finalement, elle lui a demandé : « Tu veux bien m'expliquer pourquoi, Sudie ? »

« Ça oui, alors ! » Sudie a répondu.

Mlle Marge a posé la main sur l'épaule de Sudie. « Je suppose que ça ne pouvait pas attendre jusqu'à la récréation ? »

« Je peux plus attendre une minute de plus ! »

Mlle Marge a souri. Elle a ouvert la porte et a demandé à Louise Puckett de surveiller la classe le temps qu'elle revienne. Puis, elle a emmené Sudie dehors, où elles se sont assises sur les marches.

« Alors, Sudie », a commencé Mlle Marge, « pourquoi Bob Rice est-il un immonde salopard ? »

« Parce qu'il force les petites filles à remuer son sale Truc immonde, voilà pourquoi ! »

Mlle Marge a fait une de ces têtes ! Elle a dévisagé Sudie une minute comme si elle n'était pas sûre d'avoir bien entendu, puis elle a demandé : « Sudie, tu ne veux quand même pas parler de son pénis ? »

« C'est quoi un pénis ? C'est un Truc de yankee ? »

Mlle Marge a failli sourire, mais voyant que ça vexait Sudie, elle a retrouvé aussitôt son sérieux.

« Le pénis est l'organe sexuel masculin, Sudie. Au Nord comme au Sud. »

« Jamais entendu parler. »

« Ce n'est pas grave », elle a dit en prenant la main de Sudie dans les siennes. « Sudie, est-ce que tu te rends compte de ce que tu viens de dire ? Et d'ailleurs, comment peux-tu savoir une chose pareille sur Bob Rice ? »

« Parce que son Truc, je l'ai remué au moins cent fois ! »

Mlle Marge a regardé Sudie d'un air horrifié. Elle l'a prise par l'épaule et l'a serrée contre elle un moment, sans rien dire. Sudie s'est dégagée de son étreinte pour demander : « Vous me croyez ? »

« Oui, Sudie, je te crois », elle a répondu.

« Vous allez pouvoir faire quelque chose, alors ? Je vous en supplie, m'dame. Il faut que vous fassiez quelque chose ! Je suis sûre que Clara May continue à remuer son Truc. Il a besoin qu'on le lui remue tous les jours ! »

Mlle Marge a secoué la tête. « Tu connais beaucoup de petites filles qui ont... qui ont fait ça ? »

« Oui, plein. »

Mlle Marge a regardé Sudie dans les yeux. « Sudie, serais-tu prête à raconter ça à M. Etheridge si j'allais avec toi dans son bureau ? »

En entendant ça, Sudie s'est levée d'un bond. Elle était sur le point de détaler, mais Mlle Marge l'a rattrapée par le bras.

« Attends, Sudie ! Attends, ma chérie. »

« Je le dis à personne sauf à vous ! C'est tout ! »

« D'accord. D'accord. Ne te sauve pas. Rassieds-toi, Sudie. Je ne t'obligerai pas à parler si tu n'en as pas envie. Je te le promets. »

Sudie ne se rasseyait pas.

« Tu as confiance en moi, Sudie ? » Mlle Marge a demandé.

« Pourquoi je suis venue ici, à votre avis ? Je suis pas allée ailleurs. Il y a nulle part où aller, c'est pour ça que je suis venue ici, mais je dirai rien à M. Etheridge ! »

Elles ont dû arrêter de parler parce qu'à ce moment-là Jamey Davis est passé devant elles en allant aux toilettes.

« Sudie », Mlle Marge a repris quand Jamey a disparu,

«il est très important que tu aies confiance en moi. Une fois déjà, tu m'as fait assez confiance pour me parler de M. Simpson, et je crois que tu sais que je ne trahirai jamais cette confiance. Nous ne pouvons pas continuer à laisser faire Bob Rice, et je te promets que je ferai tout ce qui est en mon pouvoir pour l'en empêcher, mais je vais avoir besoin de ton aide.»

«Mais qu'est-ce que je peux faire, moi? Personne ne croit jamais les gosses!»

«Moi, si, Sudie. Je te crois.»

«M. Etheridge me croira jamais, lui.» Levant les mains et mettant ses deux index l'un contre l'autre, Sudie a continué: «M. Etheridge et Bob Rice, ils sont comme ça! Copains comme cochons.»

«Je sais qu'ils sont très amis.»

«Donc, vous voyez bien qu'il me croirait jamais pour Bob Rice! Pas une seconde, il me croirait.»

Mlle Marge a touché le bras de Sudie. «Sudie, tu veux qu'on se retrouve, toi et moi, après l'école? Je vais trouver un plan de bataille, ma chérie, mais il va falloir que tu m'en dises plus. On ira faire un tour en voiture, comme ça on pourra parler. J'ai besoin d'un peu de temps pour réfléchir à fond à tout ça, mais d'une façon ou d'une autre, Bob Rice sera neutralisé. Je te le promets, Sudie.»

«J'espère.»

«Il le sera: promis, craché, juré», Mlle Marge a dit. «Tu viendras, après l'école?»

«Oui», Sudie a répondu. «Je viendrai.»

*
* *

Mlle Marge est restée avec Sudie tout l'après-midi jusqu'à l'heure du dîner. D'abord, elles ont roulé dans la campagne. Après avoir traversé Linlow, ce qui a été vite fait, elles ont pris la route de Hog Mountain puis celle de l'église. Mlle Marge s'est garée sur le parvis de l'église. En chemin, elle n'avait posé aucune question à Sudie sur Bob Rice. Elles avaient surtout parlé de qui habitait dans telle ou telle maison, de qui possédait tel ou tel champ, et Sudie lui avait dit le nom de tous les gens, le genre d'animaux qu'ils avaient, le nom des animaux et ce genre de choses. Quand Mlle Marge s'est garée, elles sont sorties de la voiture et elles ont traversé la route pour aller au cimetière. Alors, Sudie lui a raconté de quelles familles faisaient partie les gens enterrés et comment certains d'entre eux étaient morts. Elle a montré à Mlle Marge l'endroit où sa tante, son oncle et son cousin étaient enterrés, ce qui fait qu'elles ont passé un bon moment à ne pas parler de Bob Rice, ce qui convenait tout à fait à Sudie tellement ça la rendait malade de prononcer son sale nom.

Pendant qu'elles regardaient la tombe de la tante et de l'oncle de Sudie, Mlle Marge lui a posé des questions sur sa famille. Elles étaient assises sur le muret en ciment qui entourait la concession des Turner, quand Mlle Marge lui a dit: «Tu m'as parlé de tous les habitants de Linlow sauf de ta famille.»

«Ouais, possible», Sudie a répondu.

«Tu veux bien m'en parler?»

Sudie a ramassé une poignée de graviers sur la concession des Turner et s'est mise à les jeter sur les tombes.

«Tu veux bien?» Mlle Marge a répété.

«Y a rien à raconter.»

«Il y a quelque chose à raconter sur toutes les familles.»

Sudie a tendu une poignée de graviers à Mlle Marge.

«Tenez», elle a dit, «prenez ça, on va faire un concours de lancer de cailloux.»

Mlle Marge n'avait pas l'air de vouloir de cailloux, mais elle les a pris quand même.

«Comment est-ce qu'on fait?» elle a demandé.

Sudie a regardé Mlle Marge. «Vous n'avez jamais fait de concours de lancer de cailloux?»

Mlle Marge a souri. «Peut-être, mais je ne m'en souviens pas», elle a répondu.

«Vous allez voir, c'est très facile. On doit choisir une cible et, sur dix jets, on voit qui est-ce qui arrive à la toucher le plus souvent.»

«Ça m'a l'air assez facile en effet», Mlle Marge a dit, en mettant les graviers dans sa main gauche. «Qu'est-ce qu'on choisit comme cible?»

Sudie a regardé tout autour, et désignant une tombe sur la concession des Higgens, elle a dit: «Tenez, vous voyez cette grande tombe pointue avec un ange dessus, celle où c'est écrit Myrtle Higgens?»

Mlle Marge a regardé. «Je la vois.»

«Eh ben, la cible, c'est l'ange.»

Mlle Marge a eu un grand sourire. «Je crois que j'ai quelques scrupules à tirer sur un ange.»

«Bah, c'est que de la pierre, vous savez.»

«Peut-être, mais que dirait Myrtle Higgens si elle nous voyait bombarder son ange?»

Sudie s'est mise à rire. «Elle nous bombarderait de jurons.»

«Oh, Sudie!»

Sudie a jeté un caillou sur l'ange. Il est passé à côté. «Après ça, elle nous bombarderait de jus de chique», elle a continué.

«Sudie Harrigan! Je crois que tu as inventé ça de toutes pièces!» Mlle Marge s'est écriée sans pouvoir s'empêcher de rire.

«Vous me croyez pas?»

«Oh, je n'en sais rien. C'est vrai que Myrtle jurait et crachait?»

«Vous n'avez pas encore tiré. À votre tour.»

«Oh!» Mlle Marge a pris un caillou et l'a jeté, ratant la cible d'au moins un kilomètre. «Oh là là, je crois bien que je ne suis pas très douée», elle a dit.

«Vous avez jamais jeté de cailloux avant?»

«Sûrement que si, Sudie, mais c'était il y a bien longtemps.»

«Il faut juste s'entraîner un peu. Jetez-en quelques-uns, on commencera le concours après.»

«Sudie, c'est vrai que Myrtle Higgens jurait et crachait?»

«Puisque je vous le dis. Elle a été rachetée quatre fois, en plus!»

Mlle Marge a jeté un autre caillou. «Comment fait-on pour être racheté quatre fois?»

«On le fait, c'est tout», Sudie a répondu en mettant sa main en position au-dessus de son épaule. «Tenez, mettez votre main comme moi», elle a dit.

Mlle Marge a suivi le conseil et a jeté le caillou, qui est allé atterrir beaucoup plus près de la tombe. «Ah oui, ça va beaucoup mieux», elle a dit.

«Et vous, vous êtes rachetée?» Sudie a demandé.

Mlle Marge a souri.

«Sudie, tu détournes la conversation. Et je dois dire que tu fais ça très bien.»

«Je sais», Sudie a fait, ravie.

«Petite rusée, va.»

Sudie a rigolé.

«Sudie, regarde-moi.»

Sudie a tourné la tête vers elle.

«Peut-être que ça te gêne de me parler. C'est ça, ma chérie ?»

«J'en sais rien. Je crois pas.»

«Tu as évité le sujet de ta famille, aussi. Tu sais pourquoi tu as fait ça ?»

À ce moment-là, Sudie a lâché : «Myrtle Higgens, c'était une bonne chrétienne ! Elle jurait jamais et elle crachait jamais !»

Mlle Marge s'est rassise bien droite sur le muret. Elle regardait Sudie sans rien dire.

«J'ai menti», Sudie a avoué.

Mlle Marge avait l'air déconcerté. Elle ne disait toujours rien.

«C'était juste pour voir si vous alliez me croire», Sudie a expliqué.

Mlle Marge s'est levée. «Tu mens souvent, Sudie ?»

«Ouais.»

«Pour Bob Rice, je suppose que tu n'as pas menti.»

«Non, pas là.»

«Pourquoi as-tu menti au sujet de Myrtle Higgens, alors ? Sudie, je ne comprends pas très bien où tu veux en venir, c'est tout.»

«Moi non plus.»

Mlle Marge s'est rassise. «Sudie, y a-t-il beaucoup de gens à qui tu fasses confiance ?»

Sudie a réfléchi un moment avant de répondre : «Non.»

«À qui fais-tu confiance, alors ?»

«À Simpson.»

«Tu fais confiance à tes parents ?»

«Nan. C'est des menteurs.»

Mlle Marge a eu l'air un peu surprise d'entendre ça. «Il doit bien y avoir d'autres gens dans ta vie à qui tu fasses confiance, non ?»

Sudie a secoué la tête. «Non, personne d'autre.»

«Tu dois avoir confiance en moi si tu m'as parlé de M. Simpson», Mlle Marge a dit.

«Ouais... c'est parce que vous aimez bien les nègres et que je croyais que Simpson allait mourir.»

«Sudie, il y a de bonnes gens à Linlow. C'est ce que j'ai découvert depuis que je suis installée ici.»

«Ouais, c'est vrai. Il y a de bonnes gens.»

«Mais tu ne leur fais pas confiance.»

Se penchant en avant, Sudie a délacé ses chaussures. Elle les a enlevées, puis a enlevé ses chaussettes qu'elle a fourrées à l'intérieur des chaussures. Elle a agité les orteils dans le sable.

«Tu leur fais confiance, Sudie?»

«Non, je crois pas.»

«Tu peux m'expliquer pourquoi?»

Sudie s'est levée et s'est mise à marcher sur le muret, contournant les tombes. «Je vous ai déjà dit pourquoi», elle a répondu. «C'est des menteurs.»

Mlle Marge s'est retournée pour regarder Sudie. «Je ne crois pas que ça soit vrai», elle a dit.

«C'est parce que vous êtes une grande personne.»

«Tu penses que les grandes personnes mentent aux enfants.»

«Ouais!»

«Qu'est-ce qui te fait dire ça?» Mlle Marge a demandé.

Sudie a continué de marcher sur le muret et s'est retrouvée à nouveau à côté de Mlle Marge. Elle a baissé les yeux vers elle. «Je crois que c'est parce qu'elles doivent croire que les gosses sont bêtes. Elles aiment bien nous faire peur.»

Mlle Marge n'a pas répondu.

« Vous savez quoi ? » Sudie a demandé.

« Quoi, Sudie ? »

« Eh ben, c'est vrai que les gosses sont bêtes. »

« Tu crois que tu es bête, Sudie ? » Mlle Marge a demandé.

Sudie a sauté du mur pour contourner Mlle Marge avant de remonter dessus. « Ouais, je suis bête », elle a répondu.

« Et pourquoi ça ? »

« Ben, parce que j'ai cru tous leurs trucs. »

« Qu'est-ce que tu veux dire ? »

« Eh ben, comme quoi les nègres c'est des assassins, comme quoi mon Truc c'est un horrible péché, comme quoi les gosses savent pas réfléchir et tout ça. Vous avez déjà marché pieds nus ? Ça marche pieds nus, les yankees ? »

Mlle Marge a souri. « Oui, ça marche pieds nus, les yankees, Sudie. Maintenant, cesse de changer de sujet. »

Sudie a lancé un autre caillou sur l'ange.

« J'ai jamais été rachetée à cause de ça. »

« À cause de quoi ? »

« À cause de mon Truc. Parce que c'est une malédiction, parce que je suis une fille, tout ça. »

« Qu'est-ce que c'est que ça, Sudie ? Qu'est-ce que tu dis là ? »

« Ben, ce que je dis. »

« Tu veux dire qu'être une fille est un péché ? »

« Nan, pas ça. Mon Truc, seulement. »

« Pourquoi est-ce un péché ? »

« Parce que ça force les hommes à faire des vilaines choses qui sont des péchés. »

« Tu le crois vraiment ? »

« Nan. Plus maintenant. Simpson m'a dit que c'était un

mensonge. Il a dit que c'était la faute de Bob Rice, pas la mienne. Voilà ce qu'il a dit.»

Mlle Marge a posé la main sur l'épaule de Sudie pour la faire asseoir. «Viens t'asseoir, ma chérie», elle a dit.

Sudie s'est assise.

«M. Simpson a raison. Ce n'est évidemment pas de ta faute. Bob Rice est un malade.»

«Malade? Vous voulez dire à cause de son Truc?»

«Non, je veux dire dans la tête. Un homme qui fait ce qu'il fait aux petites filles est très malade dans la tête. Il devrait être exclu de l'enseignement.»

«Vous voulez dire qu'il est fou?»

«Je veux dire que sa façon de penser est celle d'un fou, oui.»

«Comme Russell Hamilton?»

«Non, ma chérie, pas comme Russell Hamilton. Russell Hamilton est lent. Il est demeuré. Il est né avec des lésions cérébrales. Ce n'est pas de sa faute. C'est un malheureux.»

«Il joue tout le temps avec son Truc.»

«Oui, je sais.»

«Tout le monde dit que c'est pour ça qu'il est fou, mais c'est encore un mensonge, hein?»

Mlle Marge a soupiré. «J'en ai bien l'impression», elle a répondu.

«Ah, vous voyez bien! Comment ça se fait qu'ils disent ça? Comment ça se fait qu'ils ont raconté ce mensonge? Ils le savent qu'il a le cerveau abîmé? Eux, ils racontent qu'il a été puni pour ses péchés, ou pour ceux de son père! Pourquoi ils disent ça, hein? Parce qu'ils mentent comme ils respirent, c'est tout!»

Mlle Marge a secoué la tête.

«Je parie qu'il a même jamais péché. Je parie qu'il sait

même pas comment il faut faire. Je parie qu'il sait même pas ce que c'est qu'un péché ! Est-ce qu'il sait ce que c'est qu'un péché ? Vous croyez qu'il le sait ?»

«Non, il ne le sait pas. Je suis sûre qu'il n'en a aucune idée.»

Sudie a sauté sur ses pieds pour faire face à Mlle Marge. «Ben, en tout cas, il a pas intérêt à aller en enfer !»

«Je suis sûre qu'il n'ira pas en enfer, Sudie.»

«Ma mère, elle dit qu'il va aller tout droit en enfer. Mme Higgens, elle dit que toute la famille de Russell va filer dare-dare en enfer tellement ils sont tous fous.»

«Mme Higgens est une parente de Myrtle Higgens ?»

«Ouais. Myrtle, c'était sa belle-maman.»

«Et Mme Higgens est aussi bonne chrétienne que sa belle-mère ?»

«Mouais.»

Mlle Marge a poussé un autre soupir. Elle est restée assise une minute sans rien dire pendant que Sudie continuait à lancer des cailloux.

«Sudie ?»

«Ouais ?»

«Pour toi, qu'est-ce que c'est qu'un bon chrétien ?»

«Ben, euh… je sais pas trop. Un bon chrétien, c'est quelqu'un qui… euh… ben, qui est racheté, je crois.»

«C'est tout ?»

«Ben, c'est des gens qui blasphèment pas et qui font jamais de bêtises.»

«Et quoi d'autre ?»

«Ben, euh… ils vont à l'église tous les dimanches et ils rigolent pas beaucoup.»

«Mme Higgens y va tous les dimanches ?»

«Ouais.»

«Et tes parents ?»

«Nan, ma mère a trop de travail. Et mon père, il est pas racheté.»

«Oh, je vois. Pourquoi ton père n'est-il pas racheté ?»

Sudie a regardé ses orteils. «Il l'est pas, c'est tout.»

«Ça t'ennuie ?»

«Quoi ?»

«Que ton père ne soit pas racheté ?»

«Nan. Il sera racheté sur son lit de mort.»

Mlle Marge a eu un large sourire. «C'est possible ?»

«Bien sûr. Mais enfin, vous êtes pas au courant ?»

«Je suppose que je dois avoir du mal à comprendre ce genre de choses.»

Mlle Marge a retiré une de ses chaussures pour en vider le sable.

«Tout ce qu'il y a à dire, c'est: Seigneur, pardonnez-moi parce que j'ai péché», Sudie a expliqué.

«Dis donc, ça paraît simple.»

«Enfin, ça c'est quand on est un homme ou un garçon. C'est moins facile pour les filles.»

«Mais», Mlle Marge a continué avec un froncement de sourcils, «tu as dit tout à l'heure que tu croyais M. Simpson quand il t'a exliqué que ton... euh... que ton Truc n'était pas un péché.»

«Ouais, mais n'empêche que je suis pas rachetée. L'autre jour, je suis allée à une réunion pour le renouveau de la foi, mais il s'est rien passé. Rien du tout. J'ai pas arrêté de prier, mais il s'est rien passé.»

«Mais qu'est-ce qui est censé se passer quand on est racheté ?»

«Ben, quelque chose, forcément !»

«Tu veux dire qu'on est censé se sentir différent.»

«Ouais... mais moi, j'ai rien senti.»

«Et les autres, ils sentent quelque chose ?»

Sudie a déversé une poignée de sable sur ses pieds qui faisait comme des petits torrents entre ses orteils.

«J'en sais rien», elle a répondu. «J'ai jamais demandé à personne sauf à Mary Agnès. Elle m'a dit qu'elle avait rien senti. De toute manière, je crois pas qu'elle soit rachetée. C'est une sale menteuse, cette fille.»

Appuyant ses coudes sur ses genoux et prenant son menton entre ses mains, Mlle Marge a demandé:

«Tu avais vraiment envie d'être rachetée à cette cérémonie, Sudie?»

Tournant brusquement la tête, Sudie a regardé Mlle Marge dans les yeux:

«Pourquoi vous me demandez ça?»

«Eh ben, voyant que tu te méfies autant des grandes personnes apparemment rachetées, je me disais que tu pensais peut-être qu'être racheté, ce n'était pas si drôle que ça, en fin de compte.»

«Alors là, c'est sûr que c'est pas marrant! Mais c'est pas censé être marrant. Ma mère, elle dit que les chrétiens doivent souffrir beaucoup.»

Sudie s'est levée pour grimper sur le mur avant de sauter et de se rasseoir.

Mlle Marge lui a tapoté le genou.

«Sudie, je ne crois pas que Dieu veuille que les gens souffrent. Il veut qu'ils soient heureux, Il veut qu'ils vivent bien, et je crois sincèrement qu'Il veut que nous nous amusions.»

«Vous croyez?»

«Absolument.»

«Qui est-ce qui vous l'a dit? C'est quoi votre église?»

«Tout ça n'a aucune importance, Sudie. Je crois que Dieu nous aime tous, quelle que soit notre église. Je crois qu'Il veut que nous aimions la vie. Réfléchis, tu dois sûrement connaître des rachetés qui sont heureux de vivre. »

Sudie a froncé les sourcils et a réfléchi longuement à la question. « Ben », elle a dit finalement, « il y a bien Mme Turner qui rigole tout le temps, mais ma mère, elle dit que c'est parce qu'elle est grosse et que tous les gros sont comme ça. Et des fois, les femmes rigolent quand elles se réunissent entre elles. Je les ai vues des tas de fois. »

« Eh bien, tu vois ? Apparemment, être racheté n'empêche pas les gens de s'amuser. »

« Peut-être. N'empêche qu'ils rigolent pas du tout en face du pasteur, ça je peux vous le dire ! Quand le pasteur Miller nous rend visite, ma mère, elle se met à souffrir tellement que Billy et moi, on est obligés de sortir. Une fois, elle a tellement souffert que même mon père a dû sortir aussi. »

Mlle Marge s'est mise à rire.

« C'est pas drôle ! » Sudie s'est exclamée.

« Je suis désolée », Mlle Marge a dit. « Tu as raison, ce n'est pas drôle. Je suis désolée que ta mère croie nécessaire de souffrir autant. Et ton père, ça lui arrive de souffrir ? »

« Je vous ai dit : mon père, il est pas racheté. Alors, il souffre pas. »

« Ah oui, c'est vrai. »

« De toute manière, souffrir, c'est un truc de femmes. Les hommes ont pas besoin de souffrir pour être sauvés. »

« Comment ça se fait, Sudie ? »

À ce moment-là, elle a regardé Mlle Marge comme si c'était la dernière des demeurées.

« Ben, c'est à cause d'Ève », elle a répondu, « parce que c'est elle qui a donné cette saleté de pomme à Adam. Vous êtes larguée, ou quoi ? Tout le monde est au courant ! »

Mlle Marge s'est frotté le menton. « Eh bien, moi, je

ne l'étais pas. À cause de cette pomme, hein ? Les femmes doivent souffrir à cause de cette pomme ?»

«Exactement ! C'est comme ça. Et moi, ça me rend folle de rage ! Si je la tenais, celle-là ! Être aussi stupide ! Dieu lui avait dit, pourtant, de pas manger les fruits de cet arbre. Et elle, qu'est-ce qu'elle fait ? Elle y va et elle les mange. Et voilà. Pas très malin, quand même. Eh ben moi, je vais vous dire un truc ! Si jamais je suis rachetée et que je tombe sur elle au paradis – et même si c'est en enfer – je me gênerai pas pour lui dire deux ou trois petites choses ! Je vais lui dire ma façon de penser, et si elle est pas trop costaud, je crois que je lui casserai peut-être la figure !» À ce moment-là, Sudie a tapé du pied par terre avant de regrimper sur le muret.

Après ça, Mlle Marge est restée assise un long moment à réfléchir. Voyant qu'elle n'avait rien à ajouter, Sudie est remontée faire un tour de mur.

Plus tard, Mlle Marge a réussi à convaincre Sudie de lui parler de Bob Rice, même si Sudie ne l'a fait qu'à condition que Mlle Marge lui tourne le dos. Alors, elle lui a raconté tout ce qu'elle savait de Bob Rice. Elle lui a cité les noms de toutes les petites filles qui avaient remué son Truc depuis qu'il était arrivé à Linlow quatre ans plus tôt.

*
* *

Mlle Marge a réfléchi à tout ça pendant deux jours. Après quoi, elle a décidé d'aller en parler à M. Etheridge ; le pauvre, il était tellement horrifié qu'il a refusé de la croire. Il lui a dit que tout le monde savait bien que Sudie avait beaucoup d'imagination et qu'en plus de ça elle mentait tout le temps.

Mlle Marge lui a répondu qu'elle croyait Sudie et qu'elle avait bien l'intention de prouver sa bonne foi d'une façon ou d'une autre. Alors, M. Etheridge s'est mis à parler de Bob Rice, disant que c'était l'un des citoyens les plus distingués de Linlow, un excellent chrétien, et qu'il ne tolérerait pas que les racontars d'une seule gamine salissent son nom. Sur ce, Mlle Marge lui a demandé combien de gamines il lui fallait, après quoi elle est partie en claquant la porte. Le fiasco, quoi !

Trois jours plus tard, Mlle Marge est allée voir les institutrices de toutes les filles que Sudie avait mentionnées, même Nettie et moi qui n'avions fait que voir Bob Rice et Clara May. Elle leur a dit qu'elle avait besoin de voir ces filles pour une question personnelle, et elle a fixé une réunion pour le lendemain à l'heure du déjeuner.

De toute ma vie je n'avais jamais vu autant de filles écarlates se tortiller à ce point sur leur chaise. On était toutes tellement mal à l'aise qu'on aurait voulu disparaître sous terre, même si Mlle Marge n'avait fait que dire qu'elle avait en sa possession des informations qui lui laissaient penser qu'il y avait à Linlow un instituteur qui forçait les petites filles à faire des choses sexuelles embarrassantes et qu'elle voulait savoir si l'une de nous en avait entendu parler.

J'aurais voulu mourir sur place. Mourir, c'est tout. Je savais qu'à part moi et Nettie, tout le monde dans cette pièce avait remué le Truc de Bob Rice. Sauf qu'aucune des filles n'a parlé. Aucune ! Jamais je n'avais été aussi folle de rage ! La tête basse, elles n'arrêtaient pas de rougir, de se tortiller sur leur chaise comme des idiotes.

Mlle Marge a eu beau expliquer que ce n'était pas la faute de ces filles, mais celle de cet homme, et qu'il fallait l'empêcher de continuer, ça n'a rien changé. Les filles ne disaient toujours rien. Elles n'osaient même pas se regarder. Je les ai comptées. Il y en avait onze en tout, en plus de

Nettie et moi, et aucune ne voulait parler. Je ne les blâmais pas, remarquez. Parce que moi, je n'aurais jamais parlé non plus si j'avais remué le Truc de Bob Rice. N'empêche que ça me tapait sur les nerfs quand même. Et finalement, c'est ce qui a fait que Nettie et moi, on a décidé de passer à l'action.

Après la réunion, j'ai dit à Nettie qu'on devrait retourner dire à Mlle Marge ce qu'on savait, parce que, autrement, elle allait croire qu'on avait remué le Truc de Bob Rice. Nettie trouvait que c'était une bonne idée, alors on est allées voir Mlle Marge.

La tête qu'elle a faite ! On aurait cru qu'on venait de lui donner cent dollars ! Elle n'en finissait plus de nous serrer contre elle et de nous tapoter le menton, disant qu'elle était fière de nous et promettant que tout ce qu'on lui avait dit ne nous causerait aucun problème. Ce qu'on était contentes de nous ! On avait l'impression d'être importantes, si vous voyez ce que je veux dire. Je suis capable d'avoir des bonnes idées quand je veux. La preuve ! Plus tard, j'ai dit à Nettie que Mlle Marge avait beau être une yankee et tout, n'empêche qu'elle était vraiment gentille. Nettie était bien d'accord avec moi.

Quand Mlle Marge nous a demandé si on était prêtes à répéter tout ce qu'on lui avait dit à M. Etheridge, on a dit qu'on était d'accord, à condition que nos mères n'en sachent jamais rien et que Mlle Marge vienne avec nous et parle à notre place, comme ça on n'aurait plus qu'à hocher la tête. Mlle Marge a dit qu'elle avait encore deux ou trois choses à régler, qu'elle devait en parler à une autre fille (je savais que c'était de Sudie qu'elle parlait ; forcément, vu qu'elle n'était pas venue à la réunion) et qu'elle nous ferait savoir le jour de l'entrevue avec M. Etheridge.

Ça, ça s'est passé un vendredi. Le dimanche, cette barjo

de Lilian Graham a disparu de la face du monde, ce qui a fichu un bintz dans cette ville, du jamais vu avant ou depuis! Dimanche matin, le frère de Lilian est allé lui rendre visite; elle n'était pas chez elle. Il l'a cherchée dans tout Linlow, mais personne ne l'avait vue. Il est allé chez le docteur Stubbs, qui lui a dit qu'avec elle on ne pouvait jamais savoir ce qui lui passait par la tête, vu qu'elle était complètement fêlée. Pour lui, elle avait très bien pu aller se perdre dans les bois ou ailleurs, puisque, une fois sur deux, elle ne savait même pas où elle était. Le lundi, elle n'avait toujours pas reparu. Du coup, le docteur Stubbs est allé voir M. Etheridge pour lui demander de l'aider à organiser une battue avec les élèves du collège et les hommes qui ne travaillaient pas.

À onze heures, ils avaient rassemblé cinquante-sept personnes devant l'école, en comptant les instituteurs, qui devaient fouiller les alentours de Linlow dans un rayon de dix kilomètres.

En entendant ça, Mlle Marge a commencé à paniquer: le périmètre de recherches comprenait la maison de Simpson. Ça l'a rendue tellement malade d'inquiétude qu'elle est allée dire à M. Etheridge qu'elle ne se sentait pas assez bien pour participer à la battue et qu'elle préférait rester à l'école. Une fois tout le monde parti, elle est allée chez Simpson aussi vite que possible. La porte d'entrée était grande ouverte; un seul regard lui a suffi pour comprendre qu'il avait déménagé. Oh, les meubles qu'il avait fabriqués étaient toujours là, mais tout le reste avait disparu: la contrepointe, le matelas et les livres, ainsi que toutes les choses que Sudie avait volées pour lui. Avaient également disparu le dessin qu'elle lui avait offert et même la pancarte marquée: NÈGRE, SOIS LE BIENVENU SOUS LE SOLEIL DE LINLOW.

Mlle Marge a raconté qu'elle avait été bouleversée en voyant la pièce. Que c'était affreusement triste. S'asseyant sur l'une des deux chaises, elle s'est remémoré les bonnes conversations qu'elle avait eues avec Simpson et quel homme remarquable il était. Elle a repensé à ce dessin et à cette pancarte, auxquels Simpson tenait tant; mais surtout, c'est à Sudie qu'elle a pensé. Elle en avait le cœur brisé. Elle ne pouvait pas supporter l'idée de devoir annoncer ça à Sudie, et comme celle-ci ne lui avait rien dit au sujet des deux hommes qui les avaient surpris dans le potager, ni de la grande conversation qu'elle avait eue avec Simpson, Mlle Marge ne parvenait pas à comprendre pourquoi il était parti sans prévenir Sudie. Elle a regardé partout dans l'espoir qu'il ait laissé un mot ou quelque chose, mais il n'y avait rien.

Elle a cherché Veinard, mais il avait disparu aussi. Seul Bébé Grognon était toujours dans son enclos. Ce nom n'avait plus aucun sens, parce que Bébé Grognon pesait maintenant près de cent kilos. Mlle Marge a raconté plus tard à quel point tout ça lui avait donné envie de pleurer. Elle n'y comprenait rien. Comme elle ne savait pas quoi faire, elle a décidé de retourner à l'école pour réfléchir à la façon d'annoncer ça à Sudie.

* * *

En tout cas, Mlle Marge était loin d'imaginer tout ce qui allait se passer ce jour-là. Vers deux heures, l'équipe qui fouillait Bradley et Brannon Place s'est divisée en deux groupes, et M. Smith, Rayford, Betty Adams et Louise Puckett ont découvert le potager de Simpson. Ils exploraient les bois en longeant le ruisseau de Harbin quand Louise Puckett s'est mise à crier qu'elle avait trouvé un potager. «Quel genre de potager?» a demandé Rayford, ce à quoi Louise a répondu: «Un potager! Qu'est-ce que tu veux dire, quel genre de potager?» Alors ils ont tous accouru. M. Smith et Rayford n'en croyaient pas leurs yeux.

«Qui diable peut avoir un potager dans un coin pareil?» M. Smith a demandé à Rayford.

«J'en sais rien, moi», Rayford a répondu en envoyant un coup de pied dans les rangées de pommes de terre.

«Je vois vraiment pas à qui peut appartenir ce potager», M. Smith a continué. «Peut-être bien à Bradley. C'est le seul qui n'habite pas trop loin d'ici.»

«Qu'est-ce que c'est que toutes ces tranchées?» Betty Adams a demandé, le doigt tendu vers le ruisseau.

Tout le monde s'est dirigé vers l'endroit où commençaient les fossés.

«Bon sang!» M. Smith s'est exclamé. «Un sacré bon fossé, dis donc!»

«Ça sert à quoi?» Louise a demandé.

«C'est un fossé d'irrigation», M. Smith a expliqué, «pour arroser le potager.»

«Ce qui veut dire que tout le monde n'a pas été privé de légumes, cet été», Rayford a commenté.

«Nous, notre jardin était complètement desséché», Betty a ajouté.

«Comme tous les jardins», Rayford a répondu.

M. Smith s'est approché du barrage. «Viens ici, Rayford, et vise-moi ce barrage.»

«Pétard! Ça c'est du barrage! En tout cas, v'là un type qui connaissait son affaire», Rayford a dit.

«Du beau boulot. Jamais vu ça, moi», M. Smith a continué. «Vous en connaissez, vous, des gens qui ont eu des légumes, cet été?»

Tout le monde a répondu non.

À ce moment-là, Louise a fait en rigolant: «Peut-être bien que c'est ici que le Seigneur a trouvé les légumes qu'Il a apportés à Mme Harrigan.»

M. Smith a claqué des doigts. «Bon sang, mais c'est vrai!» il s'est écrié. «Est-ce qu'on a su qui lui avait apporté ces légumes, au bout du compte?»

«Pas que je sache», Rayford a répondu.

«Et vous les filles?» M. Smith a demandé.

«Jamais su», Betty a répondu.

«Moi non plus», Louise a ajouté.

Ils ont retourné la question un moment, puis ils se sont dit que ce n'était pas en restant plantés là qu'ils retrouveraient Lilian Graham, ce qui fait qu'ils ont repris leurs recherches. Ils ont décidé de se séparer. Rayford a remonté le ruisseau. M. Smith l'a traversé pour aller explorer les bois dans une autre direction. Quant à Betty et Louise, elles se sont retrouvées du côté de chez Simpson. Quand elles sont arrivées en vue de la maison, elles n'y ont pas vraiment prêté attention. En fait, comme elles n'avaient pas trop envie d'aller mettre le nez dans cette masse de kudzu et qu'elles avaient décidé de continuer à travers bois jusqu'à la voie ferrée, elles n'y seraient peut-être jamais allées si elles n'avaient pas aperçu toutes ces petites tombes sous le saule pleureur.

Elles n'en revenaient pas. Dans ce coin complètement perdu, voilà qu'elles tombaient sur six petites tombes moussues entourées de galets parfaitement ronds. Chacune d'elles avait une petite croix en brindilles. Elles se sont interrogées un moment, mais la présence de ces tombes était inexplicable. Exactement comme celle du potager. Elles sont retournées au ruisseau prévenir Rayford et M. Smith; c'est comme ça qu'ils ont fini par découvrir la maison de Simpson.

Ce potager, ces tombes: personne n'aurait jamais imaginé une énigme pareille. Rayford a raconté plus tard que de sa vie il n'avait jamais vu autant de perplexité et de grattage de tête. Et quand ils ont vu cette maison encastrée dans le kudzu et cette véranda impeccablement rafistolée, ils n'en ont pas cru leurs yeux. Ils ont examiné l'intérieur dans les moindres détails: les chaises et les tables, le cageot de pommes qui servait d'étagère, les sacs en jute. C'est quand ils sont sortis inspecter le puits qu'ils ont vu Bébé Grognon dans son enclos. Alors là, trop, c'était trop! Abandonnant leurs recherches, ils ont regagné la voie ferrée et sont rentrés dare-dare à l'école.

*
* *

À trois heures, après l'école, Mlle Marge attendait Sudie à la sortie de sa classe. Elle lui a dit qu'elle voulait lui parler et l'a emmenée au collège. Sudie pensait qu'elle voulait lui parler de Bob Rice. Mlle Marge a installé une chaise à côté de son bureau et a demandé à Sudie de s'asseoir. Elle avait réfléchi à ce qu'elle allait dire à Sudie, mais avant même qu'elle ait eu le temps d'ouvrir la bouche, Sudie a fait: «Il vous a pas crue, hein, c'est ça?»

Mlle Marge était complètement décontenancée. Elle ne pensait absolument pas à Bob Rice.

«Il vous a crue ou pas?» Sudie a demandé.

«Sudie», Mlle Marge a répondu, «il nous faut rassembler plus de preuves. Naturellement, M. Etheridge est sceptique. Je m'y attendais.»

«Je savais que ça servirait à rien d'en parler», Sudie a ajouté.

«Bien sûr que si, ça va servir à quelque chose. Je te le promets, Sudie. Deux autres filles se sont proposé d'aller voir M. Etheridge. Je pense que c'est un bon début, non?»

Sudie a regardé Mlle Marge: «C'est qui, les deux filles?»

«Je ne veux pas t'en parler avant d'avoir définitivement arrêté la date de cette prochaine confrontation avec M. Etheridge. Tu sais que la ville est en émoi à cause de la disparition de Mlle Graham. Quand tout sera arrangé, j'organiserai une réunion.»

Sudie a regardé ses pieds. «De toute façon», elle a dit, «personne les croira non plus.»

Mlle Marge a rapproché sa chaise de celle de Sudie et lui a pris la main.

«J'ai quelque chose de très important à te dire; ça ne concerne ni Bob Rice ni M. Etheridge.»

Sudie est restée silencieuse.

«Savais-tu que les élèves du collège participent aujourd'hui à une battue pour retrouver Mlle Graham?»

«Ouais.»

«Il ne t'est pas venu à l'esprit qu'ils risquaient de découvrir la maison de M. Simpson?»

En entendant ça, Sudie a ouvert des yeux grands comme des soucoupes. Retirant brusquement sa main de celle de Mlle Marge, Sudie s'est levée pour partir en courant, manquant de renverser la chaise.

«Sudie, attends!» Mlle Marge s'est écriée en rattrapant Sudie par le bras. Sudie tirait de toutes ses forces pour se dégager.

«Laissez-moi partir! Lâchez-moi! Il faut que j'aille prévenir Simpson!»

Mlle Marge n'a pas pu faire autrement que de jeter ses bras autour de Sudie pour l'immobiliser.

«Non, Sudie. Ce n'est pas la peine. M. Simpson n'est pas chez lui. J'ai déjà vérifié.»

Sudie continuait de se débattre.

«Il rentre vers cinq heures et demie. Ils vont le voir! Lâchez-moi!»

«Sudie, assieds-toi, s'il te plaît», Mlle Marge a imploré.

«Mais ils vont le voir! Mlle Marge, ils vont le tuer! Lâchez-moi! Lâchez-moi, je vous en supplie!»

À ce moment-là, Mlle Marge a resserré son étreinte. «Non, ma chérie. Ils ne vont pas le voir. Il a déménagé, Sudie. Il est parti.»

Mlle Marge a senti Sudie se raidir dans ses bras. Elle a arrêté de bouger. Elle a arrêté de parler. Mlle Marge la tenait serrée contre elle en lui caressant la tête. «Je suis tellement désolée, Sudie.»

Soudain, Sudie s'est dégagée et a plongé ses yeux noirs dans ceux de Mlle Marge. «Vous mentez! Vous mentez, c'est tout!» elle a hurlé en se retournant pour ouvrir la porte. Mlle Marge a réussi à lui saisir le bras, mais Sudie s'est dégagée d'une secousse avant de décamper. Elle avait déjà traversé la moitié de la cour avant même que Mlle Marge ait atteint le perron.

À ce moment-là, Rayford et les autres ont aperçu Sudie, mais sans y prêter plus d'attention que ça. C'est vrai que Sudie était toujours en train de courir quelque part. Quand ils ont vu Mlle Marge sur le perron, ils ont tout de suite rappliqué pour lui raconter leur trouvaille, vu que personne n'était encore revenu de la battue. Après les avoir écoutés un moment et leur avoir dit que ça n'avait aucun intérêt, elle a tourné les talons pour courir jusqu'à sa voiture.

Plus tard, Mlle Marge a dit que de sa vie elle n'avait jamais vu un spectacle plus déchirant que celui qui l'attendait à son arrivée chez Simpson. Elle a remonté le chemin tellement vite qu'elle a dû s'arrêter sur la véranda pour reprendre son souffle. La porte était ouverte, et apparemment Sudie n'était pas dans la pièce de devant.

Elle est allée voir dans la chambre, mais Sudie n'était pas là non plus. Mlle Marge l'a appelée, mais en vain. Alors, elle est ressortie chercher autour de la maison. Quand elle est arrivée au puits, elle l'a vue.

Sudie était assise dans la boue gluante de l'enclos, et, pendue au cou de ce gros verrat blanc, elle pleurait toutes les larmes de son corps. Mlle Marge n'a pas pu faire un pas de plus. Elle s'est assise sur les marches du puits, laissant les larmes couler sur ses joues et regardant Sudie accrochée désespérément au cou de ce verrat. «Il est parti, Bébé Grognon, il est parti!» Sudie gémissait sans cesse avant de refondre en larmes. Sudie n'avait même pas vu Mlle Marge, qui est restée assise là pendant au moins une demi-heure, absolument incapable d'approcher de l'enclos.

Elle se disait que ce qui se passait dans cet enclos aurait été incompréhensible pour bien des gens, même s'ils l'avaient vu de leurs propres yeux. Sans bouger, sans grogner, le verrat a laissé Sudie se suspendre à son cou aussi longtemps qu'elle le voulait. Mlle Marge se disait que si Sudie avait besoin de pleurer, il n'y avait qu'avec un être en qui elle avait confiance qu'elle pouvait le faire. Tandis qu'elle regardait ce verrat et cette petite fille maigrichonne, Mlle Marge a compris qu'elle ne pouvait être d'aucun secours. Elle savait que si Sudie devait trouver du réconfort quelque part, ça ne pouvait être qu'auprès de ses animaux, parce qu'elle ne connaissait aucun être humain au monde susceptible de la consoler tant soit peu. Du moins, pas tout de suite. Plus tard peut-être, mais pas tout de suite.

Peu après, Mlle Marge est retournée devant la maison s'asseoir sur les marches de la véranda, laissant Sudie seule avec le verrat. Après une attente interminable, Sudie a fini par sortir de l'enclos. Mlle Marge s'est levée d'un bond. Mais Sudie a repris aussitôt le chemin de la voie ferrée comme si elle ne voyait rien. Mlle Marge lui a emboîté le pas et a essayé de lui dire des choses réconfortantes, mais Sudie n'a pas répondu. Mlle Marge a demandé à Sudie de revenir avec elle en voiture, mais Sudie a continué sur la voie ferrée, marchant à tout petits pas sur les traverses. Mlle Marge l'a suivie un bon bout de temps. Quand Sudie est arrivée au pont, Mlle Marge s'est arrêtée. Sudie a escaladé le remblai pour aller s'asseoir tout en haut, sous le pont.

Mlle Marge est restée là un moment, se demandant ce qu'il y avait de mieux à faire. Finalement, après beaucoup de réflexion et d'inquiétude, elle a décidé de venir me trouver.

*
* *

À cinq heures, pratiquement tous ceux qui avaient participé à la battue étaient de retour à l'école. La plupart des petits de primaire sont même restés après la fin des cours pour attendre le retour des autres. Moi, j'avais vraiment la trouille, parce que Rayford et les autres avaient parlé à tous les gosses du potager, du petit cimetière et de la vieille baraque de Brannon Place. Il nous a même demandé si on avait déjà entendu parler de quelqu'un qui vivait là, mais personne n'était au courant de rien.

J'avais vu Sudie et Mlle Marge partir pour le collège, et je m'étais dit qu'elles avaient sûrement à parler de Bob Rice. Mais maintenant, elles étaient introuvables. Rayford disait qu'il avait vu Sudie partir en courant et qu'à son avis Mlle Marge était rentrée chez elle.

Presque tout le monde était de retour de la battue quand Mlle Marge est arrivée à l'école. En la regardant, j'ai vu tout de suite qu'il y avait quelque chose qui clochait. Elle n'est pas venue me retrouver tout de suite. Elle s'est arrêtée pour écouter M. Smith qui n'en finissait plus de raconter et de reraconter son histoire devant une foule grossissante.

Quand presque toute la ville (à part mon père, M. Bradley et quelques gosses) s'est trouvée réunie, M. Smith, Rayford et M. Etheridge sont montés sur les marches de l'école et ont demandé le silence. « Maintenant, écoutez-moi », M. Smith a commencé quand tout le monde s'est tu. « Nous savons maintenant que personne n'a trouvé la moindre trace de Lilian Graham. Nous avons fouillé tous les endroits possibles. Je pense qu'il va falloir appeler la police. Il n'y a plus rien d'autre à faire. Cela dit, il y a autre chose. Vous savez tous que nous sommes tombés sur quelque chose d'assez troublant, et on dirait bien que personne ne sait rien là-dessus. » Il s'est interrompu une minute pour reprendre son souffle, puis il a continué: « Quelqu'un a vécu à Brannon Place pendant un certain temps. Quelque chose comme huit mois. Nous avons pu évaluer ça grâce au potager. Un potager qui dépasse tout ce qu'on peut imaginer, d'ailleurs. Personne n'a jamais croisé d'étrangers nulle part, ni dans les boutiques ni sur les routes. Nous savons aussi que la ou les personnes qui vivaient là avaient un potager bien fourni en raison de ce fossé d'irrigation. Ceux qui vivaient là ont donc eu des légumes cet été. Est-ce que Sudie ou Billy Harrigan sont là ? »

Quand j'ai entendu ça, j'ai failli tomber dans les pommes, et Mlle Marge aussi. Tout le monde a regardé autour de soi. Il n'y avait que Billy.

« Billy est là ! » quelqu'un a crié.

« Approche, Billy », M. Smith a dit.

Billy s'est approché et s'est arrêté devant les marches.

« Quelqu'un vous a apporté des légumes cet été, pas vrai, Billy ? »

Billy a fait oui de la tête.

«Et qui a fait ça, tu le sais?»

Billy a fait non de la tête.

«Est-ce qu'il y a quelqu'un ici qui sache qui a apporté ces légumes?» M. Smith a demandé à la ronde.

Alors, M. Hogan a dit: «Sudie se balade souvent sur la voie ferrée. Vous pensez qu'elle connaissait la personne qui habitait là?»

Dès qu'elle a entendu ça, Mlle Marge est venue me rejoindre. Elle m'a pris la main et l'a serrée très fort. Aucune de nous n'a rien dit.

Alors, M. Wilson a demandé: «Vous avez bien dit que vous êtes tombés sur un cimetière d'animaux?»

«Tout à fait», M. Smith a répondu. «Avec cinq ou six tombes.»

«Avec de la mousse dessus?»

«Ouais.»

«Sudie a un cimetière du même genre dans mes bois. Il doit bien y avoir vingt-cinq ou trente tombes.»

À ce moment-là, tout le monde a commencé à parler en même temps. Des tombes et des croix en brindilles que Rayford avait décrites. Tout le monde s'est mis à bombarder Billy de questions, mais il ne savait rien. Mais quand tout le monde a commencé à parler du cochon, j'ai commencé à être morte de peur. J'avais complètement oublié cette fois où j'avais raconté à tout le monde que j'avais vu Sudie donner un cochon à un nègre.

Je me suis mise à prier à toute allure. J'ai supplié Dieu de faire que personne ne s'en souvienne. Des centaines de fois je L'ai supplié. Puis, à voix basse, j'ai tout expliqué à Mlle Marge, qui a pris peur aussi. Elle m'a demandé si je l'avais dit aux gens qui étaient présents et je lui ai répondu que je l'avais dit à quatorze personnes, et qu'il n'y avait que M. Bradley, mon père, ma mère et Mme Greason qui n'étaient pas là.

Évidemment, mes prières n'ont pas été exaucées. Ça m'aurait étonnée. Soudain, j'ai cru avoir la berlue quand j'ai regardé vers les marches, que j'ai vu ma sœur en train de parler à M. Etheridge. Ma propre sœur! J'avais envie de hurler! Personne ne s'en souvenait: ni Rayford, ni M. Higgens, ni personne. Personne sauf ma sœur. J'aurais pu la tuer!

J'ai dit à l'oreille de Mlle Marge que ma sœur était au courant pour le cochon, et elle a dit: «Nous ferions mieux de partir, Mary Agnès. Vite! Passons par l'arrière du bâtiment. Il faut qu'on réfléchisse.»

On n'avait pas fait quatre pas que M. Etheridge a appelé mon nom. Pas une seconde, Mlle Marge n'a lâché ma main. Pendant qu'on se dirigeait vers les marches, elle m'a dit: «Mary Agnès, dis-leur que tu as menti. Dis-leur que tu as tout inventé. Je t'en prie! Tu veux bien?»

Du coup, quand M. Etheridge m'a demandé si c'était vrai que j'avais vu Sudie donner un cochon à un nègre près de Brannon Place en septembre dernier, j'ai répondu que non. Que je l'avais seulement vue le donner à un étranger.

À ce moment-là, Rayford a commencé à raconter la bagarre qu'on avait eue Sudie et moi, comme quoi j'étais en rage parce qu'il ne m'avait pas crue quand j'avais dit que j'avais vu Sudie avec un nègre. À ce point, tout le monde s'est cru obligé de mettre son grain de sel. Tous ceux à qui j'avais raconté l'histoire ont commencé à raconter leur version. J'aurais voulu disparaître sous ces marches. C'était horrible. Horrible. Je me suis mise à pleurer.

Évidemment, le mot nègre a aussitôt mis toute la ville en ébullition. Jamais je n'avais vu un cirque pareil! C'était de la folie! De la pure folie. Il a suffi de prononcer le mot nègre, et cinq minutes plus tard, le fin mot de l'histoire était trouvé: ce nègre avait fait quelque chose à Lilian Graham. Il l'avait probablement tuée. C'était pour ça qu'il était parti à la hâte en laissant ce gros cochon.

À les voir, on aurait cru que la guerre avait recommencé ou quelque chose comme ça. Tout le monde parlait d'aller descendre ce nègre. Ils étaient tous là à rager, à souffler, à piétiner, à jurer, à chiquer et à cracher. À la fin, j'avais envie de hurler. Jamais je n'avais vu ces hommes se comporter comme ça. Ils parlaient comme des gosses; ils n'en finissaient plus de se vanter et de jouer les durs. Des vrais gosses! À ce moment-là, je me suis dit que le comportement de ces hommes n'avait rien d'étonnant: ils avaient commencé par être des garçons, non? Qu'est-ce qu'il y avait d'autre à attendre?

Après ça, tout le monde s'est mis à crier: «Où est Sudie? Trouvez Sudie!» À ce moment-là, Billy a détalé comme un lapin en hurlant des insultes à tous ces gens. Je parie qu'on devait l'entendre jusqu'à Middelton. Il est arrivé chez lui le premier, mais Sudie n'était pas là. Personne ne l'a trouvée, pas même Billy. Pourtant tout le monde l'a cherchée jusqu'à la tombée de la nuit. Après quoi, il a été décidé que M. Etheridge et M. Smith attendraient avec Mme Harrigan le retour de Sudie.

Quand tout le monde a quitté l'école, Mlle Marge m'a dit où était Sudie, mais on avait peur d'y aller au cas où les autres nous verraient.

Mlle Marge était complètement accablée et moi aussi. Alors on s'est assises sur les marches à se ronger les sangs un bon moment.

Finalement, Mlle Marge m'a demandé: «Mary Agnès, y a-t-il quelqu'un dans cette ville à qui je pourrais parler de Sudie et de Simpson? Quelqu'un qui me croirait? Qui m'écouterait? Tu connais quelqu'un?»

J'ai réfléchi. À mon avis, il n'y avait que deux personnes possibles: M. Wilson et le docteur Stubbs. Alors je le lui ai dit.

Elle s'est levée aussitôt. «Allons trouver le docteur Stubbs», elle a dit.

En tout cas, j'ai remercié le Seigneur pour mon idée. C'était bien la bonne personne que je lui avais indiquée. Le docteur n'était ni au café ni chez lui, mais Mme Stubbs nous a dit qu'on n'avait qu'à entrer l'attendre. Il faisait presque nuit quand il est arrivé, et pendant qu'on lui racontait l'histoire, il est resté assis dans son fauteuil en secouant la tête. On lui a tout dit. Tout ce qu'il y avait à dire sur Bob Rice, sur Simpson, et jusqu'à Sudie, en larmes, pendue au cou du cochon.

Je n'avais jamais vu le docteur se mettre en colère, mais alors là! Il a piqué une de ces rages! Même qu'il a dit des jurons. Après ça, on est tous montés dans sa voiture pour aller au pont. On a escaladé le remblai; le docteur s'appuyait sur nous deux. Je tenais la lampe-torche. On était tous morts de peur que Sudie ne soit plus là, mais elle y était.

Quand j'ai dirigé le faisceau sous le pont, elle était bien là, assise, le regard fixé dans le vide. Elle n'a même pas bougé quand la lumière s'est arrêtée sur elle. On a tous essayé de la convaincre de redescendre, mais ça ne servait à rien. Elle ne bougeait pas d'un pouce. Finalement, le docteur Stubbs m'a dit de grimper voir si je pouvais la faire descendre.

J'y suis allée, et je lui ai dit tout et n'importe quoi en espérant que ça marche, et finalement elle s'est laissée glisser. Elle n'a pas ouvert la bouche. Le docteur Stubbs et

Mlle Marge l'ont à moitié traînée, à moitié portée jusqu'à la voiture. Pendant qu'ils me reconduisaient chez moi, j'ai essayé de parler à Sudie et je lui ai dit que j'étais désolée de l'avoir menacée de tout raconter pour Simpson. Je lui ai dit que jamais je ne l'aurais fait, que juste j'étais énervée parce qu'elle avait dit que les mères étaient des menteuses. J'avais peur qu'elle croie que Simpson était parti parce que je l'avais dénoncé ou quelque chose comme ça. Mais on aurait dit qu'elle n'entendait pas un seul mot de ce que je disais. À la voir, on aurait dit qu'elle ne savait même pas que je parlais.

* * *

Quand on est arrivés chez moi, le docteur Stubbs m'a dit de ne pas me faire de souci parce que Sudie ne disait rien, et qu'elle me reparlerait bientôt. Il disait qu'elle était en état de choc à cause du départ de Simpson et que ça allait s'arranger. Mlle Marge et lui allaient y veiller.

À peine j'étais rentrée que papa et maman me sont tombés dessus. J'ai cru que papa allait claquer une Durit tellement il était rouge de fureur. Il s'est mis à tempêter en tapant du pied comme un Peau-Rouge. Il disait que j'étais au courant de l'existence de ce nègre depuis le début, et qu'il n'en revenait pas que je n'en aie parlé à personne. Il était sûr que j'avais fait bien plus que voir Sudie donner ce cochon à ce nègre, que j'étais au courant de bien plus de choses que j'avais cachées pendant tout ce temps. Il disait que Lilian Graham gisait sûrement morte quelque part, tout ça parce que je n'avais rien dit. Ce n'était pas difficile de deviner ce que ce nègre avait pu lui faire ou ce qu'il avait pu faire à Sudie, parce que tout le monde savait bien ce que les nègres faisaient aux femmes blanches. Ma sœur lui avait raconté qu'elle m'avait vue main dans la main avec cette yankee de prof au beau milieu de la cour de l'école et il voulait savoir quelle folie m'avait prise de faire un truc pareil. Voilà que maintenant je me faisais copine avec deux personnes connues pour défendre les nègres : Sudie et cette yankee. Il disait qu'il avait été le premier à prévenir M. Etheridge de ne pas engager une yankee. On ne peut pas leur faire confiance. Tout le monde le savait bien.

Maman a continué en disant que, depuis le début, elle s'était méfiée de Sudie. Elle l'avait répété à papa des centaines et des centaines de fois, mais est-ce qu'il l'avait écoutée ?! Non, jamais il n'avait pris cette peine, et maintenant on voyait le résultat. Elle m'a dit que si elle me reprenait à traîner encore avec Sudie, ils me ficheraient une telle raclée que j'en regretterais d'avoir entendu un jour le nom de Sudie Harrigan. Notre famille, elle disait, ne survivrait jamais aux racontars. Jamais ! J'avais déshonoré une famille respectée depuis que cette ville avait commencé à être une ville, depuis que mon arrière-grand-père avait construit la toute première maison !

Pour vous dire la vérité, moi, ça me rendait complètement folle, leur truc. J'aurais voulu tomber en état de choc comme Sudie, pour ne pas avoir à entendre. J'avais juste envie de me barrer en courant et de ne jamais revenir. Je regardais papa et maman piétiner et fulminer comme des espèces de sauvages, et je me disais : « Qu'est-ce que c'est que ce monde ? » C'est vrai, quoi ! Le docteur Stubbs, lui, avait écouté tout ce que Mlle Marge et moi, on lui avait raconté. Il avait écouté jusqu'au dernier mot.

Il ne nous avait pas mises à la porte de chez lui ou quoi que ce soit parce que Mlle Marge était une yankee et Simpson un nègre. Quand il a su toute l'histoire, la seule personne contre qui il s'est énervé, c'était Bob Rice. Pas une minute, il n'a pensé que Simpson avait tué Lilian Graham, ou quoi que ce soit de ce genre. Il disait que si Lilian Graham avait disparu de la circulation, c'était parce qu'elle avait pris le car pour aller je ne sais où. Il disait qu'elle-même ne devait même pas savoir où elle était. Et que si elle était morte, c'était probablement parce qu'elle s'était tuée. Elle avait essayé des tas de fois. Le docteur Stubbs, lui, n'a pas piqué une crise de folie ou quoi que ce soit, et maman passe sa vie à dire que c'est l'homme le plus respectable de Linlow.

Tout ça n'avait aucun sens. Aucun. Personne dans cette ville n'avait entendu ce que Sudie avait à dire, personne sauf le docteur Stubbs, et si maman et papa étaient un exemple de ce que ressentait cette ville, ça voulait dire que Sudie n'avait aucune chance. Même si elle avait l'occasion de parler, personne ne l'écouterait. Les gens avaient tiré leurs propres conclusions, et puis voilà.

Ça me donnait envie de vomir, moi, c'est tout, et quand papa est sorti chercher la verge en noyer sur la véranda de derrière, je me suis dit: «Qu'est-ce que c'est que cette grosse plaisanterie? Pourquoi est-ce qu'on me fouette? Je rêve ou quoi? Je leur ai dit que Mlle Marge était gentille, que c'était vraiment quelqu'un de bien. Je leur ai dit que c'était vrai, que j'étais au courant pour ce nègre et que si ça m'avait rendue malade d'inquiétude de savoir qu'elle était copine avec un nègre, je n'avais certainement jamais pensé qu'il puisse lui faire du mal ou quelque chose comme ça. Elle disait qu'il était gentil et doux avec elle. Non, jamais je ne m'étais fait de souci pour ça. En plus, maman elle-même m'avait dit que c'était bien d'être gentil avec un nègre à condition qu'il sache où était sa place. Et ça, il le savait. La preuve: il n'embêtait jamais personne. Jamais il ne mettait les pieds en ville ou quoi que ce soit.

On aurait dit que je parlais pour m'écouter parler. Ils n'ont pas écouté un seul mot de ce que j'ai dit, et pendant que papa me fouettait les jambes, tellement fort que j'avais l'impression que j'allais mourir, que je criais et que je bondissais pour essayer d'éviter les coups, je me suis dit: « Vous êtes des menteurs. Tous autant que vous êtes. Des menteurs! » Sudie avait raison. Toute cette journée et tout ce cirque n'étaient qu'une espèce d'affreux mensonge! Le pire mensonge que j'aie entendu de ma vie. Et des mensonges, j'en ai entendu des tas, ça je peux vous l'assurer!

Cette nuit-là, pendant que j'étais au lit, cuisant de douleur, je me suis dit que j'avais toujours pas mal écouté papa et maman dans ma vie, et que je continuerais à le faire aussi longtemps que je pourrais, mais il y avait une chose que je savais, que je savais aussi sûrement que j'étais allongée dans ce lit: j'allais être l'amie de Sudie. Je n'aurais qu'à la voir en secret, et le seul risque qu'il y aurait, ça serait de me faire corriger, et puis voilà. Ils avaient tort là-dessus. Horriblement tort, et moi, je ne pouvais rien y faire. Rien du tout. J'avais juste l'impression d'être une toute petite fourmi incapable de lutter contre qui que ce soit ou de dire quoi que ce soit. C'était horrible.

* * *

Après m'avoir déposée, le docteur Stubbs est allé directement chez lui. Il a dit à Mlle Marge de prendre sa voiture et d'aller chez les Harrigan prévenir la mère de Sudie et tous ceux qui attendaient là-bas qu'il n'y aurait pas d'interrogatoire ce soir-là, que Sudie était trop bouleversée pour parler à qui que ce soit et qu'il allait l'héberger chez lui et s'occuper d'elle. Il a dit de dire à Mme Harrigan qu'il passerait la voir le lendemain pour parler de Sudie.

La maison des Harrigan était pleine de gens. Et quand

Mlle Marge a vu tout ce monde, elle a demandé à parler à Mme Harrigan seule à seule. Alors elle lui a transmis le message du docteur Stubbs, après quoi elle est repartie tout de suite, pour ne pas commencer à se disputer avec qui que ce soit, et elle est retournée chez les Stubbs.

Mme Stubbs et Mlle Marge ont donné un bain chaud à Sudie dans le baquet, après quoi elles lui ont fait enfiler une chemise de nuit de Mme Stubbs où elle disparaissait entièrement. Elles n'ont pas essayé de faire parler Sudie. Elles ont bien essayé de lui faire avaler du lait de beurre, du pain de maïs et des haricots, mais comme elle ne voulait rien, elles l'ont tout simplement mise au lit.

Les Stubbs et Mlle Marge ont passé une bonne partie de la nuit à discuter. Le docteur Stubbs disait que cette ville avait été trop loin. Qu'il avait deux ou trois choses à dire aux gens de Linlow, et qu'ils auraient intérêt à l'écouter, et que quand il aurait dit ce qu'il avait à dire, Bob Rice se mordrait les doigts d'être venu un jour s'installer dans cette ville ! Il ferait en sorte que personne n'interroge Sudie sur Simpson, que ce soit le lendemain ou jamais. Il y veillerait, même si, pour ça, il devait la garder chez lui.

En tout cas, le docteur Stubbs n'a pas eu besoin de prouver quoi que ce soit sur Bob Rice, ça je peux vous le dire. Le lendemain matin, je suis passée chercher Nettie et, derrière la cantine, je lui ai tout raconté sur Bob Rice, ce qui était un peu embêtant pour moi, vu que le jour où on l'avait surpris avec Clara May, je lui avais raconté toute une histoire comme quoi remuer un Truc, ce n'était pas grave du tout. Vous voyez dans quelle situation les grands discours peuvent vous mettre ? Mais bon, je savais qu'il fallait que je lui dise toute la vérité. Après ça, je lui ai expliqué que Mlle Marge avait raconté à M. Etheridge ce que Bob avait fait à toutes ces filles et qu'il n'en avait pas cru un mot. Je lui ai aussi parlé du fait que Sudie était malade et qu'elle ne parlait même plus. Comme elle voulait savoir si Sudie était vraiment copine avec ce nègre, j'ai préféré lui dire que je n'en savais rien, mais que j'étais sûre qu'on connaîtrait bientôt la vérité. Après ça, on a décidé toutes les deux d'aller carrément dans le bureau de M. Etheridge pour lui dire qu'on avait vu ce que Bob Rice avait fait à Clara May. On y est allées, sauf qu'il n'était pas dans son bureau. Il était en train de discuter avec Louise Puckett dans le couloir.

On s'est approchées de lui et j'ai dit: «M. Etheridge, ce que Mlle Marge vous a raconté sur Bob Rice, c'est la pure vérité! Nettie et moi, on l'a vu avec Clara May. Et il n'y a pas qu'elle: il a fait la même chose à onze autres filles!»

Vous auriez dû voir sa tête quand il a entendu ça. Il faisait peine à voir. De ma vie je n'avais jamais été aussi contente de dénoncer quelqu'un. Il a commencé à avoir l'air malade. Tout de suite, il est devenu pâle comme un linge. Bien sûr, comme Louise ne savait pas de quoi on parlait, je l'ai prise à part et je lui ai expliqué à l'oreille. Elle a jeté un œil vers M. Etheridge, qui était incapable de la regarder, avant de détourner la tête. Alors j'ai dit à M. Etheridge: «Je suppose que personne ne croit jamais les gosses dans cette ville. Eh ben, cette fois, ils ont intérêt! Parce que moi, je vais aller parler de Bob Rice à tout le monde, même au pasteur!»

Sur ce, j'ai attrapé la main de Nettie et on a remonté le couloir à toute allure. Nettie est allée en classe, mais moi, j'étais trop excitée à l'idée de dénoncer ce Bob Rice pour y aller et, en plus, je m'en fichais d'être fouettée pour ça. Du coup, je suis allée au collège voir Mlle Marge.

Je devais avoir un sourire idiot, parce que quand elle est venue m'ouvrir la porte, elle a dit: «Mary Agnès, j'ai comme l'impression que tu as de bonnes nouvelles à m'annoncer. »

« Mlle Marge », j'ai répondu, « Nettie et moi, on vient juste d'aller voir M. Etheridge ; on a dénoncé Bob Rice. »

En entendant ça, elle a fait un énorme sourire. Là-dessus, Louise Puckett est arrivée pour lui dire que M. Etheridge voulait la voir dans son bureau. Elle m'a pressé la main et elle m'a dit : « Je suis fière de toi, Mary Agnès. Peux-tu me retrouver dans ma classe après l'école ? »

« Oui, m'dame », j'ai fait.

Je suis retournée en courant jusqu'à la cantine ; pour une fois, j'étais bien obligée de reconnaître que j'avais fait du bon boulot.

* * *

Le docteur Stubbs n'a pas ramené Sudie ce matin-là. Il l'a laissée chez lui avec Mme Stubbs, et il a dit à Mme Harrigan qu'il pensait que puisque M. Harrigan était absent, il aimait autant garder Sudie chez lui quelques jours pour être sûr que personne ne commence à la tarabuster avec des tas de questions. Mme Harrigan lui a répondu qu'elle espérait que le retour du Seigneur était proche, parce que décidément il y avait trop de péchés sur cette Terre. Elle qui s'était usé les doigts à force de travailler, elle qui avait prié tous les jours de sa vie pour que ses enfants soient de bons chrétiens vivant dans la crainte de Dieu, regardez comment elle était récompensée ! Un de ses gosses qui se mettait à fréquenter un nègre ! Elle en avait le cœur brisé ; d'ailleurs, que pouvait faire une mère avec une gosse pareille ? Elle n'avait jamais rien pu tirer de Sudie, et pourtant Dieu sait si elle avait essayé, mais Sudie était butée comme une mule et n'écoutait jamais rien de ce qu'on lui disait.

M. Stubbs a répondu à Mme Harrigan qu'il ne voyait pas les choses comme ça du tout. Pour ce qui était d'écouter, Sudie n'avait pas de problème. Elle retenait même trop bien des choses qu'on ne devrait jamais dire à un enfant, et pour ce qui était de vivre dans la crainte de Dieu, le docteur Stubbs a dit à Mme Harrigan de ne pas se faire de souci : elle avait fait du bon boulot avec l'aide du pasteur Miller. Quand Sudie serait remise, il voulait qu'ils aient tous les trois une longue conversation sur toutes ces questions.

En quittant Mme Harrigan, le docteur Stubbs est allé tout droit à l'école, prêt à dire sa façon de penser à M. Etheridge. À son arrivée, Mlle Marge était déjà dans le bureau de M. Etheridge, et à la tête qu'il faisait, le docteur a compris qu'il n'avait plus besoin d'être convaincu de quoi que ce soit. Le pauvre avait l'air au moins aussi choqué que Sudie. Il n'arrêtait plus de hocher la tête et de répéter qu'il avait toujours considéré Bob Rice comme un brave homme. Un si bon chrétien.

Le docteur Stubbs a quand même dit qu'il lui semblait que bien des gens cachaient de très graves fautes derrière le mot chrétien, et que Bob Rice n'en était qu'un répugnant exemple. Quand Mlle Marge lui avait répété ce que Sudie lui avait raconté au sujet de Bob Rice, ce qu'il faisait à toutes ces petites filles et comment il s'y prenait pour les approcher au nez et à la barbe de tout le monde, il avait été pris de dégoût pour lui-même et pour toute cette ville. Quelqu'un au moins aurait pu remarquer le manège de Bob Rice, mais voilà, comme ce monsieur clamait sur tout les toits qu'il était un bon chrétien, personne ne mettait jamais en question un seul de ses actes !

Tout le monde savait bien qu'il rendait visite aux enfants malades pour les aider à rattraper leurs leçons, mais comment se faisait-il que personne n'avait jamais remarqué que les enfants en question étaient toujours des filles? Comment se faisait-il que quand il attendait les gosses à la sortie de l'école, c'était toujours à des petites filles qu'il parlait? Comment se faisait-il que personne ne s'était jamais demandé pourquoi Bob Rice allait au cinéma de Middelton le samedi après-midi, alors que ce jour-là on ne passait que des programmes et des dessins animés pour enfants? Comment se faisait-il que personne ne s'était jamais douté de rien quand Bob Rice disait que ça lui faisait tellement plaisir d'emmener des petites filles à Freeman's Creek pour leur apprendre à nager, mais jamais de garçons? Pire, comment M. Etheridge, qui était le meilleur ami de Bob Rice, avait-il pu être à ce point aveugle?

Depuis quinze ans que le docteur Stubbs vivait et travaillait dans cette ville, il avait entendu utiliser le mot chrétien pour couvrir toutes sortes de saletés, mais cette fois, ça dépassait l'entendement!

Quand M. Etheridge a commencé à parler de Sudie et de ce nègre, le docteur Stubbs a vraiment perdu son sang-froid. Il a dit que jamais il ne laisserait qui que ce soit dans cette ville questionner Sudie Harrigan sur cette personne, qu'il avait d'ailleurs une histoire à raconter à cette ville à ce sujet et qu'il comptait convoquer une réunion dès qu'il pourrait en parler à Sudie. Il n'avait qu'une seule chose à dire à M. Etheridge pour le moment: cet homme n'avait rien fait à Lilian Graham. Jamais il n'avait entendu de telles bêtises! Lilian Graham était une droguée – depuis des années – et à l'heure qu'il était, elle était probablement en train d'arpenter les rues de Middelton ou de Canter pour essayer de se trouver de l'argent pour ses pilules. Et voilà tout!

*
* *

En fin d'après-midi, après l'école, je suis allée retrouver Mlle Marge dans sa classe ; le docteur et M. Etheridge étaient déjà là. Je leur ai raconté tout ce que je savais sur Bob Rice et tout ce que je savais sur Simpson jusqu'au moment où, Sudie et moi, on s'était disputées. Pendant tout ce temps, M. Etheridge n'a pas dit un mot – pas un – et quand Mlle Marge m'a demandé d'aller l'attendre sur les marches de l'école, j'étais incapable de dire s'il me croyait ou non.

Quand Mlle Marge est sortie, elle m'a raconté que M. Etheridge avait dit que, ce matin-là, quelques hommes de Linlow avaient emmené les policiers chez Simpson, après quoi ils s'étaient séparés en deux groupes qui étaient allés, l'un à Middelton, l'autre à Canter, pour chercher Mlle Graham et obtenir des renseignements sur Simpson. Elle disait que M. Etheridge croyait ce que j'avais dit et que le docteur Stubbs l'avait convaincu de l'aider à faire toute la lumière sur cette histoire.

Après ça, le docteur Stubbs a repris sa tournée, et Mlle Marge et moi, on est allées voir Sudie. Mlle Marge m'avait demandé de ne rien dire à Sudie pour Simpson, comme quoi tout le monde croyait qu'il avait enlevé ou tué Mlle Graham.

Sudie ne parlait toujours pas. Elle avait l'air d'aller mieux, mais elle refusait de parler. Elle ne faisait que regarder dans le vide. Elle a quand même eu un petit sourire quand elle nous a vues entrer. Comme Mme Stubbs nous a dit qu'elle n'avait rien mangé de toute la journée, on a essayé de lui donner du poulet et des croquettes de pommes de terre, mais elle a refusé d'en avaler une seule bouchée. Mme Stubbs avait même fait de la tarte aux mûres, mais Sudie n'y a pas touché non plus, ce qui ne nous a pas empêchées, Mlle Marge et moi, de nous régaler.

Ce soir-là, dans une longue prière, j'ai demandé à Dieu de faire que Sudie aille mieux et de montrer au docteur Stubbs, à M. Etheridge et à Mlle Marge ce qu'il fallait faire pour Bob Rice. J'ai prié pour Simpson, aussi : il ne fallait pas qu'on le retrouve. Après ça, j'étais dans mon lit en train de réfléchir à tout ce qui s'était passé quand je me suis dit que, peut-être, Dieu avait déjà aidé Simpson en lui disant de partir avant la disparition de Lilian Graham. C'est alors que j'ai pris une décision. J'ai décidé d'aller à l'Endroit Secret, même si ça faisait une trotte, pour nourrir les animaux en attendant que Sudie soit assez bien pour y retourner elle-même.

*
* *

Finalement, la battue à Middelton n'a rien donné et, grâce à Dieu, quand ils sont allés demander aux gens de Canter s'ils connaissaient un nègre qui habitait à Linlow dans la vieille baraque de Brannon Place, personne n'avait entendu parler de rien. Personne n'avait entendu parler d'un nègre qui vivait à Brannon Place, pas même M. Sims, qui a dit que le nègre qui travaillait pour lui habitait chez d'autres nègres à Canter. Mlle Marge et le docteur Stubbs ont été très contents d'apprendre que M. Sims ne savait pas où habitait Simpson. Mais ce qui les a rendus encore plus contents, c'était qu'apparemment, d'après tout ce qu'on avait entendu, les hommes qui avaient fait les recherches à Canter n'avaient même pas trouvé ça bizarre.

M. Turner, qui était celui qui avait parlé à M. Sims, a dit qu'il n'y avait pas moyen de savoir d'où venait le nègre de Brannon Place. Il aurait pu venir de n'importe où.

C'était peut-être un vagabond venu jusqu'à Linlow par les trains de marchandises.

Ce soir-là, M. Etheridge, le docteur Stubbs et Mlle Marge se sont à nouveau réunis à l'école. Ils ont décidé que la meilleure chose à faire, c'était d'attendre que les gens arrêtent un peu de se monter la tête au sujet de Simpson avant d'organiser une réunion pour leur parler de Bob Rice. Mieux valait qu'ils se calment un peu sur le cas Simpson, avant de leur parler de Bob Rice.

Deux jours plus tard, une boîte contenant un lapin à trois pattes a été déposée sur les marches du collège au nom de Mme Marjorie Allen. C'est Mlle Marie qui a trouvé le paquet, vu qu'elle est toujours la première arrivée au collège le matin. Elle s'est tout de suite doutée que c'était un animal du fait qu'il y avait du bruit à l'intérieur. En plus de ça, il y avait des petits trous percés de chaque côté de la boîte. Donc, elle a pris la boîte et l'a déposée sur le bureau de Mlle Marge. Quand Mlle Marge a ouvert, qu'elle a vu Veinard, elle a aperçu au fond une bande de chiffon nouée autour d'un papier. Quand elle l'a dénouée, un billet de cinq dollars est tombé. Il y avait aussi un petit mot :

Mme Allen, vous serait-il possible avec cet argent d'engager quelqu'un pour conduire le cochon chez les Harrigan ? Je ne sais pas ce qu'il faudrait dire pour leur expliquer d'où il vient. Peut-être que vous pourriez le leur faire livrer par quelqu'un de Middelton qui leur dirait simplement que c'est de la part d'un ami. Je n'ai pas d'autre idée. Mais peut-être en avez-vous une. En vous remerciant.

Le mot n'était pas signé.

Mlle Marge a préféré ne pas s'occuper de Bébé Grognon tant que le docteur Stubbs n'aurait pas réuni la ville. Ce qui fait qu'elle est allée nourrir le cochon pendant trois jours de suite. Sauf que, le quatrième jour, Bébé Grognon avait disparu. Elle a appris plus tard que Lem et Jesse Coker étaient venus le prendre.

Le docteur Stubbs a conseillé de ne pas donner le lapin à Sudie tant qu'elle n'irait pas mieux. Ça lui rappellerait trop le départ de Simpson. Ce qui fait que Mlle Marge a emmené le lapin chez elle.

*
* *

Finalement, une bonne partie des hommes de Linlow a arrêté de parler de chasse au nègre. M. Etheridge avait réussi à les raisonner en leur faisant remarquer que si ce nègre, qui avait habité dans cette maison pendant plus de deux ans, avait eu l'intention de s'en prendre à qui que ce soit, ça serait déjà fait.

Donc, une bonne partie des hommes s'est calmée; mais pas mon père. Lui, M. Higgens, les Coker et M. Bradley étaient toujours aussi échauffés qu'au premier jour. Ça me rendait malade. Papa les a même réunis chez nous, mais quand maman m'a surprise en train d'écouter à la porte, elle m'a envoyée au lit. Ce qui fait que je n'ai pas pu entendre grand-chose. Mais je peux vous dire que ça m'a suffi. J'étais tellement épouvantée que je croyais que je n'arriverais jamais à m'endormir. J'avais entendu Lem Coker dire que si jamais ils mettaient la main sur ce nègre, ils le descendraient d'abord et qu'ils lui poseraient des questions après. Mon père et les autres hommes avaient trouvé que c'était une bonne idée.

Vous avez déjà entendu une idée aussi débile? Comment est-ce qu'on peut poser des questions à un mort, d'abord? C'est là que j'ai compris que s'ils coinçaient Simpson, ils ne le descendraient que pour une seule raison: parce qu'il était noir, voilà tout. Ils n'avaient certainement pas l'intention de lui donner, à lui ou à qui que ce soit d'autre, l'occasion de défendre sa cause, et tout ça parce qu'il était noir. De toute ma vie, je n'avais jamais rien entendu de plus injuste. C'est dingue ! Ils traitent les gosses exactement pareil : ils les fouettent sans même écouter ce qu'ils ont à dire ! Sauf que Simpson, ce n'était pas un gosse. C'était une grande personne. Et qu'il ne s'agissait plus de fouetter, mais de tuer. Il n'y avait plus qu'à pleurer.

*
* *

Le docteur Stubbs a gardé Sudie chez lui pendant toute une semaine. Le vendredi, elle n'allait pas tellement mieux, mais il a quand même essayé de réunir les habitants de Linlow. Il a fait savoir à tout le monde que ça aurait lieu à l'école, mais seulement huit personnes ont promis de venir. Ça m'a rendue folle de rage !

C'est ce qui explique que dimanche matin, notre petite église s'est pris une grande claque ; et c'est le docteur Stubbs qui est venu la lui donner. Le sermon avait commencé depuis cinq minutes quand il est entré dans l'église en disant : « Pasteur Miller, je vous présente le prédicateur du jour : moi ! » Sur ce, il est monté au pupitre et il a pris la parole. Le pasteur Miller a essayé de dire quelque chose, mais le docteur Stubbs ne faisait même pas attention à lui.

Il a commencé en disant carrément au pasteur Miller qu'à son avis il y avait deux gros péchés qui nous intéressaient ici : le péché d'omission et celui de commission. Et que lui, docteur Stubbs, était le pire des « ometteurs » de cette ville.

« Vous savez, monsieur le pasteur », il a continué, « pendant toutes ces années, j'ai soigné les maladies physiques de ces gens. Je me suis tellement bien occupé de soigner leurs corps que j'ai, la plupart du temps, négligé la confusion de leur esprit. C'est ce que j'appelle le péché d'omission. »

Quand il a entendu ça, le pasteur a eu un petit sourire. Mais, rassurez-vous, ça n'a pas duré, ça je peux vous le dire ! Parce qu'après ça le docteur Stubbs n'a plus arrêté de lui rentrer dans le lard ! Il fallait voir ça ! Au point que dans sa rage le pasteur Miller a fini par quitter l'église. Donc, le docteur a continué en disant que, pour lui, le péché de commission était aussi grave, si ce n'est plus, que le péché d'omission et que lui, pasteur Miller, était, entre tous, le pire des « commetteurs » de cette ville !

Il a accusé le pasteur Miller d'avoir tellement vomi les feux de l'enfer et la damnation du haut de son pupitre qu'il y avait de quoi remplir un livre de mille pages et de quoi donner des cauchemars à un homme adulte jusqu'à la fin de ses jours, sans parler des petits enfants. Il a continué en rappelant au pasteur Miller que lui, docteur Stubbs, avait cessé de fréquenter son église deux ans plus tôt, et que déjà à cette époque, il s'était promis de dire sa façon de penser à « cet animal de pasteur », mais qu'il ne l'avait jamais fait. Là encore, c'était une omission mais, que Dieu lui en soit témoin, il avait juré que ce serait là la dernière dont il se rendrait coupable. C'était le regard vide d'une petite fille de dix ans qui avait suscité ce serment.

« Oh, je sais », il a continué, « ce que chaque membre de cette congrégation pense en ce moment même. Vous pensez que le regard vide de Sudie Harrigan est la faute de cet homme de couleur. Eh bien, vous vous trompez ! Le malaise de Sudie a commencé voici bien longtemps, et il a commencé ici même dans cette église, grâce à un pasteur qui est presque parvenu à convaincre toute une ville que c'était un péché de respirer ! Grâce à un pasteur qui a tellement épouvanté les enfants qu'ils considèrent le fait d'être normal comme une faute qu'ils désespèrent de pouvoir racheter un jour.»

À ce point, le pasteur était pratiquement au bord de l'apoplexie. Empoignant le manteau du docteur, il s'est mis à vociférer, lui demandant de quel droit il osait mettre les pieds dans son église pour lui parler de cette façon. Le docteur Stubbs était une abomination au regard du Seigneur, et il était venu dans cette église dans le seul but de semer la zizanie! Le docteur Stubbs a répondu qu'il y avait à son avis bien trop longtemps que le pasteur remplaçait la parole du Seigneur par la sienne. Et que sa façon d'interpréter la parole du Seigneur, c'était ça la véritable abomination.

Sa Bible à lui, docteur Stubbs, enseignait l'amour, la gentillesse, la compréhension, la tolérance et tout un tas de choses dont il n'avait jamais entendu parler dans cette église, ou du moins pas assez pour que ça se remarque.

Alors là, trop c'était trop! Le pasteur Miller a lancé un de ces regards au docteur Stubbs! Si un regard pouvait tuer, le docteur serait tombé raide mort sur place. C'est à ce moment-là que le pasteur est sorti de l'église; il est monté dans sa voiture et est parti en trombe, évitant de justesse la tombe de la grand-mère de Bobby Turner.

En tout cas, je vais vous dire une chose: la congrégation, elle, n'a pas bougé. Tout le monde avait les yeux rivés sur le docteur Stubbs comme s'il venait de leur dire que leur mère n'était pas leur mère et que leur père n'était pas leur père non plus. C'est à ce moment-là qu'il leur est rentré dans le lard.

Il a commencé par dire à quel point il aimait cette ville et tous ses habitants. Il nous avait tous soignés, nous et les êtres qui nous étaient chers; il avait mis au monde pratiquement tous les enfants présents ce jour-là; et nous faisions tous pour ainsi dire partie de sa famille. Voilà pourquoi il allait nous dire des choses dures qui allaient en irriter, en scandaliser plus d'un, mais en ce qui le concernait, il n'avait qu'une chose à dire : fais ce que dois, advienne que pourra. Pour lui, les gens de cette ville écoutaient le pasteur Miller depuis si longtemps qu'ils en étaient venus à penser exactement comme lui. Non seulement ils fouettaient leurs enfants pour des raisons absurdes, mais ils les épouvantaient tellement avec leurs histoires de rôdeurs que c'était un miracle que les enfants de cette ville n'aient pas tous perdu le sommeil.

Là-dessus il a embrayé sur ces hommes, et même ces femmes de la congrégation qui voulaient tuer un homme de couleur ; un homme de couleur qui avait vécu dans cette ville pendant plus de deux ans sans faire le moindre mal à qui que ce soit ; un homme qu'ils n'avaient jamais vu, à qui ils n'avaient jamais parlé. Pourquoi voulaient-ils le tuer ? Ils voulaient le tuer parce que c'était la façon la plus facile d'expliquer la disparition de Lilian Graham. Et pourquoi cela ? Pour la même raison à laquelle ils attribuaient l'état de choc dans lequel se trouvait Sudie Harrigan. Pour une seule et unique raison. Parce qu'il était noir.

Quelqu'un avait-il pris la peine de se demander quel genre d'homme il était ? Non. Avaient-ils pris la peine de se demander pourquoi cet homme de couleur avait, tout au long de l'été, déposé tous ces légumes chez les Harrigan, au risque d'y perdre la vie ? Avaient-ils regardé cette maison enfouie sous le kudzu dont cet homme avait fait un foyer vivable, ce potager et ce fossé d'irrigation, ne serait-ce que pour savoir quel genre d'homme avait pu faire tout cela ? Non. Quand ils avaient découvert qu'à l'évidence Sudie Harrigan venait souvent dans cette maison, quelqu'un s'était-il demandé pourquoi ? Non.

À ce moment-là, Lem Coker s'est levé pour sortir de l'église. Le docteur Stubbs n'a même pas sourcillé; il a continué de parler comme si de rien n'était.

«Je sais», il disait, «que certaines personnes ici présentes qualifieront de péché l'amitié de Sudie avec un homme de couleur. Peut-être même que certains d'entre vous ont déjà l'intention de lui faire payer à leur façon le péché qu'elle a commis, en interdisant par exemple à leurs enfants de l'approcher ou en la bannissant de vos maisons.

«Eh bien, laissez-moi vous dire ceci: un péché a bel et bien été commis, mais pas par Sudie ou son ami. Le péché dont je parle est le mensonge. Les mensonges que nous disons à nos enfants pour leur inculquer la peur de Dieu et celle du diable. Des mensonges pour lesquels ils nous redoutent et se défient de nous. Des mensonges pour lesquels ils nous haïront un jour. Des mensonges qui leur enseignent que toutes sortes de diables et de rôdeurs les attraperont s'ils osent se comporter comme des enfants! Des mensonges qui leur enseignent que les gens de couleur sont des monstres. Ce sont ces mêmes mensonges qui ont poussé des hommes à prendre leur fusil dans l'intention de tuer un homme qui a été la meilleure chose qui soit jamais arrivée à une petite fille de cette ville: à l'une des nôtres. Une petite fille que nous avions terrorisée et rendue méfiante au point qu'elle passait la moitié de sa vie en compagnie d'animaux de la forêt parce qu'à ses yeux seules ces créatures étaient dignes de confiance. Une petite fille qui avait choisi de fuir ce monde que nous avons créé pour elle en fermant son esprit. Une petite fille qui a, comme d'autres de ses camarades, subi des violences sexuelles de la part d'un homme blanc, d'un homme que nous connaissons tous. Une petite fille, enfin, qui prend cette faute sur elle à cause de ce que nous lui avons enseigné!

« Quel genre de gens sommes-nous pour élever si mal nos enfants qu'ils sont terrifiés à l'idée de dénoncer un homme qui a abusé d'eux ? Des enfants qui ont tellement peur qu'ils ne peuvent pas confier leur détresse à un seul membre de cette communauté ! Moi y compris ! »

À présent, toute l'assemblée était silencieuse. Ce qu'ils avaient entendu ne leur plaisait peut-être pas, mais du moins ils avaient écouté. Mais quand le docteur Stubbs a parlé de violences sexuelles perpétrées par un homme blanc, mon père s'est levé d'un bond et lui a demandé de quoi diable il voulait parler. Alors, le docteur Stubbs lui a expliqué.

*
* *

De toute ma vie je n'avais jamais vu mon père et ma mère aussi énervés et aussi mal à l'aise que ce dimanche-là. Premièrement, ils en voulaient au docteur Stubbs d'avoir dit que tous les parents mentaient à leurs enfants. Deuxièmement, d'avoir pris le parti de Simpson. Troisièmement, ils étaient encore sous le choc de ce qu'ils avaient appris sur Bob Rice.

Mais je vais vous dire une chose. Moi, je crois surtout qu'ils s'en voulaient à eux-mêmes. Bien sûr, ce n'était pas ce qu'ils disaient. De toute façon, je ne les ai jamais entendus reconnaître qu'ils puissent se tromper sur quoi que ce soit. Mais je le sentais bien. Premièrement, parce qu'ils ont passé le reste de la journée à se dire l'un et l'autre qu'ils avaient raison. Ils n'en finissaient pas de passer en revue tout ce que le docteur avait dit, après quoi ils se disaient l'un à l'autre à quel point il avait tort et à quel point ils avaient raison. Mais le plus drôle dans tout ça, c'est qu'à chaque fois qu'ils se disaient que c'étaient eux qui avaient raison, il fallait qu'ils balancent au moins dix raisons pour expliquer pourquoi. Si vous les aviez entendues, leurs raisons débiles, vous leur auriez éclaté de rire au nez. Moi, ça m'énervait tellement que j'ai demandé à ma mère où étaient les Dix Commandements dans la Bible et que je les leur ai lus à voix haute.

Sauf que, bon, ça n'a pas avancé à grand-chose. Parce quand je suis arrivée à celui qui disait: «Tu honoreras ton père et ta mère» et que je leur ai dit que je ne voyais pas comment on pouvait honorer des menteurs, ils ont failli s'étouffer de rage. Et ils ont répondu qu'ils ne m'avaient jamais menti de leur vie. Alors, je leur ai demandé comment ça se faisait qu'ils m'avaient dit qu'être gentil avec les nègres, c'était chrétien comme manière de faire, alors qu'ils m'avaient répété toute leur vie que les nègres étaient des monstres et que maintenant, ils ne voulaient rien savoir quand le docteur Stubbs disait que Simpson était quelqu'un de bien. Je leur ai dit que quand même ça serait mieux s'ils avaient les idées plus claires. Et en ce qui concernait le commandement qui disait: «Tu aimeras ton voisin comme toi-même», il n'était dit nulle part qu'il fallait aimer son voisin blanc et haïr son voisin noir, pas vrai?

En tout cas, s'ils n'avaient pas aimé un seul mot de ce que le docteur Stubbs avait dit, il devait forcément leur en être resté quelque chose. La partie sur le fait de fouetter les enfants, par exemple. Parce que, ce jour-là, je n'ai pas arrêté de leur répondre et pas une fois ils n'ont menacé de me battre. Ce n'est peut-être pas grand-chose, mais j'en remercie le Seigneur quand même, c'est tout ce que je peux dire, parce que, depuis ce jour, ils ne m'ont plus jamais fouettée, même quand mon frère a été leur raconter qu'il m'avait vue avec Sudie et qu'on était toujours copines et tout.

Je ne sais pas ce qu'ont pensé les gens de cette ville, mais en ce qui me concerne, ce qu'a dit le docteur Stubbs m'a bien fait travailler les méninges et j'ai commencé à penser à des choses auxquelles je n'avais jamais pensé avant.

Il avait été question au cours de la réunion à l'église de laisser la justice se charger de Bob Rice. Ce qui ne l'a pas empêché, dimanche soir, de recevoir la visite de cinq hommes vêtus de draps blancs. Ce n'était pas difficile de deviner que ces cinq hommes étaient ceux qui, à la maison, avaient parlé de descendre Simpson. Ça encore, ça nous montre une chose. Ils avaient été prêts à descendre Simpson sans rien savoir, et finalement ils s'étaient contentés de casser la figure à Bob Rice quand ils avaient découvert le pot aux roses.

Lundi matin, les policiers ont reçu un appel, comme quoi ils trouveraient à tel endroit un type salement amoché qui avait, pour ce qu'on en savait, passé au moins quatre ans de sa vie à abuser des petites filles. Le docteur Stubbs a dit plus tard qu'il faudrait au moins des mois, et peut-être des années, avant que le procès de Bob Rice n'aboutisse. La seule chose dont il était persuadé, c'était que Bob Rice n'enseignerait plus jamais de sa vie.

* * *

Le docteur Stubbs a ramené Sudie chez elle le lundi suivant. Il a eu une longue discussion avec Mme Harrigan, mais comme il n'y avait vraiment rien à tirer d'elle, Mlle Marge et lui en ont conclu qu'il allait falloir un miracle pour que Sudie redevienne elle-même, et que ce miracle, ça serait à eux de le fabriquer de toutes pièces. On aurait dit que Mme Harrigan ne comprenait rien aux problèmes de Sudie. Le docteur Stubbs pensait que la meilleure chose à faire, c'était que Sudie retourne à l'école le plus vite possible, pour qu'elle recommence à faire des choses normales, même si elle n'était probablement pas normale en les faisant.

Il avait raison. Elle a recommencé l'école la semaine suivante, mais ce n'était plus Sudie. Jamais vous n'auriez imaginé que c'était la même fille. Elle ne jouait plus et elle ne mangeait pratiquement rien. Elle était plus maigre que jamais et elle n'écoutait rien du tout en classe. Le seul truc qu'elle disait, c'était «salut», après quoi elle allait s'asseoir sur le terrain de jeu et se mettait à fixer le sol. En général, les gosses étaient gentils avec elle. Mlle Marge et M. Etheridge avaient tout fait pour ça. M. Etheridge avait permis à Mlle Marge d'organiser une réunion avec tous les gosses et les professeurs et elle leur avait expliqué ce qui s'était passé.

Après cette réunion, il n'y a eu que Tommy Higgens qui a osé être méchant avec Sudie. Il a commencé à rigoler d'elle, à raconter à tout le monde que c'était une poule à nègre et qu'elle était aussi barjo que Russell Hamilton. Sauf que ça n'a pas duré, parce qu'un beau jour Billy a grimpé sur la poutre dans les toilettes des garçons et il a attendu presque une heure que Bobby Turner réussisse à attirer Tommy aux toilettes en lui disant qu'il avait une photo cochonne à lui montrer. Quand Tommy est entré, Billy lui est dégringolé dessus et lui a presque cassé le dos. Il lui a donné tellement de coups de pied dans le bide que Tommy s'est senti mal et qu'il s'est mis à vomir. Pendant qu'il vomissait, Billy l'a traité de tous les noms possibles et imaginables. Je ne sais pas où ça se serait arrêté si quelqu'un, en entendant les hurlements de Tommy, n'avait pas couru chercher M. Etheridge. Finalement, le docteur Stubbs a dû lui bander le ventre, ce qui fait que Tommy s'est trimbalé pendant plus d'une semaine plié en deux comme un bossu et que tout le monde l'appelait Bommy (pour Bossu et Tommy). Je lui ai même trouvé tout un tas d'autres surnoms, mais il n'est même pas allé se plaindre. Heureusement que Tommy avait quatorze ans et que ce n'était plus un gosse. Parce que s'il avait été aussi petit que Billy, je ne sais pas comment ça se serait terminé.

*
* *

La semaine qui a suivi ce carnage, j'ai vu Simpson. Je peux vous dire que je n'ai jamais eu aussi peur de ma vie. C'était un samedi et j'étais allée à l'Endroit Secret pour m'occuper des animaux. Déjà à ce moment-là, il n'en restait plus que trois. Un écureuil baptisé Méchant parce qu'une fois il avait mordu Sudie, et deux oiseaux qui s'appelaient Voltige et Rouge.

J'étais toujours nerveuse quand j'allais là-bas du fait que c'était loin de tout. Et à chaque fois, je ne restais que le temps de nourrir les animaux. Mais cette fois, j'étais en train de donner de l'eau à l'écureuil quand j'ai vu qu'il avait un bandage à la patte que je n'avais pas remarqué avant. Ça m'a fichu une de ces trouilles! J'ai sursauté comme si on venait de me tirer dans le dos et je me suis mise à gamberger comme une folle. Il sortait d'où, ce bandage? J'ai d'abord pensé à Mlle Marge ou au docteur Stubbs, mais je savais que ni l'un ni l'autre n'avait entendu parler de l'Endroit Secret. J'ai pensé à Billy, mais je savais qu'il n'était pas au courant non plus. C'est à ce moment-là que j'ai pensé à Simpson. Et je peux vous dire que quand cette idée m'est venue à l'esprit, j'ai cru que j'allais tomber dans les pommes. J'ai pensé à me sauver de là le plus vite possible, mais j'ai changé d'avis: peut-être qu'il était déjà dehors en ce moment même! J'étais tellement terrorisée que je me suis assise sur le tapis en branches de pin, que j'ai passé les bras autour de mes jambes et que je me suis mise à trembler. Il fallait essayer de réfléchir.

Zut, je me suis dit, de quoi est-ce que tu as peur, Mary Agnès ? Tu sais bien que Simpson ne fait de mal à personne. Il n'y a aucun risque. D'accord, j'ai pensé après, n'empêche que je n'ai jamais vu un nègre de près. Je n'en finissais plus d'hésiter entre ces deux idées, ce qui fait qu'à la fin j'étais encore plus paniquée.

Ça devait faire quelque chose comme cinq minutes que j'étais assise quand tout à coup j'ai entendu du bruit. Comme si quelqu'un marchait sur des feuilles mortes. J'ai failli tomber raide morte sur place. Je sentais battre mon cœur jusque dans mes jambes. J'ai pris ma respiration, mais je n'osais pas souffler. À ce moment-là, j'ai entendu le même bruit, plus proche cette fois. Pourvu que ça ne soit pas lui ! je me disais. Oh, je vous en supplie, Dieu, faites que ça ne soit pas lui !

Le bruit se rapprochait de plus en plus. J'ai regardé autour de moi pour trouver un endroit où me cacher. Je me suis levée d'un bond et je me suis mise à courir de pièce en pièce. J'entendais maintenant un froissement de feuilles de vigne. Oh, Seigneur Dieu ! Ça y était, il venait d'entrer dans le tunnel ! Maintenant, je n'avais plus le choix !

J'ai plongé derrière les deux cageots qui faisaient office de table et je me suis collée tout contre la paroi en kudzu. J'ai essayé de me faire la plus petite possible, et juste au moment où je prenais une dernière respiration, il est entré. Je voyais ses pieds passer à côté de moi dans la pièce où se trouvaient les animaux. Je retenais ma respiration depuis si longtemps que je croyais que j'allais exploser carrément. J'ai fini par souffler ; Dieu merci, il ne m'a pas entendue. Les larmes se sont mises à couler sur mes joues ; j'ai commencé à trembler.

Alors, j'ai entendu un grincement de fil de fer : Simpson était en train d'ouvrir la cage. « Du calme, Méchant », il disait tout doucement. « Alors, on se sent mieux aujourd'hui ? Maintenant, tu ne bouges plus, mon grand. Je vais juste jeter un œil à ce gros bobo. »

Il a continué un petit moment à parler à cet écureuil exactement comme si c'était une personne, puis il l'a remis dans sa cage avant de faire la même chose avec les oiseaux. Je commençais à me détendre un peu. Il avait l'air gentil. Il parlait comme tout le monde, ce qui fait que j'avais un peu moins peur. Mais à ce moment-là, je l'ai entendu dire : « Hé ! Ho ! Reviens ici, Rouge ! »

À ce moment-là, Rouge s'est mis à gazouiller : il était à peine à cinq pas de ma cachette. Je n'avais plus le temps de réfléchir. On aurait dit que cet oiseau était devenu fou. Il courait partout dans la pièce, Simpson à ses trousses. À chaque fois qu'il se penchait pour essayer de l'attraper, l'oiseau accélérait l'allure d'un coup d'aile.

Maintenant, vous avez deviné la suite. Cette saleté d'oiseau a fini par venir se réfugier sous la table, et quand Simpson s'est baissé pour l'attraper, il m'a vue.

Pendant une minute, il a eu l'air aussi terrorisé que moi. Il faut dire que ça a dû lui faire un effet bœuf de me voir comme ça à moitié encastrée dans le mur en kudzu en train de le regarder avec des yeux complètement exorbités. Il s'est redressé à toute vitesse et a fait un pas en arrière.

Après ça, on s'est regardés fixement ; au bout d'une minute, il a dit : « Vous êtes... euh... vous êtes Mary Agnès, c'est ça ? »

C'est là que j'ai fait une chose que je regretterai toute ma vie : j'ai détalé, renversant les cageots, la planche posée dessus et la boîte à bandages de Sudie. Je l'ai frôlé au passage, j'ai traversé la grande pièce et j'ai plongé dans le tunnel.

Il ne m'a même pas couru après. Je l'ai entendu qui disait: «Oh, Seigneur Dieu!» Et c'est tout. En moins d'une seconde, j'étais sortie du tunnel. Je n'ai arrêté de courir que quand je suis sortie du bois.

Comme je l'ai dit, j'ai eu des remords, plus tard. J'ai tout raconté à Mlle Marge et au docteur Stubbs, mais ils avaient beau dire qu'ils me comprenaient, je me sentais toujours aussi mal. On a discuté pour savoir quoi faire. Ils m'ont demandé si je pensais que Simpson se cachait à l'Endroit Secret et je leur ai répondu que ça m'étonnerait, vu que j'y étais allée pratiquement tous les jours et qu'à part le bandage que l'écureuil avait à la patte, je n'avais jamais vu aucune trace de lui.

On a pensé à déposer un mot dans l'Endroit Secret pour mettre Simpson en garde, mais finalement on a changé d'avis de peur que quelqu'un d'autre ne le trouve.

On a même pensé à en parler à Sudie, parce que peut-être ça lui ferait du bien de savoir Simpson aussi proche, mais le docteur Stubbs a dit que non, parce qu'après elle aurait trop peur que Simpson se fasse coincer.

Après cette histoire, j'ai eu encore plus de remords par rapport à Sudie et Simpson. J'avais peut-être eu peur en voyant Simpson, n'empêche que c'était vrai qu'il avait l'air gentil, exactement comme Sudie l'avait dit, et du coup j'avais honte d'avoir été aussi bête. J'avais horriblement envie de lui en parler, mais bien sûr je ne l'ai pas fait. Tous les jours, j'allais m'asseoir à côté d'elle pendant le midi; quand je parlais, elle se contentait de hocher la tête. Souvent, je la raccompagnais chez elle, aussi. J'étais morte d'inquiétude pour elle. Il n'y avait qu'à voir sa tête! Elle avait des cernes sous les yeux, et même s'il lui arrivait de sourire de temps en temps, c'était le sourire le plus triste que j'aie jamais vu. Je faisais tout ce que je pouvais pour l'aider. Nettie aussi. Tout le monde faisait tout ce qu'il pouvait, mais ça n'avançait à rien.

*
* *

Le 13 octobre, c'est-à-dire trois semaines et deux jours après la découverte de Brannon Place, les gens de Linlow ont renoncé à abattre Simpson, parce que ce jour-là une voiture de police de Middelton est venue déposer Lilian Graham devant la porte de son frère. Les policiers lui ont raconté qu'ils avaient reçu un appel du commissariat d'Athens, disant qu'on l'avait retrouvée errant dans les rues trois jours plus tôt. Il avait en effet fallu trois jours pour lui faire dire où elle habitait.

Dès ce moment, on a commencé à entendre une tout autre chanson à Linlow. Du jour au lendemain, le nègre qu'on traitait de tueur depuis plus de trois semaines est devenu «ce nègre qui avait eu le culot de venir s'installer dans une ville où aucun nègre n'avait jamais vécu auparavant». Tout le monde disait que Lilian Graham avait rendu un fier service à cette ville en disparaissant comme elle l'avait fait. Parce que, autrement, on n'aurait jamais découvert l'endroit où vivait ce nègre. Maintenant, on pouvait être à peu près sûr que plus un seul nègre referait un coup pareil.

Sudie a commencé à aller un peu mieux après ça. Maintenant, elle pouvait au moins se dire que Simpson était hors de danger. N'empêche que le truc qui faisait peur, dans cette histoire, c'était que jamais elle ne prononçait le nom de Simpson, que ce soit devant Mlle Marge ou qui que ce soit d'autre. C'était comme s'il n'avait jamais existé. Ça me donnait la chair de poule rien que d'y penser. Du coup, Mlle Marge a suggéré au docteur Stubbs de lui donner Veinard pour voir si ça la ferait parler un peu de Simpson. Elle est même venue me demander mon avis, en parler, mais moi, je lui ai dit que Sudie n'avait pas le droit d'avoir des animaux chez elle, et qu'en plus de ça je savais qu'elle n'allait plus du tout à l'Endroit Secret, et que du coup, je pensais qu'il valait mieux ne pas lui parler de Veinard pour le moment.

Sudie recommençait à parler un peu et parfois, elle était attentive en classe. Mlle Marge, qui venait voir Sudie presque tous les jours, l'emmenait faire des balades en voiture et l'aidait à rattraper ses cours. Sudie mangeait mieux, aussi. Mlle Marge lui apportait quelque chose tous les jours. La semaine où elle a recommencé à manger, j'ai eu trois sucettes et je lui en ai donné deux, qu'elle a mangées jusqu'au bout. Billy a volé quatre barres de chocolat à la noix de coco, qu'il a partagées à chaque fois avec elle. Tous les jours, Nettie apportait à Sudie une patate douce que sa mère avait fait cuire spécialement pour elle et que Sudie mangeait en partie. À la fin du mois d'octobre, Sudie avait repris du poids et obtenait de meilleures notes. Elle n'avait toujours pas prononcé le nom de Simpson devant âme qui vive.

Huitième partie

Un présent pour une princesse

En novembre, Mlle Marge a reçu une lettre adressée à Mme Marjorie Allen, Collège de Linlow, Linlow, Georgie. C'était une lettre de Simpson. Il disait :

Chère Mme Allen,

J'espère que cette lettre ne vous causera pas d'ennuis. Mais il fallait que j'écrive. J'espère que vous avez réussi à donner le cochon à la famille de Miss Sudie. J'ai déjà voulu vous écrire pour vous expliquer les raisons de mon départ. Mais j'ai appris au même moment la disparition de cette femme. J'habitais chez des amis à Canter. Et je me suis dit que c'était trop risqué d'écrire.

J'ai su qu'on l'avait retrouvée. J'en suis heureux. Maintenant, je peux m'expliquer. Je suis parti parce que je sentais que le moment était venu pour moi de sortir de la vie de Miss Sudie. Je ne voulais pas partir. Vous connaissez mes sentiments pour cette enfant.

Je ne sais pas si elle vous a parlé de ces hommes qui ont failli nous surprendre ensemble. C'est ce qui m'a fait prendre conscience qu'il fallait que je parte avant qu'il n'arrive quelque chose. C'est une si merveilleuse petite fille. Je pense que vous savez que je n'aurais jamais pu supporter qu'il lui arrive quelque chose à cause de moi.

Je vous prie de lire cette lettre à Miss Sudie. J'ai songé un moment à vous demander de l'amener quelque part pour que je lui fasse mes adieux. Je sais maintenant que ce n'était pas une bonne idée. La dernière journée que nous avons passée ensemble était une journée d'adieu. Une journée formidable jusqu'à l'arrivée de ces hommes.

Quand ils sont arrivés, Mme Allen, on était en train de faire un château de terre. Cette enfant a réussi à me faire construire un château pieds nus dans la terre. C'est une chose que je n'oublierai jamais. Je veux qu'elle se souvienne de ces bons moments. Je veux qu'elle se souvienne de toutes les bonnes journées que nous avons passées ensemble. Je ne veux pas qu'elle garde le souvenir d'adieux forcés.

Il y a eu tellement de bonnes journées. Je remercie le Seigneur pour chacune d'elles. Je remercie le Seigneur de nous avoir offert ces bonnes journées avant que quelqu'un ne découvre notre secret. Le Seigneur devait veiller sur nous, Mme Allen. Forcément.

Je crois que ce n'est pas un hasard s'il nous a fait nous rencontrer. Le Seigneur savait que j'avais perdu le goût de vivre et il savait aussi que cette enfant avait besoin de moi. Elle avait besoin de quelqu'un qui l'aime. Je ne sais presque rien de sa famille. Jamais je n'ai réussi à la faire parler d'eux, mais je savais que c'était une enfant qui souffrait de sa solitude.

Le Seigneur savait ce qu'Il faisait. Je le crois. C'est pourquoi Il a veillé sur nous pendant si longtemps, mais maintenant il est temps pour nous de repartir chacun de notre côté.

C'est un grand bonheur pour moi de penser que vous êtes dans la vie de Sudie. Elle a énormément besoin de vous. Elle a besoin qu'une femme lui dise les choses qu'une femme doit savoir, et je sais qu'elle vous respecte, Mme Allen. J'ai eu avec Miss Sudie une conversation qui m'a fait comprendre qu'elle arrive à un âge où il faut qu'elle sache la vérité sur ces choses. Il semble que personne ne lui ait jamais dit la vérité.

Quand j'ai vu Miss Sudie le dernier jour, elle m'a parlé d'un homme à Linlow qui enseignait à l'école. Elle m'a dit qu'il avait abusé de beaucoup de petites filles, y compris de Miss Sudie. Elle n'a pas voulu me dire son nom. Je suis resté éveillé toute la nuit pour réfléchir à une façon de le dénoncer. J'ai pensé à le tuer. Mais ce n'est pas bien. Même si je savais qui il était et où le trouver, ce n'est pas bien. C'est à la justice de s'occuper de lui, pas à moi.

Je sais que vous pourriez demander à Miss Sudie de vous dire le nom de cet instituteur. Mme Allen, faites-le, je vous en prie. Il ne faut plus laisser cet homme faire du mal aux petites filles.

Au moment où vous recevrez cette lettre, je serai à Austin, Texas, où je vais essayer de recommencer une nouvelle vie auprès de ma famille. Je vous réécrirai pour vous donner mon adresse. Ça me ferait très plaisir que vous m'écriviez de temps en temps pour me donner des nouvelles de Miss Sudie.

La dernière chose que je vais vous demander, c'est de l'accompagner à son Endroit Secret. Si elle ne vous en a pas parlé, posez-lui la question. Je pense que ça serait bien qu'elle vous fasse connaître son endroit, d'autant plus que j'ai laissé là-bas un cadeau spécialement pour elle. Allez-y vite.

Dites-lui que les choses que je lui ai dites sont encore vraies. Qu'elles le seront toujours. Dites-lui que je l'aime. Que je l'aimerai toujours. Veillez sur elle. Elle a besoin d'une gentille dame comme vous pour s'occuper d'elle.

Je vous remercie.
S.

Mlle Marge a pleuré quand elle a lu cette lettre. Elle aurait voulu la montrer au docteur Stubbs, mais elle s'est dit finalement qu'elle n'était destinée qu'à Sudie et à elle, et elle ne l'a pas fait.

Il faisait froid et brumeux cet après-midi-là, quand elle est allée retrouver Sudie à l'école primaire à l'heure de la récréation. Toute cette grisaille lui faisait penser à la grisaille de la vie. Elle lui faisait penser aux esprits lourds et mornes de ces gens que la vie et la pauvreté avaient embrumés de haine et de peur.

Elle avançait lentement sur ce chemin rouge boueux qui allait du collège à la cantine où se trouvait Sudie. En regardant le grand carré de ciment qui devait servir de fondations à la nouvelle école primaire, elle s'est dit tout bas: «Je souhaite que ce nouveau bâtiment apporte des idées nouvelles. Puisse ce nouveau bâtiment provoquer un miracle.»

Elle a soupiré en remontant le col de son manteau. Puis, enfonçant ses mains au fond de ses poches, elle a pensé tout haut: «Il faudrait un miracle.»

Quand elle est arrivée à la cantine, elle avait les pieds complètement trempés et ses chaussures étaient couvertes d'argile rouge. Le foulard qu'elle avait sur la tête était trempé aussi. C'était une journée trop triste pour lire cette lettre à Sudie, et elle a failli rebrousser chemin. Peut-être aurait-il mieux valu attendre un jour plus ensoleillé, plus heureux, mais comme elle avait l'impression que cette lettre pourrait aider Sudie, elle a fini par se dire que ce ne serait pas juste d'attendre. Ce n'était pas l'heure de la récréation, ce qui fait que Mlle Marge a dû faire sortir Sudie de classe pour lui demander si elle pouvait venir l'attendre juste après l'école pour faire un tour en voiture et discuter. Sudie a dit d'accord.

Il faisait toujours brumeux quand Sudie a rejoint Mlle Marge dans sa voiture. Il semblait même faire plus froid. Retirant ses chaussures pleines de boue, Sudie a remonté ses jambes sur le siège et les a enroulées dans sa jupe et son manteau avant même de dire bonjour à Mlle Marge.

Mlle Marge a souri à Sudie. «Il fait tellement froid que je crois qu'on ferait mieux d'aller dans ma classe pour parler. Ça te va, ma chérie?»

«Ouais, d'accord», Sudie a répondu en se penchant pour remettre ses chaussures.

«Sudie?»

«Ouais?»

«J'ai reçu une lettre de M. Simpson, aujourd'hui.»

Sudie a tourné brusquement la tête vers Mlle Marge; elle avait l'air de ne pas la croire. Elle la fixait de ses grands yeux.

«Ele est arrivée à l'école, Sudie. Je l'ai laissée dans ma classe.»

Les yeux de Sudie se sont remplis de larmes. Elle s'est détournée de Mlle Marge comme pour regarder par la fenêtre. Elle a pris une profonde inspiration.

«Il est où?» elle a demandé d'une voix presque inaudible.

«Il est au Texas, Sudie.»

Sudie n'a pas répondu. Elle est restée silencieuse pendant tout le chemin. Elle regardait toujours par la fenêtre sans cesser d'agiter les mains dans les poches de son manteau. Quand elles sont arrivées, Mlle Marge s'est assise à son bureau et a sorti la lettre d'un tiroir.

«Viens t'asseoir ici, Sudie», elle a dit en désignant une chaise placée à côté de son bureau.

Sudie s'est assise. Elle ne regardait pas la lettre. Elle s'est mise à arracher des petites boules de laine sur la manche de son manteau et à balancer les pieds en les traînant par terre.

«M. Simpson m'a demandé de te lire sa lettre, ma chérie. Tu veux que je la lise ou tu préfères la lire toi-même?»

Au bout d'une minute, Sudie a répondu: «Vous pouvez la lire.»

«Tu ne veux pas enlever ton manteau? Peut-être que tu serais plus à l'aise.»

Sudie a arrêté de tirer sur la manche de son manteau et a fourré les mains dans ses poches. «Non, j'ai pas envie», elle a répondu en s'affaissant sur sa chaise.

Mlle Marge a rapproché sa chaise et a pris Sudie par l'épaule. Elle tenait la lettre dans sa main libre. Elle a commencé à lire: «Chère Mme Allen, j'espère que cette lettre ne vous causera pas d'ennuis. Mais il fallait que j'écrive. J'espère que vous avez réussi à donner le cochon à la famille de Miss Sudie...»

C'est tout ce qu'elle a pu lire. À ce moment-là, Sudie s'est levée d'un bond et s'est mise à hurler, à hurler de toutes ses forces, à courir partout dans la pièce comme un animal pris au piège, à marteler le tableau noir de coups de poing, à envoyer des coups de pied dans les pupitres et à balancer les éponges dans n'importe quelle direction.

Mlle Marge a raconté plus tard que son premier mouvement avait été d'empoigner Sudie et d'essayer de la calmer. Mais après ça, elle s'est dit que pendant toutes ces semaines Sudie avait ravalé toute cette colère, que pendant toutes ces semaines tout le monde avait essayé de la faire parler, mais sans succès. Alors, Sudie pouvait bien dévaster toute cette salle, ça n'avait pas d'importance. Ce qui comptait, c'était qu'elle évacue sa colère. Et elle était décidée à la laisser hurler comme ça jusqu'à épuisement, même si ça devait durer tout l'après-midi et toute la nuit.

Mais, finalement, ça n'a pas été nécessaire. En entendant tout ce chambardement, M. Etheridge a accouru. Il avait à peine ouvert la porte que Sudie s'est tue. Tout de suite! Aussi brusquement qu'elle avait commencé. Sudie est restée plantée sur place les bras pendants, comme vidée de son énergie. M. Etheridge n'a pas eu le temps d'ouvrir la bouche. Et quand Mlle Marge lui a dit de les laisser et que tout irait bien, il a fait demi-tour et a refermé la porte derrière lui.

Mlle Marge est restée immobile sur sa chaise pour voir si Sudie allait se remettre à hurler. Et quand elle a compris que Sudie avait terminé, elle a dit : « Ce n'est rien, Sudie. Ça me fait plaisir que tu aies fait ça. Vraiment plaisir. »

Lentement, Sudie est retournée s'asseoir. « Ça sert à rien, tout ça », elle a dit. « Rien sert à rien, de toute façon. »

« Je crois que ça te ferait peut-être du bien d'en parler. Parfois, ça aide, de parler. »

Sudie a recommencé à traîner les pieds par terre. « Comment ça se fait que rien sert jamais à rien, hein ? Comment ça se fait, hein ? Dites-moi ! » elle a demandé.

Mlle Marge a posé la lettre de Simpson sur le bureau et s'est penchée vers Sudie. « Je sais qu'on pourrait le croire, Sudie, mais c'est mieux que de tout garder à l'intérieur. Ce n'est pas sain de garder ses sentiments pour soi. Il faut les exprimer et si c'est impossible, il faut les laisser sortir autrement. »

Sudie a abattu son poing sur sa jambe. « Ça sert à rien de parler. Qu'est-ce que vous voulez que ça change de parler ? À quoi ça sert de parler quand on sait que ça va rien changer ? Les grandes personnes, elles parlent tout le temps. C'est tout ce qu'elles savent faire. Ça veut rien dire, tout ça, c'est de la frime ! »

« Mais Sudie, M. Simpson est une grande personne et tu pouvais lui parler. Tu n'aimais pas lui parler ? »

Sudie a pris la lettre. Elle l'a posée sur ses genoux et s'est mise à la regarder sans y toucher.

Mlle Marge s'est levée. « Si tu veux, je peux aller attendre dehors pendant que tu lis la lettre, ma chérie. »

Sudie a levé les yeux vers Mlle Marge et lui a tendu la lettre. « C'est mieux si c'est vous qui la lisez », elle a dit.

Alors Mlle Marge s'est rassise et a lu la lettre jusqu'au bout. Pendant tout ce temps, Sudie a gardé les yeux rivés au sol. Sans pleurer ni hurler. Sans lever la tête. À la fin de la lettre, Mlle Marge a pris les deux mains de Sudie dans les siennes. «Il t'aime énormément, Sudie», elle a dit, «et il t'a laissé un cadeau.»

Sudie ne levait toujours pas la tête.

«Tu comprends, maintenant, pourquoi il est parti? Il est parti parce qu'il t'aimait, Sudie. Tu comprends ça?»

«Aimer, c'est rien», elle a répondu en regardant Mlle Marge. «Aimer, ça veut rien dire.»

Mlle Marge a eu du mal à ne pas pleurer quand Sudie a dit ça. Comme elle ne savait pas quoi répondre, elle s'est contentée de dire: «Ça me rend triste que tu penses ça, Sudie.»

«Je crois que ça me rend triste aussi», Sudie a répondu d'une voix qui n'était plus qu'un murmure.

«Ça me met en colère que tu penses ça, Sudie.»

Sudie n'a pas répondu.

«On est tous en colère quand on perd quelqu'un qu'on aime, ma chérie. Je comprends ce que tu ressens.» Elle a tapoté la main de Sudie avant de reprendre: «J'ai un mari que j'aime énormément, et il a été obligé de partir. Il n'avait pas plus envie de partir que M. Simpson. Il est parti parce qu'il aime notre pays et qu'il voulait se battre pour lui. Il est parti parce qu'il m'aime assez, moi et nos futurs enfants, pour risquer sa vie pour nous. Tu comprends ça, Sudie?»

Sudie s'est levée et s'est approchée de la fenêtre pour regarder la pluie. Au bout d'un petit moment, elle a dit: «Il doit beaucoup vous aimer, alors.»

«Oui, Sudie. Autant que M. Simpson t'aime.»

«Et s'il ne revient pas?»

«Tu veux dire mon mari ?»

«Ouais.»

Mlle Marge a rejoint Sudie devant la fenêtre. «J'essaie de ne pas y penser», elle a répondu.

«Mais s'il ne revient pas ?»

En soupirant, Mlle Marge a passé la main autour des épaules de Sudie. «Je pleurerai», elle a répondu, «et je serai en colère et je croirai que ma vie est terminée. Je suis sûre que je hurlerai et j'aurai l'impression d'avoir le monde entier contre moi, Sudie, mais après le temps passera, et j'espère que je serai assez forte pour continuer à vivre et à aimer. C'est ce que mon mari voudrait.»

«La femme de Simpson est morte. Et son bébé aussi.»

«Je sais, ma chérie.»

«C'était horrible. Quand il m'a raconté, c'était quelque chose d'insupportable à entendre. C'était trop horrible.»

«C'est vrai, Sudie. Horriblement triste. Il les aimait énormément. Et il les aime encore.»

Sudie a appuyé la tête contre la vitre. «Mais elles sont mortes», elle a murmuré.

«Ça ne veut pas dire qu'il ne les aime plus.»

«Comment est-ce qu'on peut aimer des gens qui sont morts ?»

«L'amour ne meurt pas avec les gens, Sudie. Tu n'as jamais perdu quelqu'un de ta famille ?»

«Si, mon grand-père et ma grand-mère. Mais je me souviens pas d'eux.»

«Et tes animaux ?»

Sudie s'est baissée pour ramasser une éponge qu'elle avait jetée tout à l'heure.

«J'aimais beaucoup Penny», elle a répondu.

«Et maintenant ?»

Sudie est allée remettre l'éponge dans la boîte à côté du

tableau. «Oui», elle a répondu, «je l'aime encore quand je pense à elle.»

«J'en suis sûre, Sudie. Ce n'est pas parce qu'on ne voit plus quelqu'un qu'on arrête de l'aimer.»

«Peut-être, mais c'est dur de ne pas voir quelqu'un qu'on aime», Sudie a ajouté d'une voix brisée avant d'enfouir son visage dans ses mains.

Mlle Marge n'a rien dit. Elle espérait que Sudie continuerait de pleurer. Mais Sudie a arrêté. Au bout d'un petit moment, Mlle Marge a repris: «Sudie, je suis très impatiente de voir ton Endroit Secret. Tu n'as pas envie qu'on aille voir le cadeau que M. Simpson t'a laissé?»

Sudie a retiré les mains de son visage et a regardé Mlle Marge. «C'est pas possible», elle a répondu d'une voix fatiguée, «c'est en plein milieu des bois. Vous allez être trempée de la tête aux pieds.»

Mlle Marge a souri. «Un petit peu de pluie ne nous fera pas de mal», elle a dit en prenant Sudie par la main. «Viens, ce cadeau nous réconfortera. Hein, qu'est-ce que tu en dis?»

«Mais Mlle Marge, il faut se mettre à quatre pattes pour rentrer. Vous pouvez pas rester habillée comme ça.»

«À quatre pattes?» Mlle Marge a répété d'un air surpris.

«Il n'y a pas moyen de rentrer autrement, et la terre dans le tunnel va être complètement trempée, vu qu'il n'y a pas d'arbres au-dessus, à cet endroit-là.»

Après avoir réfléchi un moment à la question, Mlle Marge a fini par trouver une solution. C'était simple: il n'y avait qu'à aller demander à M. Etheridge s'il n'avait pas une vieille salopette ou un vieux pantalon à lui prêter. «Pas de problème», il a répondu quand Mlle Marge lui a posé la question. Il les a emmenées chez lui et il a sorti une salopette et une vieille chemise. Mme Etheridge a fourni une vieille paire de chaussures.

Mlle Marge est allée se changer, et quand elle est revenue, Sudie n'a pas pu s'empêcher de rigoler: la salopette aurait pu en contenir trois comme elle. Comme c'était la première fois que Mlle Marge entendait Sudie rigoler depuis le départ de Simpson, elle s'est mise à se dandiner comme un mannequin tout autour de la pièce en virevoltant et en faisant des révérences.

*
* *

Qu'est-ce que j'ai été contente quand j'ai appris que Sudie avait enfin rigolé! C'est vrai parce que, bon, j'avais peut-être décidé d'être son amie pour le meilleur et pour le pire, n'empêche que je commençais à en avoir un peu marre du pire.

Pour dire la vérité, je crois que je voulais retrouver l'ancienne Sudie plus que n'importe qui en ville, même Mlle Marge. Toute cette histoire m'avait fait salement réfléchir, et j'en étais arrivée à une conclusion. C'était vrai que Sudie et moi, on se disputait depuis toujours, qu'il y avait des trucs chez elle qui me tapaient sur les nerfs et tout, n'empêche que, comme je l'ai dit à Mlle Marge, mais pas encore à Sudie, j'avais appris des tas de choses grâce à elle et ça m'avait forcée à me poser des questions sur les gens, les Blancs et les Noirs, et je me disais que maintenant, il allait falloir que je continue à réfléchir à ça toute seule, parce que ça n'avait pas été beau à voir, le comportement de cette ville dans l'affaire Simpson. Vraiment pas beau à voir, et pas seulement parce que c'était un nègre. En plus de ça, j'ai décidé, même si ça doit me prendre toute l'année, de continuer à tanner ma mère et mon père jusqu'au moment où ils me diront que j'ai le droit d'être copine avec Sudie. Parce que devoir être copine avec quelqu'un en cachette, je vous jure que c'est tout sauf marrant.

Déjà, Sudie m'appelait Copchette, pour copine/cachette. Je ne vous raconte pas. Je n'osais même pas imaginer les noms qu'elle me donnerait quand elle serait redevenue comme avant.

*
* *

Bref, en sortant de chez M. Etheridge, Mlle Marge et Sudie ont pris la direction du bois de Bowen, garant la voiture au bord de la route la plus proche. Elles ont dû traverser un champ détrempé et recouvert de mauvaises herbes puis une partie des bois avant d'arriver à l'Endroit Secret. Il pleuvait encore légèrement quand elles ont atteint le kudzu. Mlle Marge, qui n'imaginait pas du tout ce qui l'attendait, pensait plutôt trouver une petite cabane ou quelque chose comme ça. Ce qui fait que quand Sudie lui a montré la masse de kudzu en lui disant que c'était là, Mlle Marge n'a pas compris du tout. Exactement comme le jour où elle avait vu la maison de Simpson pour la première fois.

Comme le kudzu avait perdu ses feuilles, Mlle Marge n'a pas vraiment pu se rendre compte à quel point l'endroit était joli, ce qui ne l'a pas empêchée d'être complètement épatée quand elle a émergé dans la grande pièce. Et la première chose qu'elles ont vu en entrant, c'était le cadeau. Simpson avait installé deux cageots sur lesquels il avait posé le cadeau qu'il avait enveloppé dans un morceau de toile de bâche.

Dès qu'elle a vu ça, Mlle Marge a dit: « À mon avis, le cadeau doit être là-dessous, Sudie », et elle avait à peine terminé sa phrase que Sudie avait déjà enlevé la toile de bâche.

C'était une belle grande boîte en carton. Quand Sudie l'a ouverte, elle a trouvé une deuxième boîte enveloppée dans du papier rose, le plus joli que Mlle Marge et Sudie aient jamais vu, et surmontée d'un gros nœud rose. Sudie s'est arrêtée un instant pour admirer.

«Oh, Mlle Marge, vous avez vu comme c'est joli», elle a dit, dans un souffle, en tendant le cadeau à Mlle Marge pour qu'elle le voie de plus près.

«Sudie, je crois bien que c'est le plus joli cadeau que j'aie jamais vu. Regarde-moi ce nœud!»

À ce moment-là, Sudie a pressé la boîte contre son cœur avant de la reposer sur le cageot et de l'ouvrir. Mlle Marge a étendu la toile de bâche sur la terre humide et s'est assise dessus pendant que Sudie défaisait soigneusement le nœud et l'emballage. Elle a tendu le tout à Mlle Marge avant d'ouvrir la boîte. Et quand elle l'a ouverte, Mlle Marge a raconté que, de toute sa vie, elle n'avait jamais vu des yeux s'agrandir autant que ceux de Sudie à ce moment-là. Sudie a pris une profonde respiration: «Oh-h-h...»

Elle a plongé les mains dans la boîte et en a retiré une robe jaune. Une robe jaune qui faisait ressembler toutes les autres robes jaunes à des sacs. Une robe jaune (comme elles l'ont appris plus tard dans la lettre de onze pages que Simpson avait mise au fond de la boîte pour Sudie) qu'il avait fait confectionner spécialement, parce qu'il avait fait tous les magasins de Canter, de Middelton et d'Athens, et qu'il n'en avait pas trouvé d'assez belle pour une princesse. La robe jaune la plus froufroutante, la plus coquette, la plus chargée de fanfreluches jamais fabriquée sur terre. De la dentelle blanche avait été cousue partout où c'était possible: autour du petit col rond, le long des petits plis sur le devant, de chaque côté de la large ceinture à nœud, au bas de chaque volant du jupon, aux poignets des manches bouffantes.

Sudie était muette. Mlle Marge aussi. Elles ne pouvaient pas détacher les yeux de la robe. De grosses larmes ont commencé à dégouliner sur les joues de Sudie. Une demi-seconde plus tard, Sudie pleurait toutes les larmes de son corps, debout au beau milieu de cette pièce en kudzu, tenant devant elle cette robe jaune.

La vraie fin

Voilà toute l'histoire. Sudie s'est remise. Elle portait cette robe jaune tous les dimanches pour aller à l'église, et Mlle Marge lui a acheté une nouvelle paire de chaussures vernies pour aller avec. La congrégation a décidé à l'unanimité d'avoir une discussion avec le pasteur Miller, et même si parfois il oublie, ses sermons ne sont plus aussi terrorisants qu'avant. Il est même allé voir le docteur Stubbs pour lui parler. Maman et papa ont fait les sales têtes pendant un moment, et je crois que papa préférerait mourir plutôt que d'avouer qu'il s'est trompé au sujet des Noirs, mais au moins, lui et maman m'ont dit que c'était d'accord, je pouvais être copine avec Sudie. Les parents de Sudie, c'est à peu près la même chose. Sudie m'a raconté que sa mère aimait bien la robe jaune et qu'elle avait dit qu'elle était jolie, et que son père a fabriqué pour Billy et elle une balançoire dans le poirier avec un vieux pneu.

C'était fou le nombre de choses que Simpson avait faites pour cette ville sans le savoir, et en ce qui me concerne... c'est encore la dernière que je préfère. Vous voyez, un dimanche matin, au lever du soleil, trois semaines après que Sudie a eu cette robe, Billy, Nettie et moi, on s'est retrouvés au dépôt. Billy avait apporté un marteau et on est partis sur la grand-route. Quand on est arrivés aux limites de la ville, je me suis hissée sur leurs épaules, j'ai posé un pied sur Nettie et l'autre sur Billy, je me suis agrippée au poteau téléphonique et j'ai pris le marteau de

Billy dans. ma main libre ; et pendant que Nettie et moi, on rigolait comme des folles et que ce crétin de Billy n'arrêtait pas de râler parce que je lui faisais mal à l'épaule avec ma chaussure, j'ai démoli la dernière pancarte que mon père et mon grand-père avaient accrochée presque trente ans plus tôt, la pancarte qui disait : NÈGRE, SACHE QUE TU N'ES PAS LE BIENVENU SOUS LE SOLEIL DE LINLOW.